Kritische information

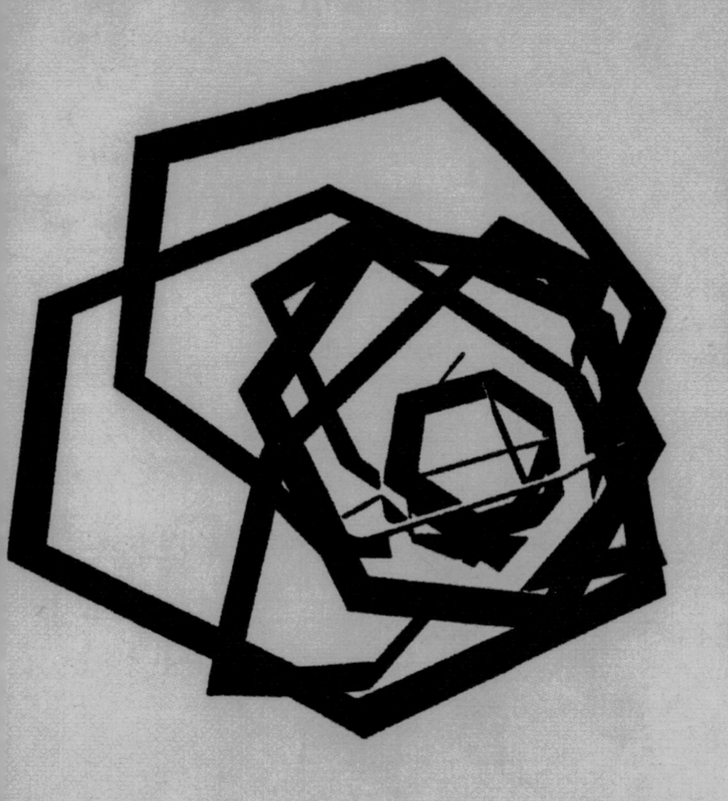

wilhelm fink verlag

dietrich krusche

kafka und kafka-deutung

KRITISCHE INFORMATION

Die neue Reihe stellt zu erschwinglichem Preis Hand- und Arbeitsbücher für das Studium, aber auch für den Bedarf des Oberstufen-Unterrichts an den Schulen bereit. An folgende Buchtypen ist dabei vorwiegend gedacht: 1. Ausgewogene Einführungen in große Fachgebiete; 2. Reader, in denen die maßgeblichen Beiträge zu neuen Fragestellungen, kommentiert und durch Register erschlossen, zusammengefaßt sind; 3. Kommentierte Bibliographien; 4. Fachdidaktiken; 5. Kommentare zentraler Texte; 6. Gesamtdarstellungen von Autoren des 20. Jahrhunderts.

1. Max Black: Sprache

   Eine Einführung in die Linguistik. Übersetzt, erklärt und kommentiert von Herbert E. Brekle.

2. Ossip K. Flechtheim/Ernesto Grassi, Hrsg.: Marxistische Praxis

   Selbstverwirklichung und Selbstorganisation des Menschen in der Gesellschaft.

3. Vladimir Karbusicky: Widerspiegelungstheorie und Strukturalismus

   Zur Entstehungsgeschichte und Kritik der marxistisch-leninistischen Ästhetik.

4. Wolfgang U. Dressler/Siegfried J. Schmidt: Textlinguistik

   Kommentierte Bibliographie.

5. Dietrich Krusche: Kafka und Kafka-Deutung

6. Theodor Verweyen: Eine Theorie der Parodie

   Am Beispiel Peter Rühmkorfs

7. Peter Haida: Komödie um 1900

   Wandlungen des Gattungsschemas zwischen Hauptmann und Sternheim.

8. Winfried Schulze: Soziologie und Geschichtswissenschaft

   Einführung in die Probleme der Kooperation beider Wissenschaften.

9. Ernst L. Offermanns: Arthur Schnitzler
Das Komödienwerk als Kritik des Impressionismus.

10. Wolfgang Beilenhoff, Hrsg.: Poetik des Films
Deutsche Erstausgabe der filmtheoretischen Texte der russischen Formalisten.

11. Siegfried J. Schmidt, Hrsg.: Pragmatik I
Interdisziplinäre Beiträge zur Erforschung der sprachlichen Kommunikation. Mit einer Einführung des Herausgebers und separaten Einleitungen sowie Anmerkungen zu den einzelnen Beiträgen.

12. Herbert Kaiser: Materialien zur Theorie der Literaturdidaktik
Theorie, Literaturausbildung, Quellen- und Arbeitstexte.

13. Günter Waldmann: Theorie und Didaktik der Trivialliteratur
Modellanalysen – Didaktikdiskussion – literarische Wertung.

14. Wolfgang Huber: Assembler
Eine Einführung in die Assemblersprache.

15. Peter von Moos: Mittelalterforschung und Ideologiekritik
Der Gelehrtenstreit um Héloise.

16. Theo Elm: Siegfried Lenz - „Deutschstunde"
Engagement und Realismus im Gegenwartsroman

17. Hajo Kurzenberger: Horváths Volksstücke
Beschreibung eines poetischen Verfahrens

18. Dmitrij Tschizewskij: Russische Geistesgeschichte
Zweite, durchgesehene und erweiterte Auflage.

19. Lewis White Beck: Kants „Kritik der praktischen Vernunft"
Ein systematischer Kommentar. Übersetzt und mit einer Einleitung versehen von Karl-Heinz Ilting.

20. Georg Heike, Hrsg.: Phonetik und Phonologie
Ein Reader. Mit Kommentaren und Anmerkungen zur Entwicklung der Phonologiediskussion sowie einer Einleitung des Herausgebers.

Dietrich Krusche

Kafka und Kafka-Deutung:

Die problematisierte Interaktion

1974

Wilhelm Fink Verlag München

Satz und Druck: Mittelbayerische Druckerei- und Verlags-Gesellschaft mbH, Regensburg
Buchbindearbeiten: Endres, München

INHALT

0 ABSICHT, METHODE, BEGRIFFLICHKEIT

Die vorliegende Arbeit* versucht, bestimmte Strukturen im Werke Kafkas mit bestimmten Erscheinungen in der wissenschaftlichen Kafka-Literatur in Verbindung zu bringen.

Der Übergang von der Untersuchung der Texte Kafkas zur Betrachtung der wissenschaftlichen Kafka-Literatur wird dreimal genommen: von der Analyse der charakteristischen Erzählformen Kafkas zu den unter dem Begriff des „Reduktiven" zusammengefaßten Deutungen, von der Untersuchung der Motivgestaltung zu den unter dem Begriff des „Spekulativen" gebündelten Interpretationen und von der Erörterung der Sozialfunktion des Künstlers Kafka zur Analyse des Kunstbegriffs, wie er in großen Teilen der bisherigen Kafka-Literatur sich zeigt.

Die Koppelung der Erscheinungen der Werkstruktur und der wissenschaftlichen Wirkungsgeschichte geschieht jeweils unter dem Leitbegriff der „problematisierten Interaktion". Es wird also davon ausgegangen, daß sich die Bedingungen der „Interaktion" („Kommunikation") innerhalb der erzählten Welt bzw. die Relationen zwischen fiktionaler Binnenwelt und zeitgenössischer Basiswirklichkeit, wie sie sich in der Erzähltendenz der Motivgestaltung ausdrücken, mit dem Vorgang der wissenschaftlichen Reaktion auf das Werk parallelisieren lassen: sowohl die Texte Kafkas als auch die wissenschaftliche Literatur dazu, das „Wissenschaftsgespräch", werden als Kommunikationssysteme in sich und zugleich als Teile eines beide umfassenden Systems begriffen. Das hat die Konsequenz, daß der Schwerpunkt des Begriffssystems dieser Arbeit nicht in der Werk-Ästhetik, sondern in *der Theorie der kommunikativen Relevanz von erzählerischen Gestaltungsformen*, also in der Wirkungs-Ästhetik, liegt.

Der Begriff „Interaktion" wird nahezu synonym mit „Kommunikation" gebraucht. Der Begriff „Interaktion" ist dem der „Kommunikation" bei der Formulierung des Titels der Arbeit aus folgenden Gründen vorgezogen worden: In der Kommunikationstheorie bedeutet *eine* „Kommunikation" eine einzelne Mitteilung, ein wechselseitiger Ablauf von Mitteilungen zwischen zwei oder mehr Personen wird als „Interaktion" bezeichnet, und was sich in den Erzählwerken Kafkas entfaltet

---

* Sie wurde unter dem Titel „Kafka: Die problematisierte Interaktion" von der Neuphilologischen Fakultät der Universität Heidelberg als Dissertation angenommen.

(und in der Kafka-Literatur), sind zweifellos ganze „Strukturen von Interaktionen“[1]; dazukommt, daß man bei „Kommunikation“ in erster Linie an verbale Mitteilung denkt, während „Interaktion“ auch alle nichtsprachlichen Formen wechselseitiger mitmenschlicher Einwirkung umfaßt, wie sie nicht nur die Erzählwelt Kafkas bestimmen, sondern auch die gesellschaftlich-geschichtliche Wirklichkeit, aus der das Werk Kafkas entstanden ist und in die – als eine schon wieder veränderte – hinein es heute vermittelt sein will.

---

[1] Vgl. Watzlawick (u. a.), S. 50 f.

1 DIE WISSENSCHAFTLICHEN ÄUSSERUNGEN ZU KAFKA IN IHRER GEGENSEITIGEN BEZUGNAHME

1.1 Der Dissens und die Erklärungen dafür

Einigkeit besteht in der wissenschaftlichen Kafka-Literatur allenfalls darüber, daß die Uneinigkeit unter den Kafka-Interpreten größer ist als sonst unter den verschiedenen Deutern ein und desselben dichterischen Werks der Neuzeit. Die Kommunikation innerhalb der Kafka-Literatur ist tief gestört.

Den Sachverhalt der Uneinigkeit hat am schärfsten Dieter Hasselblatt formuliert:

> Ein halbes Jahrhundert Kafka. Mißverständnisse, die Geschichte machten; Faszinationen, die Geschichte machten. Unterstellungen, Ignoranzen, Disqualifikationen, partielle Überschätzungen. Bearbeitungen, Übersetzungen und eine Werkausgabe mit Schlagseite.... Ein halbes Jahrhundert Kafka: verwöhnt, gelangweilt, verärgert von Versuchen, Kafka „am besten" zu verstehen. Kaleidoskope von Deutungen, Usurpationen, Nutzanwendungen, proklamatorischen Ausbeutungen, Methodenstreitigkeiten und hinkende Rechtfertigungen ...[2]

Dazu kommt, daß die Literatur zu Kafka innerhalb weniger Jahrzehnte so umfangreich geworden ist, daß sie ihrer Quantität nach mit der Literatur zu Shakespeare oder Goethe verglichen werden kann. Diese „Weltmode Kafka" hat die Bereitschaft zur Verständigung innerhalb der Kafka-Forschung nicht gefördert. In seiner Studie zur heutigen Lage der wissenschaftlichen Auseinandersetzung mit Kafka schreibt Hans Mayer: „Bisweilen steigt Ungeduld auf. ... Die von Harry Järv, einem Bibliothekar der königlich schwedischen Bücherei zu Stockholm, in Buchform zusammengestellte Bibliographie mit dem Titel ‚Die Kafka-Literatur' umfaßt nicht weniger als 5000 Hinweise."[3] Offenbar ist eines der Motive für solch unmutige Ungeduld die Einsicht, daß man schon königlich schwedischer Bibliothekar sein muß, um alle schriftlichen Äußerungen zu Kafka auch nur sichten zu können.

Die Feststellung der Divergenz der Deutungen, der Unterschiede bereits der Fragestellungen und der Inkommensurabilität vollends der

---

[2] Hasselblatt, S. 9.

[3] Mayer, S. 54.

Ergebnisse, hat die einzelnen Wissenschaftler immer wieder irritiert. Und immer wieder ist versucht worden, die Konfusion der Kafka-Forschung als eine bloße Panne in der Dichtungswissenschaft, als eine Verwirrung abzutun, von der man selbst in seiner eigenen Arbeit nicht betroffen sei. Die *Erklärungen* freilich für die Ursachen des allgemeinen Dissenses und damit die Motive für die Distanzierung davon, sind wiederum divergent.

Heinz Ide konstatiert das Fehlen einer „Voraussetzung" für ein verbindliches Reden über Kafka: „Man nimmt neuerliche Versuche über Kafka nachgerade skeptisch entgegen. Wie sollte man nicht? Fehlt nicht die elementarste Voraussetzung für jedes Sprechen über den Dichter, die nämlich, daß wir sachlich verstünden, was er uns mitteilt? Stürzen nicht alle Erklärungsversuche, von denen der persönlichen Freunde des Dichters angefangen, uns in immer verstrickendere Wirrung!"[4] Die Möglichkeit, dieser „Wirrung" zu entgehen, sieht Ide also darin gegeben, daß es gelingt, Kafkas „Mitteilung" in ihrer „Sachlichkeit" zu entziffern, und er erklärt die Konfusion in der bisherigen Kafka-Literatur somit aus dem *Mangel an gedanklich-philosophischer Grundsätzlichkeit* der Fragestellung. Ganz im Gegensatz zu Ide sieht eine Reihe anderer Kafka-Interpreten den Grund für die Divergenz der Meinungen über Kafka eben darin, daß Kafkas Werk allzusehr auf eine darin zu findende gedankliche Stofflichkeit befragt worden sei. Als den Ausgangspunkt solch stofflich-inhaltlichen Deutens in der Geschichte der Kafka-Literatur hat Politzer die Kafka-Schriften Max Brods bezeichnet; er hat von der Verflachung gesprochen, die sich bei der „Übersetzung" der Texte Kafkas in „theologische oder andere Schlüsselbegriffe" ergebe, und Brod vorgeworfen, er habe aus Kafkas Werk „Programm-Musik" gemacht[5]. Diese Erklärung erster Ursächlichkeit der Verwirrung der Kafka-Literatur hat Friedrich Beißner aufgenommen und mit großer Entschiedenheit die Verirrung der Interpreten als ein *Abgehen von der Grundlage aller Dichtungswissenschaft* diagnostiziert, *der Beachtung der Formen* dichterischer Gestaltung[6]. In der Nachfolge Beißners befand sich Martin Walser, als er alle theologischen und philosophischen Deuter Kafkas als „literaturfremde Kommentatoren" bezeichnete[7]; und in einer jüngeren Studie zur Struktur der Erzählungen Kafkas von Brigitte Flach werden alle Kafka-Deutungen, die nicht bei der Analyse der Erzählformen einsetzen, als nicht eigentlich literaturwissenschaftlich abgetan[8].

Grundsätzlicher, d. h. nicht einfach als Verwirrung, die man endlich abstellen müsse und könne, hat Hasselblatt den Dissens und die Konfu-

---

[4] Ide, S. 66.

[5] Politzer, Problematik und Probleme der Kafka-Forschung (bes. SS. 274 und 279).

[6] Beißner, Der Erzähler Franz Kafka, S. 7 ff.

[7] Walser, S. 129.

[8] Flach, S. 1 ff.

sion in der Kafka-Literatur erklärt. Auch er sieht die Schwierigkeiten, die sich die Kafka-Interpreten gegenseitig bereiten, durch die Zumessung „heterogener Methoden ans Werk" bedingt[9]. Er nimmt Bezug auf Wilhelm Emrichs Programm der „werkimmanenten Interpretation", findet dabei allerdings, daß auch Emrich seinem Deutungsprinzip nicht treubleiben könne, daß seine Arbeit nicht frei sei von „werkfremden Aspekten, Perspektiven, Prämissen und Begriffen"[10]. Doch Hasselblatt sieht das „Werkfremde" in Emrichs Deutung nicht in einer exzessiven Beachtung des inhaltlich vom Werke Kafkas Bedeuteten gegeben; vielmehr richtet er seine Aufmerksamkeit auf das Vorverständnis, das Interpreten wie Emrich von den Bedingungen haben, unter denen sich Wirklichkeit („Wahrheit") in einem dichterischen Werk vermittle, und kommt zu der Schlußfolgerung: „Gerade in Emrichs Kafka-Forschungen wird die ‚permanente Grundlagenkrise' (diese Formulierung wird auf B. Allemann[11] zurückgeführt, D. K.) unserer Literaturwissenschaft deutlich, die in ihren Ursprüngen . . . der Klassik-Romantik entstammt und nicht in der Lage zu sein scheint, Dichtung anders als vom Symbolischen her – dem Inbegriff des Klassischen – zu verstehen."[12]

Damit ist bezeichnet, daß dem allgemeinen Dissens in der Kafka-Literatur eine gewisse Konsequenz, ja Notwendigkeit innewohnt (der Dissens selbst ist als Problem definiert!) und daß es lohnend sein könnte, sowohl nach seiner Bedingtheit durch das besondere Werk Kafkas selbst zu fragen als auch nach den exemplarisch darin zum Vorschein kommenden Verständigungsproblemen der gegenwärtigen Dichtungswissenschaft überhaupt.

1.2 *Klassifizierungen und Disqualifikationen*

Wenige Versuche sind bisher unternommen worden, dem exemplarischen Dissens in der Kafka-Literatur zu steuern – und kaum einer dieser Versuche hat den Dissens nicht noch vergrößert.

Einige Autoren haben versucht, die Unübersichtlichkeit in der Kafka-Deutung zu verringern, indem sie eine Einteilung der Literatur nach den einzelnen Deutungsansätzen vornahmen. Dabei wurden vielfältige Kategorien gefunden. Emrich unterscheidet eine „theologische Richtung", eine „psychoanalytische Richtung" und eine „soziologische, bzw. sozialkritisch-politische und kulturgeschichtliche Richtung". Die Gemeinsamkeit all dieser Deutungsrichtungen sieht er darin gegeben, daß sie Kafka auf „empirisch bestimmbare Phänomene" zurückzuführen und seine

---

[9] Hasselblatt, S. 28.
[10] Ebenda.
[11] Allemann, Hölderlin und Heidegger, S. 193.
[12] Hasselblatt, S. 28.

Rätsel durch sie „restlos aufzuhellen" versuchen[13]. Brigitte Flach unterteilt noch ausführlicher in eine „biographische Kafka-Literatur", eine „magisch-religiöse" Auslegung, eine Gruppe „existentialistischer Ausleger", eine Gruppe an der „Daseinsanalytik ausgerichteter" Interpreten, eine Gruppe der Kafka-Deuter „mit psychoanalytischer Absicht" und eine Gruppe schließlich, die „der Gesellschaftskritik, im besonderen der marxistischen Ideologie verbunden" ist[14]. Ähnlich ist die Einteilung von Klaus Hermsdorf[15].

Bei keinem dieser Klassifizierungsunternehmen wird eine Untersuchung der methodischen Grundlagen der einzelnen interpretatorischen Ansätze versucht – noch weniger eine wissenschaftstheoretische Systematisierung. Folglich ergeben sich auch keine Einsichten in die Unterschiede und Gemeinsamkeiten der einzelnen Deutungen. Konsequenzen werden aus der besonderen Situation der Kafka-Literatur nicht gezogen. Mit einem unverbindlichen Überblick über die Vielfalt ihrer Erscheinungen wird ihr Genüge getan.

Einen etwas überzeugenderen Weg der Auseinandersetzung mit der bisherigen wissenschaftlichen Reaktion auf Kafka beschreitet Walter H. Sokel: Er wählt die Arbeiten von Emrich und Politzer als „die zwei bedeutendsten Totalanalysen des Werkes Kafkas" aus, die bisher unternommen worden seien, und setzt sich mit diesen in exemplarischer Weise auseinander. Dabei geht es allerdings auch Sokel weniger um die Interpretationsmethodik und um eine Grundsatzdiskussion über die Probleme der Kafka-Literatur als um die „Ergebnisse" der ausgewählten Arbeiten. Die Formulierung dieser „Ergebnisse" hat in Sokels eigenem Deutungszusammenhang die Funktion, die Standorte der beiden anderen Interpreten philosophiegeschichtlich einzuordnen und in der Abgrenzung davon den Bezugsrahmen der eigenen Untersuchung abzustecken. So verzichtet zwar auch Sokel darauf, die besondere Situation der Kafka-Literatur für die Dynamik seiner Arbeit fruchtbar zu machen, die Eigenart Kafkas mit der Eigenart seiner Wirkungsgeschichte in Verbindung zu bringen; aber immerhin führt ihn die Auseinandersetzung mit den beiden bis dahin umfassendsten Kafka-Analysen bis an die Definition der eigenen Arbeitsziele heran[16].

Hans Mayer bietet in seiner Studie „Kafka und kein Ende?" eine Aufzählung der wichtigsten Deutungsunternehmen der Kafka-Literatur in Form eines chronologischen Überblicks. Dabei kommt er zu gewissen systematischen Konturierungen, die Hinweise darauf geben, in welcher Richtung sich Mayers Ansicht nach die Kafka-Literatur weiterentwickeln sollte. Indem er sich sowohl mit dem „spekulativen Element" der ersten Phase der Kafka-Deutung (bezeichnet durch Brod und dessen Nachfol-

---

[13] Emrich, S. 420, Anm. 10.
[14] Flach, S. 3 ff.
[15] Hermsdorf, S. 12 ff.
[16] Sokel, S. 26 ff. (bes. S. 28).

ger[17]) als auch mit dem „literarhistorischen Formalismus" der zweiten Phase (gekennzeichnet vor allem durch die Arbeiten Beißners) kritisch auseinandersetzt, kommt er zu dem Schluß, daß man Kafka mehr als bisher vor dem Hintergrund seiner zeitgenössischen Verhältnisse sehen und ihn somit endlich auch aus seiner „Isolierung innerhalb der Literaturgeschichte" lösen müsse. So ist Mayers Überblick über die Kafka-Literatur als einen Entwicklungsprozeß nicht auf bloße Deskription beschränkt, sondern verknüpft mit einem Postulat: dem nach der Einbringung des Phänomens Kafka in die Dimension der Geschichte[18].

Die umfassendste und grundsätzlichste Analyse der bisherigen Kafka-Literatur liefert Helmut Richter. Als engagiertem Marxisten steht ihm ein Begriffssystem zur Verfügung, das das darin eingegangene spekulative (gesellschafts- und geschichtstheoretische) Element nicht verleugnet – ja, Richter kann sogar voraussetzen, daß die Grundzüge seiner Weltanschauung den anderen Kafka-Forschern bekannt sind – und das zugleich den Vorteil hat, eine dialektische Distanz nicht nur auf Kafka und seine Zeit, sondern auch auf die vorausgegangene Kafka-Deutung als ihrerseits geschichtlich bedingte zu liefern. Es gelingt ihm, die Gesamtsituation der Kafka-Literatur in ihrer Konfusion zu erhellen, und zugleich bietet er die eigene Position in ihrer Engagiertheit als eine dar, der sich zu konfrontieren, mit der zu dialogisieren, leicht ist. Richter liefert angesichts der Kafka-Literatur für die „Grundlagenkrise" der Literaturwissenschaft heute eine – seine – Erklärung:

> In der wissenschaftlichen Problematik der Kafka-Forschung offenbart sich in besonderem Maße die gesellschaftliche und weltanschauliche Problematik der bürgerlichen Literaturwissenschaft überhaupt, ihr Verzicht auf eine allseitige Erkenntnis der Wirklichkeit und die Abwendung von dieser sowie die gesellschaftliche Isolierung und Ratlosigkeit, die sich einmal in die völlige Hingabe an das Handwerkliche der Kunst als Ausdruck des „inneren Menschen", zum anderen in die spekulative Bemühung um die Destillation von reiner „Seinserfahrung" aus der Dichtung flüchtet. Beide Wege müssen zu subjektivistischen Spekulationen führen, weil ihnen das Kriterium der Wirklichkeit fehlt . . .[19]

Trotz dieser akzentuiert polemischen Darstellung der Situation der Kafka-Literatur ist Richters Eingehen auf die Ergebnisse anderer Interpreten viel dialogischer, viel weniger dogmatisch als etwa die Klassifizierung Brigitte Flachs, die von ihrem radikal formalistischen Ansatz der Deutung Kafkas aus alle anderen Ansätze, zumal die Weltanschauung involvierenden, schlankweg als literaturwissenschaftlich nicht relevant abtut. Brigitte Flach schreibt: „Belangvoll und zugleich entscheidend sind allein diejenigen Aspekte, die in den Werken der letztgenannten

---

[17] Als in der Nachfolge Brods stehend ist vor allem die Arbeit Herbert Taubers zu sehen.

[18] Mayer, S. 67.

[19] Richter, S. 21.

Gruppe (der – im Sinne der Autorin – ausschließlich von ‚literaturwissenschaftlichen bzw. literaturhistorischen Intentionen' getragenen, D. K.) der Kafka-Literatur erarbeitet worden sind."[20] Dem gegenüber kann Richter es sich leisten zu sagen: „... Damit wird nicht prinzipiell die Berechtigung von Interpretationen bestritten, die allgemeinere Fragestellungen, auch philosophischer und theologischer Art, in Kafkas Werken widergespiegelt sehen."[21] Unter Berufung auf Seidler bringt Richter sogar, wenn auch nur vage und andeutend, das Werk Kafkas selbst mit der Situation der Kafka-Literatur in Beziehung: „Man wird der These Manfred Seidlers zustimmen müssen, wenn er im Hinblick auf das vielstimmige und oft heterogene Echo auf Kafkas Werk schreibt, jener müsse ‚in seiner Dichtung eine sehr allgemeine Situation verspürt und getroffen haben'. Es sei deshalb ‚zumindest unüberlegt, aus gleich welchem Standpunkte – inklusive des philologischen und dichtungskundlichen – zu erklären, dies oder ein anderes habe mit Kafka nichts zu tun'."[22] Überblickt man die Versuche, die verschiedenen Deutungsansätze innerhalb der Kafka-Literatur zu klassifizieren, auf ihre Funktion im Gesamtzusammenhang der jeweiligen Arbeit und somit auf das Interesse hin, das den Veranstaltungen solcher Einteilung zugrundeliegt, so ergibt sich:

In kaum einer wissenschaftlichen Arbeit zu Kafka führt die Klassifizierung der methodischen Ansätze der anderen Autoren bis an die Systematik der eigenen Deutung heran. Die Feststellung des exemplarischen Dissenses der Meinungen über Kafka wird nicht in ein Element der Dynamik der eigenen Arbeit überführt. Vielmehr geschieht die Auseinandersetzung mit den konkurrierenden Ansätzen in einer Defensivhaltung: sie wird auf ein Eingangskapitel beschränkt – im Extremfall, wie bei Emrich, geschieht die klassifizierende Bezugnahme auf die Methoden der anderen Wissenschaftler in einer Anmerkung – und damit „abgetan".

Eine Konsequenz solchen „Abwehr-Interesses" bei der Auseinandersetzung mit den methodischen Ansätzen anderer Wissenschaftler ist es dann, daß die meisten Klassifikationen zu *Disqualifikationen* geraten. Da der Dissens in der Kafka-Forschung nicht in seiner Grundsätzlichkeit und seiner Beispielhaftigkeit für die Gesamtsituation der heutigen Dichtungswissenschaft reflektiert wird, kann der einzelne Interpret die Ansätze aller anderen Forscher als unangemessen abwerten. Schon die Kategorien der Klassifizierung werden dann so gewählt, daß sie den eigenen Ansatz des jeweiligen Interpreten als einzig möglichen erscheinen lassen. Damit erübrigt es sich dann auch, die methodischen Implikationen der anderen Ansätze weiter zu verfolgen.

---

[20] Flach, S. 6.

[21] Richter, S. 33 f.

[22] Ebenda, S. 33. (Die zitierte Stelle steht bei Seidler auf S. 122.)

1.3 *Isolierende Systematik*

Jenseits des Eingeständnisses des allseitigen Dissenses in der Kafka-Literatur und jenseits der Versuche, dem Dissens durch bloße Klassifikation der einzelnen Deutungsansätze beizukommen, entfaltet sich die Systematik der einzelnen Kafka-Interpretationen in monologischer Einsamkeit.

Dabei scheinen zwei Momente zusammenzugehören: die *Diskontinuität der Argumentation auf jede andere Systematik* – auch die extensiv zitierter Arbeiten – *hin* und die *Entgrenzung, Verabsolutierung, ja zuweilen Entkonturierung der eigenen Position.*

So werden zwar Ergebnisse als Details, zumal Ergebnisse stofflich-inhaltlicher Art, gern und glatt aus anderen Arbeiten übernommen, wo sie der eigenen Position passend sind; eine Rückführung aber dieser Ergebnisse bis in die Prämissen der fremden Systematik hinein unterbleibt. Damit wird die Uneinigkeit im Grundsätzlichen übersprungen, die eigene und die fremde Deutung werden in den Randbezirken ihrer jeweiligen Systematik einander kommensurabel gemacht. Um so ungestörter kann sich hinter dieser Mauer eines Pseudo-Konsenses die Isolierung des eigenen Deutungsunternehmens vollziehen.

Bezeichnend für die Diskontinuität einer in sich konsequenten Kafka-Deutung auf jede fremde Systematik hin ist die Arbeit von Brigitte Flach. Am Beginn des Interpretationsteils gibt die Autorin folgende Grundsatzerklärung ab:

> Wenn wir für unseren Interpretationsgesichtspunkt einen Titel zu wählen haben, so ist wohl am ehesten der Terminus der werkimmanenten Interpretation zu wählen. Dieser Terminus ist sowohl in affirmierender wie in limitierender Rücksicht angemessen: in affirmierender Rücksicht, weil er die nachfolgende Interpretationsarbeit als eine solche kennzeichnet, die allein an dem Sinn der Erzählung interessiert ist, der in der tatsächlich vorliegenden sprachlichen Gestalt der Erzählung faßbar ist; in limitierender Rücksicht, weil er die nachfolgende Interpretationsarbeit zugleich von jeder Interpretation abgrenzt, die die Bindung an die tatsächlich vorliegende sprachliche Gestalt der Erzählung (aus welchen Gründen auch immer) weniger streng nimmt.
>
> . . .
>
> Andere vorliegende Interpretationsversuche, die für die werkimmanente Interpretation der Erzählungen der drei Kafkaschen Erzählsammlungen infrage kommen, sind ohne näheren Nachweis berücksichtigt. Die polemische Auseinandersetzung unterbleibt grundsätzlich[23].

Der Terminus „werkimmanent" mag „in affirmierender Rücksicht" angemessen sein – von „Limitierung" im Sinne dialogischer Selbstbegrenzung des eigenen Ansatzes hat diese Erklärung nichts. Die „tatsächlich vorliegende sprachliche Gestalt der Erzählung", die Brigitte Flach

---

[23] Flach, S. 122.

vor Augen steht, hat nichts „Tatsächliches" (im Sinne einer die Arbeit B. Flachs transzendierenden Evidenz), sondern ist das Bild der Sprachgestalt der Erzählungen Kafkas, wie es sich unter dem Raster der Flachschen Theorie der Erzähl-Modi ergibt. Die Abgrenzung von jeder anderen Interpretation, „die die Bindung an die tatsächlich vorliegende sprachliche Gestalt der Erzählung weniger ernst nimmt", impliziert in dieser Formulierung den Anspruch der Autorin auf den Besitz nicht nur der einzig richtigen Methode zur Ermittlung der „tatsächlichen Sprachgestalt" der Erzählungen Kafkas, sondern auch des Maßstabs dafür, ob die „Strenge" der Bindung einer anderen Interpretation an die „sprachliche Gestalt" etwa geringer sei. In der Andeutung schließlich, daß es der Autorin gleichgültig sei, aus welchen Gründen („auch immer") eine andere Interpretation sich etwa weniger „streng" an die sprachliche Gestalt der Erzählungen Kafkas, wie sie Brigitte Flach erscheint, binden mag, vollendet sich die Selbstisolation solcher Systematik. Nicht nur die polemische, sondern überhaupt jede dialogische Auseinandersetzung mit anderen Deutungen unterbleibt. (Vergleicht man die „Interpretation", die B. Flach z. B. von dem Text „Auf der Galerie" liefert[24], mit anderen Deutungen des gleichen Erzählstücks, auch solchen, „die für eine werkimmanente Interpretation infrage kommen"[25], so erscheint der Verzicht auf die Auseinandersetzung mit anderen Autoren bedauerlich.)

Wilhelm Emrich beginnt sein umfangreiches Kafka-Buch nicht mit einer expliziten Offenlegung seiner Prinzipien des methodischen Vorgehens und seiner weltanschaulichen Ausgangslage, sondern mit einer Proklamation dessen, was wahre Kunst („große Dichtung") zu sein habe. Zentralbegriff dieser Bestimmung ist das „Geheimnis". Ihre Gültigkeit wird durch Zitate aus der Kunsttheorie des deutschen Idealismus belegt. Die erste zusammenfassende These innerhalb der Proklamation lautet:

> Solche Gedanken sind klassisches Erbe. Sie bewahren ihre Gültigkeit auch noch dort, wo sie verraten oder preisgegeben scheinen, in den extremen Kunstformen des 20. Jahrhunderts, die den Bruch zwischen dem Allgemeinen und Individuellen ausdrücklich vollziehen, indem sie die Schreckmaske der Unverstehbarkeit anlegen[26].

Daran schließt sich eine Kritik der „Ideologien" des 20. Jahrhunderts an; diese hat zugleich die Funktion, die Bedingungen zu umschreiben, unter denen es Kafka gelingt, doch noch – unter Wahrung gleichsam der einzig noch verbliebenen Möglichkeit – inmitten einer verderbten Zeit „wahre Kunst" zu produzieren:

> Damit wäre das Ende aller Kunst erreicht – unter der Voraussetzung, daß es das wahre Allgemeine nicht gibt, daß die klassische Ästhetik ein Trug war, daß

[24] Ebenda, S. 135.
[25] Z. B.: Emrich, S. 35; Politzer, S. 146 f.; Binder, S. 193 ff.
[26] Emrich, S. 11.

> der Mensch ein bloß endliches Wesen darstellt, daß es weder Geheimnisse noch „Offenbarungen" gibt, daß die Welt ein überschaubares, berechenbares Gebilde ist und daß das Allgemeine nichts anderes ist als die Vorstellungswelt der sozialen Allgemeinheit des 20. Jahrhunderts und deren „öffentliche Meinung".
> Trifft diese Voraussetzung nicht zu, dann ist Kunst im 20. Jahrhundert möglich, freilich nur in Form einer absoluten Verrätselung gegen das Allgemeine dieses Jahrhunderts[27].

Damit hat Emrich seine weltanschaulichen Prämissen, sein Bild vom Menschen, der Geschichte und Kunst, nun doch zur Kenntnis gegeben – allerdings nur implizit: abgeschirmt durch eine als objektiv gebotene Theorie der Kunst. Und gerade die Art der Offenlegung bzw. Nicht-Offenlegung der eigenen hermeneutischen Ausgangslage steht hier zur Diskussion:

Emrich sagt, in welcher Form Kunst im 20. Jahrhundert allein noch möglich sei, nämlich der einer „absoluten Verrätselung". Eben diese Art von Kunst aber sieht Emrich durch Kafka realisiert. Damit wird zweierlei in eins gebracht: die Vorstellung des Interpreten von der heute einzig noch möglichen Art von Kunst und das angeblich dem Interpretandum, den Texten Kafkas, abgewonnene Ergebnis, daß darin eben diese Kunst verwirklicht sei. Die hermeneutische Ausgangslage und die zu interpretierenden Texte stellen sich in Emrichs Deutungsunternehmen somit nicht als durch eine historische Distanz getrennte Phänomene dar, die sich dialogisch-dialektisch gegenseitig erhellen, sondern als korrelative Größen, fähig nur zu gegenseitiger Affirmation. So gewinnt Emrichs Kafka-Deutung von Anfang an den Charakter eines Nachweises der „Richtigkeit" von Emrichs Theorie der Kunst. Der Zeitgenosse, der sich mit Emrichs Kafka-Deutung auseinandersetzen möchte, sieht sich dann vor die Alternative gestellt, sich Emrichs Weltanschauung (zuallererst um deren Bloßlegung willen schon) zu konfrontieren oder auf jede eingehendere Verarbeitung der Forschungsergebnisse Emrichs zu verzichten.

Mit dieser Kritik wird nicht etwa die Unvermeidlichkeit (Notwendigkeit) einer Beeinflussung der Interpretationsergebnisse durch die weltanschauliche Ausgangslage des Interpreten bestritten; nur sollte die Reflexion der eigenen Ausgangslage methodischer Bestandteil jeder Interpretation sein, sollte die Schaffung methodischer Distanz zwischen hermeneutischem Vorverständnis des Interpreten und dem interpretierten Gegenstand dem Zeitgenossen die Auseinandersetzung mit *beiden* erleichtern. Die Bereitschaft zur Gewährung solcher „Erleichterung" würde allerdings das Eingeständnis voraussetzen, daß Dichtungswissenschaft, als Unternehmen zur Erhaltung und Erweiterung menschlicher Intersubjektivität[28], nichts anderes ist als ein „systematischer Dialog" angesichts der Phänomene literarischer Kunst.

---

[27] Ebenda, S. 12.

[28] Vgl. Habermas, Erkenntnis und Interesse, in: Technik und Wissenschaft als „Ideologie", S. 157 f. Siehe auch Teil 4.2 dieser Arbeit.

Kommt es, wie bei dem eben beschriebenen Beispiel, zu einer weitgehenden Identifikation des Interpreten mit dem Interpretandum und damit zu einer Entgrenzung der hermeneutischen Position, erlischt mit der methodischen Distanz auch die auf Fortgang des wissenschaftlichen Dialogs abzielende „Offenheit“ des Ergebnisvortrags. Der hermeneutische Zirkel wird zum Bannkreis methodischer Isolation[29].

In Konsequenz dieser Sichtung der Kafka-Deutungen auf ihre gegenseitige Bezugnahme hin ergibt sich, daß es nicht das Ziel der vorliegenden Arbeit sein kann, die bisherigen Interpretationen durch eine weitere, „noch richtigere“ Deutung Kafkas zu übersteigen; vielmehr wird darin der Versuch unternommen, die Bedingungen der Möglichkeiten des wissenschaftlichen Dialogs über Kafka zu erhellen.

Diese Thematik macht es unvermeidlich, nach wissenschaftstheoretischen Modellen zu suchen, in deren Kategorien sich Probleme der Dichtungswissenschaft als Probleme zwischenmenschlicher Interaktion beschreiben lassen. Die gegenwärtig überzeugendste solcher Theorien ist in den Arbeiten von Jürgen Habermas über die Zusammenhänge zwischen Erkenntnis und Interesse gegeben. Auf dessen Definition des „praktischen Erkenntnisinteresses“ der historisch-hermeneutischen Wissenschaften wird daher im Schlußteil dieser Arbeit (Teil 4.2) ausdrücklich Bezug genommen.

---

[29] Vgl. Teil 3.2.2 dieser Arbeit.

2.1 ERZÄHLFORMEN UND IHRE KOMMUNIKATIVE FUNKTION

Kafkas Erzählen ist charakteristisch geprägt durch die konsequente Anwendung einer bestimmten Erzählperspektive: Fast alles Erzählte in seinem Werk wird geboten als gesehen, gesichtet, erlebt von einer Figur, die innerhalb des Erzählrahmens zugleich als Handlungsfigur fungiert. In den allermeisten Erzählstücken, zumal in den Romanen, handelt es sich bei dieser Aspektfigur sogar um die Hauptfigur der Handlung. Das bedeutet, daß Kafkas Erzähltexte keinen Ausblick auf eine andere Weltwirklichkeit bieten als auf die eine, die der Zentralfigur der Handlung als solche erscheint. Das wiederum hat Folgen für das Verhältnis dieser „Helden" Kafkaschen Erzählens zu den Mitfiguren der Handlung, für die Modalitäten, unter denen die Hauptfigur und deren Mitfiguren einander begegnen, miteinander umgehen, dialogisieren. Die Einförmigkeit der Sicht des Geschehens, „Einsinnigkeit", wie sie genannt wurde[1], ist insofern noch radikalisiert, als alle im Werke Kafkas auftretenden Hauptfiguren auf vielerlei Weise in die Nähe des Autors gezogen sind und somit die Konstanz der Sehweise über das Gesamtwerk hin durch die „Kongruenz"[2] der einzelnen Aspektfiguren mit der Individualität des Autors gewährleistet ist. Ob die Aspektfigur in „Amerika" als „Karl Roßmann" figuriert ist, als „K." im „Prozeß" und im „Schloß", als „Georg Bendemann" im „Urteil" oder als „Gregor Samsa" in der „Verwandlung", keine stilistischen Besonderheiten deuten auf eine Individualität hin, die sich absetzte von der des Erzählers des Gesamtwerks, selbst dann nicht, wenn ein Tier Aspektfigur ist wie der „Affe" in dem „Bericht für eine Akademie"[3].

Die Autoren, die sich bisher mit der besonderen Erzählperspektive Kafkas befaßt haben, wie Pouillon, Beißner, Heselhaus, Walser und Binder, haben sich vor allem mit den damit zusammenhängenden gattungstheoretischen und literaturgeschichtlichen Problemen auseinandergesetzt; erst Fietz[4] hat am Beispiel des „Schloß"-Romans nachgewiesen,

[1] Vgl. Beißner, Der Erzähler Franz Kafka, S. 28 ff.

[2] Vgl. Walser, S. 22 ff.

[3] Auf die Tatsache, daß die Aspektfigur bei Kafka als psychologische Realität oft kaum ausgeführt ist, gleichsam eine „Hohlform" darstellt, hat Allemann (Der Prozeß, in: Der deutsche Roman, S. 239) hingewiesen.

[4] Fietz hat dadurch der Kafka-Literatur, soweit ich sehe, ganz neue Möglichkeiten eröffnet. – Zur Modifizierung wiederum der Ergebnisse von Fietz siehe Binder, S. 293 ff.

daß Kafkas Wahl des Erzählerstandorts zugleich die Möglichkeiten und Grenzen der Deutung seiner Werke absteckt. Im folgenden soll nach einem Überblick über die Anwendung des Prinzips des „einsinnigen" Erzählens bei Kafka, seine Varianten und die Ausnahmen davon, dargelegt werden, welche *Konsequenzen die Verlegung des Erzählaspekts in die Mittelpunktsfigur der Handlung für die zwischenmenschliche Interaktion* in den Texten Kafkas hat; und es soll weiter gezeigt werden, *daß die Modalitäten des Erzählens bei Kafka* mit der gesamten Werkstruktur zugleich *auch die Wirkungsgeschichte der Werke, d. h. in diesem Zusammenhang das Forschungsinteresse und die Deutungsmethodik in bezeichnender Weise geprägt haben.*

Von Bedeutung sind dabei alle die Texte, in denen der Erzählrahmen zugleich einen Kommunikationsrahmen darstellt, in denen also mehr geboten wird als die reine Innerlichkeit eines monologisierenden (reflektierenden, träumenden) Ichs[5]; und wenn in diesem Zusammenhang von „Subjektivität" die Rede ist, dann ist damit nichts weiter gemeint als die Darbietung der Ereignisse innerhalb des Kommunikationsrahmens aus der Sicht nur einer der Handlungsfiguren, eben der Aspektfigur.

2.1.1 *Die Subjektivierung der Erzählperspektive*

Nur ganz wenige Erzählstücke Kafkas zeigen einen Erzählerstandort außerhalb des Erzählrahmens. Dabei handelt es sich fast ausschließlich – von den Ausnahmen wird zu reden sein – um äußerst kurze Stücke. Dies sind vor allem die Erzählskizzen, in denen kulturgeschichtlich eingeführte Motive aufgenommen werden und die, da sie präformiertes Erzählmaterial darstellen, eine Distanz des reproduzierenden Erzählers erzwingen. (Die Möglichkeiten der Subjektivierung liegen für den Erzähler hier in der Umwandlung der vorgegebenen Motive, in der Deformation des Tradierten.) Es handelt sich dabei um die Texte: „Der neue Advokat" (das Motiv des Bucephalus), „Der Jäger Gracchus", „Beim Bau der Chinesischen Mauer", „Die Wahrheit über Sancho Pansa", „Das Schweigen der Sirenen", „Prometheus", „Das Stadtwappen" (das Motiv des Turmbaus zu Babel), „Poseidon". Die übrigen Stücke sind entweder Skizzen, in denen sich der Außenerzählerstandort aus ihrer Nähe zur Fabel bzw. dem Gleichnis oder der Parabel ergibt („Der Kreisel", „Kleine Fabel", „Von den Gleichnissen", „Vor dem Gesetz"[6]), oder es handelt sich um besonders szenisch-dramatische Stücke: „Ein Brudermord", „Die Truppenaushebung". Diese zuletzt genannten Texte stellen denn auch stilistische Extremfälle im Erzählwerk Kafkas dar. Die für die großen Erzählzusammenhänge, besonders

---

[5] Zur Theorie der „Erzählung" vgl. die Arbeit von B. Flach.

[6] Dieses Stück ist auch insofern ein Sonderfall, als es einem größeren Erzählzusammenhang entstammt, dem „Prozeß"-Roman.

für die Romane, so charakteristischen Stilelemente, die als erster Walser ausführlich beschrieben und in ihrer Funktionalität gedeutet hat[7], der Konjunktiv, die indirekte Rede, der vielfache Gebrauch von Adverbien des Vermutens, des Nichtwissens, die der Äußerung des „nur subjektiv Gewußten" entsprechende Dominanz der Hypotaxe, treten zurück zugunsten eines hart parataktischen, den Leser mit vorgeblicher Objektivität gleichsam überrennenden Berichtens, für das folgendes Beispiel aus der „Truppenaushebung" bezeichnend ist: „Der Adelige gibt ein Zeichen, es ist nicht einmal ein Kopfnicken, es ist nur von den Augen abzulesen und zwei Soldaten fangen den Fehlenden zu suchen an. Das gibt gar keine Mühe. Niemals ist er außerhalb des Hauses, niemals beabsichtigt er sich wirklich dem Truppendienst zu entziehen, nur aus Angst ist er nicht gekommen, aber es ist auch nicht Angst vor dem Dienst, die ihn abhält, es ist überhaupt Scheu davor, sich zu zeigen, der Befehl ist für ihn förmlich zu groß, angsterregend groß, er kann nicht aus eigener Kraft kommen. Aber deshalb flüchtet er nicht, er versteckt sich bloß, und wenn er hört, daß der Adelige im Haus ist, schleicht er sich wohl auch noch aus dem Versteck, schleicht zur Tür der Stube und wird sofort von den heraustretenden Soldaten gepackt. Er wird vor den Adeligen geführt, der die Peitsche mit beiden Händen faßt – er ist so schwach, mit einer Hand würde er gar nichts ausrichten – und den Mann prügelt." (B 330 f.) Nur das „wohl" erinnert in einer solchen Partie an die sonst von Kafka benutzte Perspektive der Subjektivität. – Bei den kürzesten Stücken aus den Sammlungen „Betrachtung" und „Ein Landarzt" („Das Gassenfenster", „Das nächste Dorf") erscheint es ungewiß, ob sie überhaupt der erzählenden Prosa zuzuordnen oder als „Reflexionen", „Betrachtungen" zu klassifizieren sind[8].

Als Variationen des Erzählens von einem Standort außerhalb des Erzählrahmens erscheinen die Texte „Erstes Leid" und „Ein Hungerkünstler", beide in der gleichen, der letzten von Kafka selbst edierten Sammlung „Ein Hungerkünstler" (1924) veröffentlicht, besonders aufschlußreich. In „Erstes Leid" geht der Aspekt des Erzählens, nachdem er den ganzen Text hindurch außerhalb aller genannten Figuren und Figurengruppen (Diener, Publikum, Direktionen, Bauarbeiter, Feuerwehrmann, Turnerkollegen, Impresario und Trapezkünstler) gelegen hat, vor der Pointe des Schlusses unvermerkt auf die dem Trapezkünstler nächste Figur über, den ständigen Begleiter, den Impresario, der mit der „Andersheit" des Trapezkünstlers rechnet, ohne sie freilich begreifen zu können: „So gelang es dem Impresario, den Trapezkünstler langsam zu beruhigen, und er konnte wieder zurück in seine Ecke gehen. Er selbst aber war nicht beruhigt, mit schwerer Sorge betrachtete er heimlich über das Buch hinweg den Trapezkünstler. Wenn ihn einmal solche Gedanken

[7] Walser, S. 30.
[8] Vgl. B. Flach, SS. 130 bzw. 139.

zu quälen begannen, konnten sie je ganz aufhören? Mußten sie sich nicht immerfort steigern? Waren sie nicht existenzbedrohend? Und wirklich glaubte der Impresario zu sehn, wie jetzt, im scheinbar ruhigen Schlaf, in welchen das Weinen geendet hatte, die ersten Falten auf des Trapezkünstlers glatter Kinderstirn sich einzuzeichnen begannen." (E 244) Die subtile Beobachtung, in der die Besonderheit des Trapezkünstlers, seine Andersheit gegenüber allen Mitmenschen erahnt wird, läßt sich nur von dem Jenseits in bezug auf den Trapezkünstler aus machen, von einem der durch den Abgrund der „Normalität" von ihm getrennten Mitmenschen[9]; würde die Beobachtung von einem Erzähler außerhalb der Konstellation Trapezkünstler-Mitmenschen angestellt, wäre die Erfahrung der Besonderheit des Trapezkünstlers, eben die seines Künstlertums, unerträglich objektiviert: die Kluft käme nicht unmittelbar in ihrer trennenden Wirkung zu Bewußtsein, wäre von einem in bezug auf das schmerzliche Trennungs-Verhältnis transzendenten Bewußtsein registriert, die tragische Ironie des Erzählungsschlusses käme nicht zustande[10].

Eine ähnliche Verschiebung der Erzählperspektive findet sich in „Ein Hungerkünstler". Auch in dieser Erzählung geht es um die Darstellung der totalen Andersheit des Künstlers gegenüber seiner Umwelt. Dem Erzähler, der fast den ganzen Text hindurch seinen Erzählaspekt außerhalb des Handlungsrahmens hat, den Künstler und seine Umwelt gleichmäßig objektivierend betrachtet, kommt die Aufgabe zu, die Inkommensurabilität von Künstlertum und Normalmenschlichkeit textlich zu realisieren. Das erweist sich an entscheidender Stelle, nämlich bei der Darstellung der allen anderen gegenüber unvergleichlichen Welterfahrung des Hungerkünstlers offenbar als problematisch, der Erzählerstandort gerät ins Gleiten; ein Satz, der noch eine Feststellung des Außenerzählers bedeutet, bereitet die Verlagerung des Perspektivzentrums in den Hungerkünstler selbst vor: „Er allein nämlich wußte, auch kein Eingeweihter sonst wußte das, wie leicht das Hungern war." (E 258) Die eigentliche Verschiebung erfolgt dann bei der Beschreibung des jeweils kritischen Moments im Leben des Hungerkünstlers, des Moments, wenn er, von seinem Impresario gezwungen, nach vierzig Tagen mit dem Hungern aufhören, wenn er wieder einmal auf die Vollendung seines Künstlertums verzichten muß. Kafka bedient sich hier zur Darstellung der Innensicht des Hungerkünstlers des Stilmittels der erlebten Rede[11]: „Warum gerade jetzt nach vierzig Tagen aufhören? Er hätte es noch lange, unbeschränkt lange ausgehalten; warum gerade jetzt aufhören, wo er im besten, ja

[9] Zu dem Diesseits-Jenseits-Verhältnis, in dem sich Kafkas „Helden" und ihre Mitfiguren befinden, vgl. Anders, S. 22 ff.

[10] Vgl. zu diesen Erzählungen Hillmann, S. 68 ff.

[11] Zur Theorie der „erlebten Rede" allgemein siehe Wolfgang Kayser, Das sprachliche Kunstwerk, Bern 1949, S. 145; zur „erlebten Rede" bei Kafka im besonderen siehe Binder, S. 205 ff.

noch nicht einmal im besten Hungern war?" usf. Diese direkte Einblendung der Subjektivität des Hungerkünstlers geht bis zu dem Satz: „Und er blickte empor in die Augen der scheinbar so freundlichen, in Wirklichkeit so grausamen Damen und schüttelte den auf dem schwachen Halse überschweren Kopf." (E 259) Das erzähltechnisch Besondere an dieser Stelle ist, daß inmitten eines von einem Außenerzähler gebotenen Kontexts die „Wirklichkeit", von der hier die Rede ist, die der Innerlichkeit des Hungerkünstlers ist und nur vom Standpunkt des Hungerkünstlers aus die Damen, die ihn aus dem Käfig holen, „grausam" handeln, statt, wie alle anderen es sehen, „freundlich".

Die in Kafkas Erzählen vorherrschende Erzählperspektive, die in eine Handlungsfigur verlegte, wird in zweierlei Form realisiert: in der Ich-Form und in der Er-Form, d. h. der Erzähler, der aus einer Handlungsfigur heraus (oder durch diese hindurch) erzählt, läßt diese entweder in der Ich-Form oder der Er-Form sehen, erleben, reflektieren. Überblickt man das Gesamtwerk Kafkas auf diesen Unterschied hin und hält sich die Entstehungsdaten der einzelnen Texte vor Augen, wie Malcolm Pasley sie kürzlich geliefert hat[12], so ergibt sich folgendes Bild: In den frühesten Texten, die in der Sammlung „Betrachtung" (1913) veröffentlicht sind und vor dem „Urteil" (September 1912) entstanden sind, überwiegt die Ich-Form; nur die Stücke „Der plötzliche Spaziergang", „Das Unglück des Junggesellen", „Zum Nachdenken für Herrenreiter", „Das Gassenfenster", „Wunsch, Indianer zu werden" und „Die Bäume" zeigen relativ unpersönliche Erzählperspektiven („man", „wir") bzw. Übergänge zu einem Außenerzählerstandort. In den danach entstandenen großen Erzählungen „Das Urteil", „Der Heizer", „Die Verwandlung", „In der Strafkolonie" (entstanden 1914, veröffentlicht 1919) wird ausschließlich die Er-Form angewandt; diese bestimmt auch durchweg die Romane: das als Erweiterung bzw. Fortführung von „Der Heizer" entstandene „Amerika", den „Prozeß" (entstanden im zweiten Halbjahr 1914) und das „Schloß" (entstanden 1922). In den Stücken der Erzählsammlungen „Ein Landarzt" (als Manuskript schon 1917 abgeschlossen, erschienen erst 1919) und den damit gleichzeitig (also zwischen 1914 und 1917, vor allem aber in den fruchtbaren Jahren 1916/17) entstandenen Texten wechseln Er-Form und Ich-Form (und der Außenerzählerstandort) ziemlich gleichmäßig miteinander ab; auffallend ist, daß die großen Erzählungen in Kafkas Spätzeit (von 1919 an – die einzige Produktion des Jahres 1918 ist der Schluß von „Betrachtungen über Sünde, Leid, Hoffnung und den wahren Weg" und „Prometheus"), nämlich „Forschungen eines Hundes", „Eine kleine Frau", „Der Bau" und „Josefine, die Sängerin oder Das Volk der Mäuse" alle die Ich-Form zeigen (von den Sonderformen „Erstes Leid" und „Ein Hungerkünstler" war schon die Rede). Da auf der Hand liegt, daß die Ich-Form dem Erzähler eine geringere

[12] Pasley/Wagenbach, Datierung sämtlicher Texte Franz Kafkas (die Entstehungsdaten, geliefert von Pasley, finden sich S. 63 ff.).

Distanz zum Erzählten gewährt als die Er-Form und somit, wie schon Walser festgestellt hat[13], die Möglichkeit der Identifikation des Autors mit dem Erzähler bei der Ich-Form größer ist, ließe sich folgern, daß Kafka in seinen frühesten wie spätesten Texten eben diese Möglichkeit gesucht hat, daß die Existenz des Autors Kafka in die Vordergrundsfiguren der frühen und der späten Periode der Produktion unmittelbarer eingegangen ist als in die der mittleren. Wichtiger aber als diese Zuordnung der verschiedenen Erzählformen zu verschiedenen Phasen der Entwicklung Kafkas als Autor erscheint in diesem Zusammenhang die Frage, welche Textstrukturen als Strukturformen der Kommunikation die eine oder andere Form bedingen. Dabei läßt sich feststellen, daß die Er-Form grundsätzlich immer dann auftritt, wenn die Handlungs- und Aspektfigur von Mitfiguren umgeben ist, die nicht nur Gegenstand der betrachtenden und distanzierenden Reflexion, gleichsam der Kontemplation sind, sondern wenn auf diese Mitfiguren hin der Versuch der Kommunikation bzw. Interaktion gemacht wird. So erklärt sich, daß in den Romanen nicht einmal eine Spur einer Darstellung in der Ich-Form zu finden ist. (Der Versuch, das „Schloß" in der Ich-Form zu schreiben, wurde von Kafka nach kurzem Probieren aufgegeben[14].) Eine bezeichnende Illustration der gegenseitigen Bedingung von Erzählform und Kommunikationsstruktur des Erzählten liefert eine der längsten aller Kafka-Erzählungen, seine vorletzte Arbeit, „Der Bau" (geschrieben im Winter 1923/24). Die Handlungs- und Aspektfigur ist hier in ihrer eigenen Subjektivität, ihrem „Bau" völlig allein; die Möglichkeit, den Bau einmal verlassen zu müssen, in Relation zu einem Außen treten zu müssen bzw. in dem Bau von einem Eindringling aufgesucht werden zu können, ist hier das einzig Gefürchtete. Die Mitwelt des „Tiers" ist sozusagen nur in der Befürchtung, daß sie existieren könnte, repräsentiert. Bei einer solchen Erzählsituation, der Beschreibung reinster, abgeschiedenster Subjektivität, ist die Ich-Form die einzig angemessene Form des Erzählens.

Obgleich Er-Form und Ich-Form des Erzählens im Werke Kafkas verschiedene Funktionen erfüllen, ist festzuhalten, daß beide Formen nur Varianten der dem Erzählrahmen immanenten Erzählperspektive sind und daß der in diesem Sinne „immanente" Erzählaspekt die Hauptmasse Kafkaschen Erzählens prägt. Da in diesem Zusammenhang das Hauptinteresse der Untersuchung auf die gegenseitige Abhängigkeit von Erzählform und Kommunikationsstruktur gerichtet ist, erscheint für die Weiterführung des Gedankengangs die Frage von Bedeutung zu sein, inwieweit in Kafkas Erzählen die Aspektfigur eines Textes immer eine und die gleiche ist.

In einzelnen, ganz wenigen Erzählstücken Kafkas scheint tatsächlich bei allgemein „immanenter" Erzählperspektive ein Wechsel von einem

---

[13] Walser, S. 38. Eine Differenzierung der Ergebnisse Walsers bietet Binder (S. 299 f.).

[14] Vgl. Brods Nachwort zur ersten Ausgabe des „Schlosses" (S. 483).

Ich auf ein anderes, von einem Er auf ein anderes vorzuliegen. Gerade die früheste aller erhaltenen Kafka-Erzählungen, die „Beschreibung eines Kampfes", deren Entstehung Pasley auf Herbst 1904 / Frühjahr 1905 datiert[15], scheint einen solchen Wechsel zu zeigen: drei verschiedene Ich-Erzähler scheinen nacheinander aufzutreten, das Ich des Anfangs des Textes, das Ich des „Dicken" und das Ich des „Beters". Aber wie schon Walser überzeugend nachgewiesen hat[16], wird bei keinem Wechsel des Erzählaspekts ein wirklich neuer Standort der Weltsicht eingeführt, die drei aspektstiftenden Ichs sind miteinander identisch, Auseinanderfaltungen der Selbstprojektionen einer Individualität. (Eine ausführliche Belegung dieser Erkenntnis liefert Sokel, der auf der Deutung gerade dieses frühesten Textes von Kafka seine Gesamtdeutung des Werks aufbaut, das er als Manifestation des „Kampfes" innerhalb eines Ichs versteht[17].) Der Einwand, daß die Erzählung „Die Verwandlung" eine Einschränkung des Prinzips des an eine Handlungsfigur gebundenen Erzählaspekts insofern bedeute, als nach dem Tode Gregor Samsas in derselben Perspektive weitererzählt werde wie vorher, läßt sich durch den Hinweis widerlegen, daß Gregor auch nach seinem Tode als Aspektfigur des Ganzen dadurch bestätigt wird, daß die Geschehnisse danach immer noch so beschrieben werden, wie es Gregors „Sicht der Welt" entspricht[18]. So kann gerade diese Erzählung als Veranschaulichung dafür dienen, wie konsequent der Autor Kafka den einmal an eine Handlungsfigur gebundenen Erzählaspekt beibehält.

Problematisch ist in diesem Zusammenhang die Erzählung „In der Strafkolonie". In den ersten Sätzen scheinen die beiden Vordergrundsfiguren, der Offizier und der Reisende, sich gegenseitig ins Auge zu fassen, so daß der Aspekt des Erzählens von einem auf den anderen wechselt: „‚Es ist ein eigentümlicher Apparat', sagte der Offizier zu dem Forschungsreisenden und überblickte mit einem gewissermaßen bewundernden Blick den ihm doch wohlbekannten Apparat. Der Reisende schien nur aus Höflichkeit der Einladung des Kommandanten gefolgt zu sein ..." (E 199) Die Wendungen „mit einem gewissermaßen bewundernden Blick" und „den ihm *doch* wohlbekannten Apparat" deuten auf den Reisenden, die Wendung „Der Reisende schien ... gefolgt zu sein" auf den Offizier als Aspektfigur hin. (Die anderen Figuren der Handlung, der Soldat und der Verurteilte, sind noch nicht eingeführt.) Im weiteren Verlauf des Erzählens liegt dann der Erzählaspekt immer deut-

---

[15] Pasley/Wagenbach, Datierung sämtlicher Texte Franz Kafkas, S. 63.

[16] Walser, S. 37 f.

[17] Sokel, S. 33 ff.

[18] Vgl. Binder, S. 294 ff. – Binder deutet diese Stelle etwas anders; er spricht davon, daß Kafka „auch das Leben der Familie" Gregors darstellen wollte, hält andererseits aber fest, daß diese Darstellung „von Gregors Blickpunkt aus" erfolgt (S. 295). Vgl. außerdem Beißner, Der Erzähler Franz Kafka, S. 36, und Sokel, S. 21 (Anm.).

licher in dem Forschungsreisenden, je mehr der Offizier Mittelpunkt, d. h. Opfer des Geschehens wird[19].

Auf zwei Varianten der Abschwächung des Prinzips der Bindung des Erzählaspekts an eine Handlungsfigur ist bereits mehrfach von Kafka-Interpreten hingewiesen worden: die erste besteht darin, daß nicht die Hauptfigur oder eine der Hauptfiguren der Handlung, sondern ein kaum figurierter Berichterstatter bzw. Beobachter Aspektzentrum ist; zu diesem Typus gehören: „Schakale und Araber", „Beim Bau der Chinesischen Mauer", „Josefine, die Sängerin"[20]; die zweite ist dadurch gegeben, daß die Erzählfigur der erzählten Handlung durch eine größere zeitliche Distanz entrückt ist; diese Variante liegt vor in: „Ein Bericht für eine Akademie" und „Forschungen eines Hundes"[21].
In all den bisher genannten Sonderfällen der Subjektivierung des Erzählerstandorts bleibt – mit der bei „In der Strafkolonie" gemachten Einschränkung – die Identität der Aspektfigur gewahrt, die Erzählperspektive zentriert.

Gefährdeter zeigt sich das Prinzip der Bindung des Erzählaspekts an eine und immer die gleiche Handlungsfigur durch die Einfügung einzelner episodenhafter Erzählexkurse in den Romanen: die Erzählungen Thereses in „Amerika" (A 170 ff.) und die Erzählungen Olgas in „Das Schloß" (S 248 ff.). Dabei läßt sich für den zweiten Fall nachweisen, daß eine Entfernung vom Aspekt der Hauptfigur K. dadurch vermieden wird, daß K. immer wieder „dazwischenredet", das von Olga Erzählte immer wieder auf sich, seine Situation, seine Interessen bezieht, so daß man fast von einem ausführlichen Dialog sprechen kann, zu dem die Nebenfigur Olga zwar stofflich das meiste beiträgt, K. aber die Relevanz des von Olga Erzählten für den Gesamtzusammenhang liefert. Diese Feststellung läßt sich aber für die Erzählungen Thereses in „Amerika" nicht treffen, und so muß Walser, der das Problem des Erzählerstandorts bei Kafka bisher am konsequentesten untersucht hat, dem es dabei aber um Gattungstheoretisches geht, bei der Beobachtung stehenbleiben, daß die Erzählungen Thereses den einzigen Ansatz zu einer „Episode" im Werk Kafkas darstellen[22]. Betrachtet man diese Erzählpartie aber unter dem Gesichtspunkt ihrer kommunikativen Funktion, so wird deutlich, warum weder stilistische, noch erzähltechnische Probleme dabei auftreten, warum man, Therese zuhörend, ganz bei Karl Roßmann bleibt, aus seinem Bewußtsein und seiner Erfahrung sich gar nicht zu entfernen meint: auch Therese ist nach Amerika verschlagen, ist darin ausgesetzt wie er; auch sie ist als Kind, d. h. unvorbereitet, ahnungslos, arglos angekommen und erlebt die neue Welt, die Stadt New York in eben der Situation des In-der-Fremde-Seins wie Karl Roßmann selbst; Thereses Erfah-

---

[19] Etwas anders deutet wiederum Binder (S. 332).
[20] Vgl. Sokel, S. 21.
[21] Ebenda, S. 22.
[22] Walser, S. 41.

rung stellt gleichsam – was ihre Zugespitztheit und Anschaulichkeit angeht (der Tod der Mutter in der Fremde!) – eine Erweiterung, Vertiefung dessen dar, was Karl Roßmann selbst erfährt; und indem ihre Erzählung sich niemals von der Qualität der Erfahrung Karl Roßmanns entfernt, bedeutet der vorübergehende Wechsel des Erzählaspekts auf diese Nebenfigur keine Beeinträchtigung der zentrierten Erzählperspektive. Therese ist, so gesehen, nur eine Abrundung der Subjektivität des Karl Roßmann.

Daß Kafka selbst die Konsequenzen dieser von ihm angewandten Erzähltechnik immer bewußter wurden, daß er ihre Bedeutung für sein Werk immer klarer erkannte, läßt sich insofern belegen, als in seinem ersten Roman noch Stellen zu finden sind, an denen ohne erzählerische Notwendigkeit gegen das Prinzip der „Einsinnigkeit“ verstoßen wird, während solche Stellen in seinem letzten Roman auch bei mühsamem Suchen sich nicht mehr zeigen. Ein Beispiel für „erzählerische Inkonsequenz“ findet sich in „Amerika“ in der großen Szene der Verhandlung über die Beschwerde des Heizers in der Kajüte des Kapitäns. Nachdem es bereits zur Erkennung Karls als Neffen des Senators gekommen ist, kehrt das Gespräch noch einmal zur Sache des Heizers zurück; und obwohl sich in den bisherigen Partien der Verhandlung die Innerlichkeit des Heizers aus der Sicht Karls hat erahnen lassen, bekommen wir die innere Beteiligung des Heizers am Geschehen nun durch ihn selbst als Aspektfigur präsentiert; in der Sequenz, die noch mit dem Bisherigen konform beginnt: „Und trotzdem schien der Heizer nichts mehr für sich zu hoffen“, heißt es plötzlich von ihm: „Er dachte sich aus, der Diener und Schubal, als die zwei hier im Range Tiefsten, sollten ihm diese letzte Güte erweisen ...“; wenig später ist sogar ein Außenerzählerstandort angedeutet in dem Übergang: „... dem Heizer fiel gar nicht ein, jetzt noch etwas von ihm zu verlangen“, und dann ist der Heizer selbst wieder aspektstiftend, wenn er über Karl Roßmann reflektiert: „Im übrigen mochte er auch der Neffe des Senators sein, ein Kapitän war er noch lange nicht ...“ (A 41 f.)[23]

Kafka hat, als er sich der souveränen Verfügungsmacht über die seinen Erzählintentionen angemessenen erzählerischen Mittel bewußt war, gerade mit den Möglichkeiten, die in leichten Verschiebungen des Aspekts liegen, Verschiebungen etwa innerhalb verschiedener Bewußtseinsbereiche und Wesensschichten ein und derselben Figur, bravourös gespielt. Ein Kabinettstück der Anwendung dieser Möglichkeiten ist die Erzählskizze „Auf der Galerie“, entstanden in dem überaus produktiven Winter 1916/17. Dieser Text ist immer wieder und immer wieder anders

---

[23] Weitere Stellen solcher „Verfehlungen“ gibt Walser (S. 32 ff.). – Wolfgang Jahn deutet einzelne dieser Stellen freilich anders, nämlich als Beweis dafür, wie gut Karl Roßmann sich in den Heizer hineinzuversetzen vermöge (S. 86 f.).

interpretiert worden[24]. Dem hier zugrunde gelegten Deutungsinteresse nach ergibt sich folgende Deutung:

Der eine und gleiche Vorgang des Auftritts einer Kunstreiterin in der Manege wird zweimal nacheinander geboten, jeweils in einem Nebensatz, und zwar zuerst einem konditionalen, dann einem kausalen; in den Hauptsätzen dazu wird jeweils die Reaktion der Figur auf den Vorgang in der Manege gezeigt, die zugleich Handlungsfigur ist, d. h. die Figur, die auf den Auftritt der Kunstreiterin reagiert, und Aspektfigur, d. h. die Figur, durch deren Sehen der Vorgang in der Manege überhaupt erst sichtbar wird. Der Modus der ersten Periode ist der Irrealis, der Modus der zweiten der Realis. Die Verschiedenheit dessen, was jeweils gesehen wird, resultiert in einer Zwiespältigkeit innerhalb der Aspektfigur des „Galeriebesuchers", der gleichsam in zwei „Seh-Möglichkeiten" gespalten zu sein scheint. Der Widersprüchlichkeit des Gesehenen, der Gegensätzlichkeit der Darstellungsmodalität, der Verschiedenheit der Hypotaxe entspricht die Widersprüchlichkeit der oxymoronhaften Schlußklausel: „. . . weint er, ohne es zu wissen." (E 155) Die Untätigkeit des Galeriebesuchers, die am Schluß beschrieben ist, stellt seine Reaktion dar auf die zweite, die im Realis gegebene Sicht des Vorgangs in der Manege, die damit als die wahrscheinlichere, die „normalere" Sicht gekennzeichnet ist; die Reaktion des „Weinens, ohne es zu wissen" aber scheint bedingt zu sein durch die Unvereinbarkeit der beiden Varianten des Gesehenen, das heißt zugleich: durch die Unfähigkeit des den Vorgang erlebenden Ichs, sich für einen der beiden Aspekte zu entscheiden. Dabei hat das „Weinen" offenbar mit der ersten Sicht des Vorgangs zu tun, in der die Kunstreiterin als Opfer eines „erbarmungslosen Chefs" und eines „unermüdlichen Publikums" dargestellt ist (diese im Irrealis gegebene Version ist stilistischen Kriterien nach als die „wahrere" gekennzeichnet) und die ein aktives Eingreifen des „Galeriebesuchers" verlangen würde; das „Nicht-Wissen" dagegen scheint mit der Unmöglichkeit zu tun zu haben, die Scheinhaftigkeit (stilistische Merkmale deuten eine operettenhafte Vordergründigkeit an) der zweiten Version trotz ihrer größeren Wahrscheinlichkeit als unwahr zu entlarven. Keine Entscheidung kommt zustande in dem Patt zwischen einer mehr emotionalen Reaktion (ihr entspräche das zu rufende „Halt" und ihr entspricht das statt dessen erfolgende Weinen) und einer mehr rationalen, Normalität, Konvention und Wahrscheinlichkeit erwägenden (ihr entspricht die Untätigkeit und das „Nicht-Wissen"). So wird durch den erzählerischen Kunstgriff der Aspektverschiebung innerhalb einer Subjektivität die Erscheinungswelt als derart uneindeutig erstellt, daß sich die Alternativen der Erfahrung nicht einmal innerhalb ein und desselben Ich miteinander vermitteln lassen – die Möglichkeit der Vermittlung der Erfahrungen, die mehrere

[24] Z. B. von Emrich, S. 35 f.; B. Flach, S. 135; Politzer, S. 146 f.; Binder, S. 193 ff.

Subjekte von ein und demselben Vorgang haben, bleibt völlig außer Betracht[25].

Zieht man aus diesem Überblick über die Anwendung der für Kafka charakteristischen Form des Erzählens, ihre Varianten und Ausnahmen, die Folgerungen, die für den Fortgang dieser Untersuchung von Bedeutung sind, so ergibt sich:

Die „Einsinnigkeit" des Erzählens bedeutet die Unterwerfung der Welt des Erzählten unter die Subjektivität einer Handlungsfigur, die fast immer auch die Hauptfigur der Handlung ist; wo der Erzählaspekt vorübergehend auf eine Nebenfigur übergeht, bedeutet das niemals die Erstellung einer mit der Weltsicht der Hauptfigur konkurrierenden, dieser gegenüber autonomen zweiten Subjektivität, sondern nur eine Erweiterung, Ergänzung der ersten und einzigen. *Dieses Erzählprinzip konstituiert die Bedingung, unter der sich in Kafkas Texten alle Kommunikation und Interaktion vollzieht.* Die Handlungsfigur, deren Subjektivität zum Erzählaspekt erhoben wird, ist in bezug auf ihre Mitwelt inkommensurabel: keine „Objektivität" eines auktorialen Erzählers, aber auch keine „Gegensubjektivität", wie polyperspektivistische Texte sie bieten, qualifizieren, limitieren ihre Welterfahrung; per modum narrandi ist sie unvergleichlich, ist sie „anders". („Die hermetische Einheit der Perspektive beinhaltet auf gehaltlicher Ebene die Verabsolutierung des einsamen subjektiven Erlebnisses als Darstellungsgegenstand."[26])

So ist Kafkas Erzählprinzip in besonderer Weise geeignet, ja darauf abgestellt, das Verhältnis des einzelnen zu seiner Mitwelt zu veranschaulichen, menschliche Individualität in ihrer Besonderheit zu beschreiben, menschliche Existenz in ihren extremen Möglichkeiten zu erhellen, die Problematik des Ich-Seins zu radikalisieren.

2.1.2 Die Isolierung der Aspektfigur

Die Entscheidung des Erzählers, die Mittelpunktsfigur der Erzählhandlung auch zum perspektivischen Mittelpunkt des Erzählens zu machen, gibt dieser innerhalb der Erzählwelt eine überwältigende Dominanz. Nicht nur, daß keine Begebenheit sich ereignen kann, an der sie nicht teilnimmt, die nicht durch den Filter ihrer Apperzeption geht[27], nicht nur, daß nichts Erzähltes jenseits ihrer Erfahrung und Erkenntnis (und somit jenseits der in ihr als Charakter angelegten Erfahrungs- und

---

[25] U. a. dieser Gespaltenheit der Erfahrung der Welt wegen ist Kafka in die Nähe Kleists gerückt worden. Vgl. Sokel, SS. 18 u. 345. Das Verzeichnis der einschlägigen Publikationen findet sich bei Emrich (S. 420 f., Anm. 13).

[26] Fietz, S. 75.

[27] Von den erzähltechnisch-formalen Konsequenzen dieses Erzählprinzips hat ausführlich Walser gehandelt (S. 23 ff.). Zur zeitlichen Einschichtigkeit von Kafkas Erzählen siehe Beißner, Der Erzähler Franz Kafka, SS. 28 u. 55.

Erkenntnismöglichkeiten) liegen kann[28], auch die Mitfiguren erscheinen vor dem Leser nur als die, als welche das Bewußtsein der Mittelpunktsfigur sie erscheinen läßt, somit gleichsam als „Funktionen" des Bewußtseins der Mittelpunktsfigur[29].

Diese in der Erzählstruktur verankerte Dominanz der jeweiligen Hauptfigur Kafkas bedeutet aber zugleich ihre Gefährdung: nie ist ihr die Umwelt als sicher gegebene, durch den Konsensus der Mitfiguren als gleichwertiger Subjekte garantierte vorhanden, nie können diese partnerhafte Stärke gewinnen, die Hilfe liefert oder wenigstens widerständigen Halt[30]. So muß es kommen, daß die Mittelpunktsfigur sich der Umwelt, die sie durch die Konsequenz ihrer eigenen Subjektivität zum bloß Objekthaften, Dinghaften degradiert, als einer verdinglichten, verfremdeten ausgeliefert sieht – ein Dilemma, auf das besonders eindringlich Adorno hingewiesen hat: „Die absolute Subjektivität ist zugleich subjektlos. Das Selbst lebt einzig in der Entäußerung; als sicherer Rest des Subjekts, der vorm Fremden sich verkapselt, wird er zum blinden Rest der Welt ...; die reine Subjektivität als notwendig auch sich selber entfremdete und zum Ding gewordene, zu einer Gegenständlichkeit, der die eigene Entfremdung zum Ausdruck gerät. Die Grenze zwischen dem Menschlichen und der Dingwelt verwischt sich." [31]

Wie sich die für Kafka spezifische Erzählperspektive erst allmählich auf dem Weg von „Amerika" über den „Prozeß" bis hin zum „Schloß" vervollkommnet, so entwickeln sich auch die Konsequenzen dieser Erzählperspektive für das Verhältnis der Mittelpunktsfigur zu ihren Mitfiguren erst allmählich; nicht nur die Modalitäten der Kommunikation zwischen der Zentralfigur und den übrigen Figuren wandeln sich, sondern auch das Interesse der wechselseitigen Interaktion: erst im „Schloß" ist K. mit seiner Subjektivität völlig allein[32].

Bei der Untersuchung nun der Bedingungen der Kommunikation und der charakteristischen Struktur der Interaktion der Figuren in Kafkas Romanen – die großen Erzählzusammenhänge eignen sich für eine solche

---

[28] Zur Darstellung der „Innensicht" vgl. Binder, S. 201 ff.

[29] Walser hat zwar von der „Funktionalität" der Nebenfiguren gesprochen, sagt auch, daß wir diese nur „mit und durch den Helden" sehen, leitet aber ihre Funktionalität aus der „Ordnung" ab, in der sie stehen, von dem Ort, den sie einnehmen in der „Organisation der geschaffenen Welt" (S. 49); an einzelnen Stellen (z. B. S. 57) spricht er allerdings auch von einer Funktionalität in bezug auf den „Helden".

[30] Vgl. Fietz, S. 75.

[31] Adorno, S. 328 f.

[32] Über die Frage, ob es bei Kafka als Erzähler so etwas wie eine „Entwicklung" überhaupt gibt, ist eine lange Kontroverse geführt worden (vgl. die Übersicht, die Binder [S. 381 ff.] liefert). Hier ist nicht von Entwicklung im Sinne einer Veränderung die Rede, sondern im Sinne einer Vervollkommnung, einer Ausformung des schon Angelegten zu größerer Deutlichkeit, Konsequenz, Radikalität.

Untersuchung am besten – soll von folgenden Annahmen ausgegangen sein:

In allen drei Romanen finden sich die Hauptfiguren der Handlung, Karl Roßmann, Josef K. und der Landvermesser K., in einem Unternehmen, das sie als „Kampf“[33] erfahren: Karl Roßmann versucht, sich in der Fremde Amerikas zu bewähren, um gerechtfertigt vor seine Eltern treten zu können[34]; Josef K. versucht im Prozeß vor der Dachbodengerichtsbarkeit, seine Unschuld zu erweisen, und der Landvermesser K. versucht, sich das Aufenthaltsrecht im Dorf beim Schloß zu erstreiten. Alle drei Werke lassen sich daher unter dem Gesichtspunkt betrachten, inwieweit die Mitfiguren an dem Unternehmen der Haupt- und Aspektfigur partizipieren, inwieweit sie es fördern oder ihm entgegenstehen. Diese Interaktionsstruktur hängt davon ab, welche Verbindlichkeit bzw. Überzeugungskraft die Weltsicht der Mittelpunktsfigur für die übrigen Figuren hat, während das wiederum davon abhängt, inwieweit es den „Helden“ gelingt, ihre Weltsicht, ihre Subjektivität zu kommunizieren. (Festzuhalten ist hier, daß in diesem Zusammenhang eine Betrachtung der Nebenfiguren als „eigenständiger“, d. h. von der Perspektive der Hauptfigur unabhängiger, eine Ungenauigkeit der Methode bedeuten würde[35].) Die Funktionalität der Nebenfiguren soll daher gedeutet werden aus ihrem Verhältnis zur Mittelpunktsfigur, aus der Art und Weise der Kommunikation mit dieser, aus dem Scheitern oder Gelingen der Interaktion.

2.1.2.1 „Amerika“ – Nachhall der Solidarität

Kafka selbst hat, Brods Zeugnis nach, seinen „amerikanischen Roman“ für ein besonderes Teilstück seines Werks gehalten, für „hoffnungsfreudiger“ als alles, was er sonst geschrieben habe[36]; und in einer Tagebuchnotiz hat er den Unterschied zwischen Karl Roßmann und Josef K. festgehalten, der darin bestehe, daß der erste „unschuldig“, der zweite „schuldig“ sei (T 481). An einer anderen Stelle des Tagebuchs spricht er mit offenbarem Bezug auf den Karl Roßmann des Heizer-Kapitels von dem „Beglückenden und Bezaubernden“ (T 536) und wird sich dabei dessen bewußt, daß er es mit „Amerika“ unternommen habe, einen „Dickens-Roman“ zu schreiben, woraus er sich die Unmöglichkeit

---

[33] Vgl. Sokel, S. 28 ff.; Walser, S. 75. – Max Brod schreibt dazu: „In allen drei Romanen geht es um die Einordnung des einzelnen in die menschliche Gemeinschaft . . .“ (Nachwort zu „Amerika“, A 357).

[34] Auf dieses Motiv hat zuerst Brod hingewiesen in: Kleist und Kafka, Die literarische Welt, Nr. 28 vom 15. Juli 1927.

[35] Besonders Emrich hat die Nebenfiguren „als solche“, d. h. als „unbedingte“, reichlich gedeutet, z. B. in den Kapiteln „Die Verkehrungen der Liebe“ und „Die enttäuschte Frau“ (SS. 242 ff. u. 331 ff.).

[36] Brod, Nachwort zu „Amerika“, A 356.

erklärt, daß die Arbeit zu einem Ende komme. Was den ursprünglich von Kafka projektierten Ausgang des Romans angeht, so widerspricht der Tagebuchnotiz, daß Roßmann und K. „beide unterschiedslos strafweise umgebracht" werden (T 481), die wiederum von Brod übermittelte Nachricht, Karl Roßmann habe in dem „Theater von Oklahoma" Freiheit und Rückhalt, ja sogar die Heimat und die Eltern wiederfinden sollen[37]. Als gesichert kann dagegen die Annahme gelten, daß Karl Roßmann, der als sechzehnjährig eingeführt wird, eine Erinnerung Kafkas an die Zeit bedeutet, in der er selbst seine größte Nähe zum Sozialismus hatte und mit einer besseren Zukunft der Menschen rechnete[38]; auch damit mag die besondere Einschätzung des Werks durch Kafka selbst zusammenhängen.

Inzwischen ist von den verschiedensten Kafka-Interpreten[39] auf den Aspekt der Auseinandersetzung mit der „modernen Industriewelt" in „Amerika" hingewiesen worden und den Pessimismus, mit dem Kafka die Möglichkeit des Zustandekommens größerer sozialer Gerechtigkeit darin beurteilt. Politzer, der die negativen, die „nihilistischen" Auspizien, unter denen das Handlungsgeschehen dieses Romans steht, besonders betont hat, deutet das Ganze geradezu als die folgerichtige Entwicklung Karl Roßmanns zu einem „anonymen Teilchen einer amorphen Masse, die über Land transportiert und zu unbekannten Zwecken benützt werden wird"[40], und versteht den von Kafka vorgesehenen Titel des Romans „Der Verschollene" als Ausdruck der Erzählintention, den Verlust des Selbst eines Menschen darzustellen; an die Möglichkeit eines versöhnlichen Endes, und sei es nur versöhnlich im Phantastischen, glaubt er – im Gegensatz zu Emrich – nicht[41].

Trotzdem kann auch Politzer nicht übersehen, daß der Roman Handlungselemente enthält, die für Kafkas Erzählen ungewöhnlich sind. So sieht auch er eine Besonderheit des ersten Kapitels „Der Heizer" darin, daß ein „Held" Kafkas sich zum Anwalt dessen macht, „was er für Unschuld hält"[42]. Hier in unserem Zusammenhang, wo es um das Verhältnis der Hauptfiguren Kafkas zu ihren Mitfiguren geht, soll diese Besonderheit nicht als eine der psychologischen Disposition Karl Roßmanns verstanden werden (Politzers Deutung der Motive für das Handeln Karls hebt die Besonderheit des Handelns selbst gleich wieder auf), sondern als eine der Interaktionsstruktur: Eine Figur Kafkas tritt hier auf eigene Veranlassung hin aktiv für eine andere ein und kämpft gegen das

---

[37] Ebenda, A 356 f.

[38] Vgl. Wagenbach, Franz Kafka, Biographie seiner Jugend, S. 62 ff.

[39] Adorno, S. 341; Emrich, S. 277 ff.; Politzer, S. 179 ff. (u. a.).

[40] Politzer, S. 239 f.

[41] Die einzelnen Varianten der Spekulation der Kafka-Literatur über das Ende des Romans, wie es von Kafka geplant war, bietet zusammengefaßt W. Jahn (S. 92).

[42] Politzer, S. 196.

den anderen bedrohende Unrecht. Wie auch immer das Eintreten für den Heizer psychologisch motiviert sein mag: Karl Roßmann sucht Gerechtigkeit nicht nur (wie Josef K. im „Prozeß") als den subjektiven Aspekt eines Rechtszustands, nämlich den eigener Unschuld, sondern als eine auch seine Mitfiguren betreffende Qualität der Welt; nicht „Schuld" oder „Unschuld", sondern „Gerechtigkeit", „Recht" und „Unrecht" sind daher die dominierenden Begriffe in den beiden großen Gerichtsverhandlungen des Romans, der vor dem Kapitän an Bord des Auswandererschiffes (A 21 ff.) und der im Hotel Occidental (A 195 ff.); und wie Karl Roßmann vor dem Kapitän mit den Worten zu reden beginnt: „Ich erlaube mir zu sagen, ... daß meiner Meinung nach dem Herrn Heizer Unrecht geschehen ist" (A 21), so erhofft er sich im Hotel von seiner Gönnerin, der Oberköchin, nicht eine Bestätigung seines individuellen Gutseins, wie er sie erhält („ ... Und doch ... kann ich es mir noch nicht abgewöhnen, dich für einen im Grunde anständigen Jungen zu halten ..." [A 215]), sondern den Bezug auf eine objektivierbare Rechtsordnung: „ ... denn Gerechtigkeit muß sein" (A 214). Die Besonderheit, die in diesem Anspruch auf Objektivierbarkeit des Rechts liegt, wird auch dadurch nicht entwertet, daß es weder zu einer letzten Erhellung der Rechts- oder Unrechtsverhältnisse kommt, noch viel weniger zu einem Sieg des Rechts.

Der noch nicht voll ausgebildeten Subjektivität der Hauptfigur in „Amerika", ihrer Offenheit für die Nöte der Mitfiguren (wie dem Heizer, so versucht Karl Roßmann auch Robinson zur Emanzipation aus Unterdrückung und Abhängigkeit zu verhelfen [A 259 ff.]), entspricht eine märchenhaft-glückhafte Art und Weise des Zustandekommens von Begegnungen[43]. Immer wieder „findet" Karl Roßmann jemanden oder „wird gefunden". Dabei haben diese unerwarteten Treffen nur selten das bestürzend Unerwünschte wie im „Prozeß", wo Begegnungen und Wiederbegegnungen von einer Mechanik alptraumhafter Bedrohlichkeit gesteuert zu sein scheinen, gleichsam nur das Sichtbarwerden von längst Geahnt-Gefürchtetem bedeuten wie in der Szene, in der Josef K. seine Schergen als Geprügelte wiederfindet im Kabinett seiner Bank – und das gleich zweimal (P 103 und 110). Bezeichnenderweise kommt es zu dem ersten als glückhaft erfahrenen Treffen in „Amerika", dem mit dem Onkel, infolge des Versuchs von Karl, für jemand anderen, den Heizer, einzutreten (A 33). Dieses Treffen wiederum ist durch eine andere in ganz unwahrscheinlicher Weise glückende Interaktion möglich geworden: Der Brief Johanna Brummers, des Dienstmädchens, das Karl verführte, hat den Onkel im fernen Amerika tatsächlich erreicht, zwei Tage vor der Ankunft Karls und nach langen Irrfahrten (A 36). Ja, die Verban-

---

[43] Günther Anders spricht vom Zufall und den Frauen als den „Lücken in der Mauer" bei Kafka (S. 31). – Marie-Luise Harder dagegen stellt, entsprechend der von ihr zugrunde gelegten Definition von Märchen, fest, daß es in „Amerika" keine Märchenparallelen gebe (S. 40).

nung Karls durch seine Eltern ist durch ein Geschehen verursacht worden, das innerhalb des Kafkaschen Werks ein Unikum darstellt: Der „Held“ hat – wenn auch gezwungenermaßen und unter grotesken Umständen – ein Kind gezeugt! Eine sexuelle Vereinigung hat zu ihrem natürlichen Ziel geführt! Und das Kind Jakob wird von dem Onkel Karls, nach dem es benannt ist, ausdrücklich als gelungenes Produkt, als „gesunder Junge“ (A 36) bezeichnet. Solche Besonderheiten mögen dazu beigetragen haben, daß Kafka Zweifel kamen, ob die anderen Kapitel des „amerikanischen Romans“ jemals mit dem ersten zusammen würden gedruckt werden können[44]. Aber auch die Begegnungen und Wiederbegegnungen der weiteren Kapitel sind durchaus nicht bestürzend in ihrer Wirkung auf Karl. Zwar mag das Wiederfinden Macks, den er plötzlich in Klaras Bett vorfindet, für Karl irritierend sein (A 104), das Wiederauftauchen Robinsons im Hotel Occidental lästig (A 182); aber der im ganzen für Karl verhängnisvolle Delamarche erscheint fast als ein rettender Engel, wenn er Karl aus der Hatz der Polizisten rettet (A 246), und eindeutig erfreulich-tröstlich ist das Zusammentreffen Karls vor seiner Bewerbung um eine Stelle im „Theater von Oklahoma“ mit seiner ehemaligen Freundin Fanny: „‚Karl!‘ rief der Engel. Karl sah auf und fing vor freudiger Überraschung zu lachen an. Es war Fanny.“ (A 309)

Selbst wenn man den Weg Karl Roßmanns durch die Romanhandlung in „Amerika“ nicht als den Versuch verstehen will, ein – freilich kindlich naives – Gerechtigkeitsverlangen zu objektivieren, sondern wie Politzer in jeder der Aktionen Karls nur die Unfähigkeit sieht, sich einer Autorität unterzuordnen, das infantile Unvermögen, innere Bindungen einzugehen und Verantwortung für eigenes Tun zu übernehmen[45]; selbst wenn man nicht wie Emrich die erfolgreiche Bewerbung um eine Stellung im „Theater von Oklahoma“ als einen Akt erlösender „Befreiung“ von den „verzerrenden Lebensformen und Moralvorstellungen der Gesellschaft“ deuten will[46], wird man doch eine konstitutive Besonderheit des Verhältnisses dieser Vordergrundsfigur Kafkas zu ihren Mitfiguren anerkennen müssen: die Gemeinsamkeit, die sich daraus ergibt, daß alle Figuren der Handlung in „Amerika“ Opfer sind, Opfer alle gleichermaßen eines korrumpierten Systems zwischenmenschlichen Zusammenlebens. Nicht nur die Erniedrigten (der Heizer, Robinson, Karl Roßmann selbst) leiden, sondern auch die Erniedriger (der Oberportier, Delamarche); ausbeutend sind sie selbst Ausgebeutete, materiell, sexuell. „Die Qual schlägt auf die Quälenden zurück“, wie Emrich sagt[47]. Sogar der Onkel

[44] Vgl. den Brief an Kurt Wolff vom 4. April 1913 (Br 115).

[45] In Konsequenz dieser Hypothese spricht Politzer von einer Schuld Karl Roßmanns analog der Schuld Josef K.s im „Prozeß“, wobei die Schuld Josef K.s bereits „unenträtselbar“ sei, die Karl Roßmanns dagegen noch „verständlich, aussagbar, abwendbar“ (S. 221).

[46] Emrich, S. 257.

[47] Ebenda, S. 241.

Karl Roßmanns, der als Senator und Millionär auf einem Gipfel unangefochtener Macht und unanfechtbaren Glücks stehen müßte, leidet – leidet unter den Prinzipien, die ihn zu eben dem haben werden lassen, was er ist. (A 107)

Karl Roßmann leidet, worunter auch seine Mitfiguren leiden; keine vereinzelnde Andersheit lastet auf ihm wie auf Josef K. im „Prozeß“ der Status des Angeklagten vor der Dachbodengerichtsbarkeit. Die Probleme, die sich aus der Fremde Karl Roßmanns dem kapitalistisch korrumpierten Amerika gegenüber ergeben, sind prinzipiell vermittelbar, trennen das Bewußtsein der Vordergrunds- und Aspektfigur nicht von dem ihrer Mitwelt – nur in den Verhandlungen um Recht und Unrecht, in den „Prozessen“, ergeben sich bezeichnenderweise Kommunikationsschwierigkeiten. So kann es kommen, daß immer wieder zwischen Karl Roßmann und den anderen eine sorglose Herzlichkeit sich ergibt (wie auf den gemeinsamen Einkaufsunternehmungen mit Therese [A 169 f.]), eine gutmütige Kameradschaftlichkeit (wie im Schlafsaal unter den Liftboys [A 166 ff.]), eine derbe, freilich nur trügerisch-harmlose Vertraulichkeit (mit den „Kameraden“ Robinson und Delamarche auf dem „Weg nach Ramses“ [bes. A 125 f.]), ein freundschaftlicher Erfahrungsaustausch (im Gespräch mit dem Studenten [A 294 ff.]) und eine spontane Hilfsbereitschaft (gegenüber dem „Mann mit Frau und Kind“ bei der Bewerbung um eine Stellung im „Theater von Oklahoma“ [A 313]). Gerade an solchen Stellen des beiläufigeren und beschaulicheren Erzählens, den „Dickens-Stellen“ des Romans, an denen die in der Erzählperspektive angelegte Subjektivität der Vordergrundsfigur nicht zur Entfaltung kommt (hier wirkt die „Unreife“ Karls, wie Politzer sie aus anderen Stellen herleitet, nicht deformierend auf die durch ihn erfahrene Realität!), zeigt sich die Besonderheit dieses ersten Romanfragments Kafkas – zeigt sich in einer Art Nachhall der Solidarität zwischen den Figuren der Handlung die Distanz auf die Werke wachsender Kafkascher Erzählkonsequenz.

2.1.2.2 „Der Prozeß“ – Die Vereinzelung des Angeklagten

Im „Prozeß“ sind Erzählperspektive und Kommunikationsstruktur der Fabel von Anfang an aufeinander bezogen. Mit den ersten Worten schon wird die Distanz aufgezeigt, die Josef K. von seinen Mitfiguren trennt: „Jemand mußte K. verleumdet haben“ (P 9). Die Tatsache, verleumdet und infolgedessen angeklagt zu sein, sondert K. von allen übrigen Figuren ab; der Umstand, daß ungewiß ist, wer ihn verleumdet hat („jemand“), ja sogar, ob er wirklich verleumdet worden ist („ . . . *mußte* ihn verleumdet haben“ – das Modalverb gibt der Aussage keinen Bestimmtheits-, sondern einen Vermutungscharakter), stellt alle Deutung des Prozeßgeschehens der Subjektivität des Angeklagten anheim. Alle Aussagen über die Dachbodengerichtsbarkeit sind dadurch bestimmt, daß der Angeklagte sich keine Vorstellung von ihrem Wesen machen kann, auf Vermutungen angewiesen ist und die Berechtigung der Anklage bis zuletzt nicht akzeptiert.

An der Frage, ob diese Bedingung des Erzählens anerkannt wird, scheiden sich die Interpreten dieses Romanwerks. Während die einen mit einer erzählerischen Objektivität der Dachbodengerichtsbarkeit rechnen und eine Deutung des Gerichts und damit auch des Prozeßgeschehens an K. und seiner Situation des Angeklagtseins-aus-unbestimmtem-Grund vorbei unternehmen[48], weisen andere darauf hin, daß das Gericht sich unter den Bedingungen dieses Erzählens grundsätzlich nicht zu einer „objektiven Gegebenheit" verfestigen kann; wie zum Beispiel Beda Allemann betont, ist es kein Mangel der Person des Josef K., wenn er das Gericht und damit seine eigene Rechtfertigung verfehlt, sondern die Folge einer „existentiellen Bedingung, die stilistisch und erzähltechnisch unmittelbar im Fehlen eines Überblicks über die Hintergründe des Geschehens ausgeprägt ist"[49].

Diese Undeutbarkeit der Dachbodengerichtsbarkeit und des gesamten Prozeßgeschehens prägt die Interaktion zwischen K. und seinen Mitfiguren in entscheidender Weise: seine Sicht der Dinge ist mit der keiner der übrigen Figuren zu vermitteln; die Uneindeutigkeit des Interaktionsrahmens verhindert jede Gemeinsamkeit darin. Die Vereinzelung des Angeklagten Josef K. veranschaulicht sich, wenn man den Erzählablauf daraufhin betrachtet, welche Haltung die Mitfiguren ihm gegenüber einnehmen, welche Funktion sie für sein Unternehmen des Versuchs der Rechtfertigung haben. Da es zu der mit dem Anfangssatz gegebenen Situation des Angeklagtseins K.s kein „Davor" gibt[50], ist eine von der Tatsache des Angeklagtseins unabhängige Relation zwischen K. und den Mitfiguren nicht konstituierbar. Allerdings lassen sich Vorgänge der Veränderung in den Beziehungen beobachten. Dabei ergibt sich, daß durch die Anklage K.s, die Mitteilung seiner Verhaftung zuallererst, das Verhältnis K.s zu den Figuren seines bisher alltäglichen, selbstverständlichen Umgangs teils unterbrochen, teils intensiviert – in jedem Fall aber krisenhaft problematisiert wird.

Es beginnt damit, daß Anna, das Dienstmädchen, K. sein Frühstück nicht bringen kann, weil die Wächter sie daran hindern (P 9 f.); und sie soll es ihm von da an nie wieder bringen, vielmehr bringt Frau Grubach, die Vermieterin, es fortan selbst (P 94) — eine erstaunliche Folge des Streits, der am Tag der Verhaftung zwischen K. und ihr stattgefunden hat (P 32 f.). K. ist seit diesem Tag ihr „bester und liebster Mieter" (P 29). Im Verlaufe freilich desselben Gesprächs, in dem Frau Grubach K. dieses Geständnis macht, bringt sie es nicht fertig, K.s hergehaltene Hand zu ergreifen: der Handschlag wird unmöglich, weil er eine „Übereinstim-

[48] Z. B. Emrich, S. 259 ff.; Politzer, S. 251 (besonders); Richter, S. 204 ff.
[49] Allemann, Der Prozeß, in: Der deutsche Roman, S. 259.
[50] Allemann (ebenda, S. 279) spricht von einem „absoluten Anfang".

mung" bekräftigen würde, die K. zwischen seiner und Frau Grubachs Einschätzung des Gerichts festzustellen glaubt (P 31). Auf die Verweigerung dieser banalsten, konventionellsten Art zwischenmenschlicher Interaktion reagiert K. mit plötzlicher Müdigkeit und sieht „das Wertlose aller Zustimmungen dieser Frau" ein (P. 32). Zu dem Streit, dem ersten und einzigen offenbar, den K. mit Frau Grubach gehabt hat, ist es infolge einer Äußerung von ihr über Fräulein Bürstner gekommen, die K. „mißverstanden" hat (P 33). Dieser „Irrtum" bestimmt fortan ihr Verhältnis. Obgleich Frau Grubach noch einmal bei einem anderen Anlaß zu klären versucht, inwiefern man sich gegenseitig „mißverstanden" habe (P 95), kommt es zu keiner Normalisierung der Beziehungen mehr. Die einmal eingedrungene Kommunikationsweise des Mißverständnisses bleibt bestimmend. (Als psychologischer Grund seiner Anfälligkeit für solche Mißverständnisse wird von K. selbst, freilich in ironischer Redeweise, seine „Überempfindlichkeit" angeboten (P 96), eben die Eigenschaft, die der Gerichtsdiener bei dem Besuch K.s in den Kanzleien als gemeinsames Merkmal aller „Angeklagten" genannt hat [P 82].)

War K.s Verhältnis zu Fräulein Bürstner bisher so unentwickelt gewesen, daß er ihren „Taufnamen" nicht wußte (P 42), ja sich nicht einmal genau erinnerte, „wie sie aussah" (P 34), so wird es nun plötzlich aufs schmerzlichste aktiviert. Der äußere Anlaß dazu liegt darin, daß die Konfrontation mit dem „Aufseher" des Gerichts in ihrem Zimmer stattgefunden hat (P 19 ff.). Nun auf einmal „wollte er mit ihr reden und es reizte ihn, daß sie durch ihr spätes Kommen auch noch in den Abschluß dieses Tages Unruhe und Unordnung brachte" (P 34). Zwar ist K. sich noch beim Warten dessen bewußt, daß er „kein besonderes Verlangen" nach ihr hat; aber als sie dann da ist, wird er „ganz von dem Anblick des Fräulein Bürstner ergriffen" (P 38); beide sehen sich bei diesem Treffen im „Prozeßzimmer" des Vormittags „zum erstenmal in die Augen" (P 36), und kurz darauf kommt es zu dem überfallartigen Ausbruch von K.s Leidenschaft, bei dem er sie „wie ein durstiges Tier" küßt und seine Lippen schließlich „auf dem Hals, wo die Gurgel ist" liegen läßt (P 42). Offenbar haben die „Unruhe und Unordnung", die an diesem Tag in K.s Leben eingebrochen sind, enthemmend gewirkt, und er hat Fräulein Bürstner mit dem Anlaß der Enthemmung, der Verhaftung, in Beziehung gebracht. Nach diesem Ausbruch dann ist jede Verbindung zwischen K. und Fräulein Bürstner gestört: „Er versuchte auf die verschiedenste Weise, an sie heranzukommen, aber sie wußte es immer zu verhindern" (P 93). Und ihre Verweigerung ist endgültig. Sie läßt Fräulein Montag zu sich ins Zimmer ziehen (P 96 f.), die fortan die Funktion der wegversperrenden Nachrichtenübermittlerin einnimmt („‚Sie möchten sie entschuldigen und mich statt ihrer hören'" [P 99]). Erst kurz vor dem Tod wird K. dem Fräulein Bürstner noch einmal begegnen, wenn sie, gleichsam den Weg weisend, vor ihm hergeht (P 268 f.).

Wie sehr sich K.s Beziehungen zu seinen Mitfiguren infolge des Angeklagtseins problematisieren, zeigen zwei auf den ersten Blick bedeutungslos erscheinende Details des Textes: Ein junger Mann, den K. vorher offenbar nie bemerkt hat, obgleich er ihm schon oft begegnet sein muß, erscheint ihm plötzlich bedrohlich, als er ihn am Abend des Tags der Verhaftung im Hausflur sieht: „‚Wer sind Sie?‘ fragte K. sofort und brachte sein Gesicht nahe an den Burschen, man sah nicht viel im Halbdunkel des Flurs“ (P 28); und obgleich der junge Mann sich als Sohn des Hausmeisters zu erkennen gibt und K. diese Erklärung auch annimmt, kann er nicht umhin, sich beim Weitergehen noch einmal umzudrehen nach dem unheimlich-bedrohlich gewordenen Mitbewohner des Hauses. Sogar die sicherste und unreflektierteste Lebensroutine K.s wird in den Strudel des „Prozesses“ gezogen: das auf strikter Regelmäßigkeit aufruhende Verhältnis K.s zu Elsa, seiner Geliebten aus der „Zeit davor“, gerät aus dem Geleis; er versäumt den jour fix bei ihr (P 27 f.). Warum der Text im übrigen K. niemals in seiner Beziehung zu Elsa zeigt, warum Elsa nicht Figur werden kann, sondern nur Erwähnung bleibt (ein Photo von ihr wird gezeigt [P 133]), erklärt sich aus einer Äußerung, die K. gegenüber Leni macht: daß Elsa „nichts vom Prozeß weiß“ und daß sie, selbst wenn sie etwas wüßte, „nicht daran denken“ würde (P 134). K. deutet das als Vorteil Elsas im Vergleich zu Leni, während Leni dieser Deutung widerspricht. Bezeichnend jedenfalls für die Interaktionsstruktur des Textes ist es, daß eine solche außerhalb der Prozeßwelt stehende Figur keine irgend personale Rolle darin spielen kann, ja nicht einmal szenisch-anschaulich darin erscheinen darf: sie würde die totale Vereinzelung K.s, die eine Folge seines Angeklagtseins ist, beeinträchtigen, die Zentrierung allen Geschehens um den Prozeß stören, das Arrangement der Figuren um den isolierten K. in der Mitte verwirren. Daß Kafka bei einem Versuch, sich über die Konsequenzen seines Erzählens hinwegzusetzen, gescheitert ist, zeigt das fragmentarisch gebliebene Kapitel „Zu Elsa“, das Brod im Anhang zum „Prozeß“ liefert; dort wird beschrieben, wie K. sich entschließt, eine Vorladung zum Gericht zugunsten eines Besuchs bei Elsa zu neglegieren. Auf der Fahrt zu ihr beginnt er — folgerichtig — den Prozeß zu vergessen: „ . . . und die Gedanken an die Bank begannen ihn wieder, wie in früheren Zeiten, ganz zu erfüllen“ (P 276). Unmittelbar darauf bricht dieser Versuch eines Kapitels ab. Da K., die Aspektfigur, nur als Angeklagter erscheint, kann die Welt des Romans nur als Prozeßwelt erscheinen; vom Gericht und seinem Anspruch unbetroffene Refugien kann es darin nicht geben, K. kann nicht ankommen bei Elsa, er kann nicht einmal auf dem Weg sein zu ihr.

Wie weit das Wissen seiner Mitwelt von dem Prozeß reicht, weiß K. selbst nicht genau („Ganz unbekannt war ja sein Prozeß nicht, wenn es auch noch nicht ganz klar war, wer davon wußte und wieviel.“ [P 161]); diese Ungewißheit über das Wissen der anderen von der eigenen Sache gehört zu der Unbestimmbarkeit des Gerichts als solcher hinzu und vergrößert seine Macht. Obgleich das Wissen um seinen Prozeß K. nicht überall so entgegenspringt wie beim Advokaten Huld (P 126), bei seinem Onkel (P 113) und dem Fabrikanten (P 163), sind die Fäden der Beziehungen um K. doch so geflochten, daß grundsätzlich von jeder der Mitfiguren angenommen werden kann, sie wisse von K.s Angeklagtsein. Für diese potentielle Allbekanntheit des Prozesses sorgt die Anwesenheit der drei sonst völlig bedeutungslosen Untergebenen K.s aus der Bank am Morgen seiner Verhaftung im Zimmer Fräulein Bürstners (P 25), die ihr Wissen überallhin verbreitet haben können: so hat etwa der Onkel von seiner Tochter und diese über einen „Diener" der Bank von dem Prozeß erfahren (P 114). Eine besondere Rolle spielt in diesem Zusammenhang der Direktor-Stellvertreter; diese einzige Figur, von der K. hofft, sie möge von dem Prozeß nichts wissen (P 117, 161, 163), wird durch eben diese Hoffnung in allernächste Nähe zum Prozeß gebracht; gerade das stärkste Engagement K.s, das nach außerhalb der Prozeßwelt zu ziehen scheint, seine Rivalität mit dem Direktor-Stellvertreter, wird so zu einem Anlaß, K. seine völlige Auslieferung an die Sorge um den Prozeß bewußt werden zu lassen (P 103).

Wie restlos die Durchdringung der Lebenswelt K.s durch die Gerichtswelt vorzustellen ist, zeigt vor allem das Zustandekommen des Treffens von K. mit dem Gefängniskaplan. Folgt man der Kette der Kausalität rückwärts, dann führt sie über den Kirchendiener, den italienischen Geschäftsfreund bis hin zu dem Direktor der Bank selbst (P 247 f., 237 ff., 239). So ist K. allseits von dem Gericht umgeben, von den Figuren der Welt seines alltäglichen Lebens getrennt durch das grenzenlos wuchernde Wissen, daß er ein Angeklagter ist vor einem undeutbaren Gericht[51].

Die Reaktion der Figuren des alltäglichen Umgangs K.s auf die Tatsache, daß er verhaftet ist, erscheint verschiedenartig: sie reicht von der „Befangenheit" der Frau Grubach (P 31) über das „Interessiertsein" des Fräulein Bürstner (P 38) bis zur Erschütterung des Onkels (P 117); gemeinsam ist der Reaktion aller Figuren allerdings dies, daß sie die Bedeutung des Prozesses viel ernster nehmen als K. selbst. So kann Frau Grubach, die bei dem Gedanken an den Prozeß etwas „Gelehrtes" assoziiert, K. die Hand nicht reichen, als dieser mit dem Handschlag bekräftigen will, daß sie mit ihm in der Beurteilung seines Prozesses übereinstimmt, den er „nicht einmal für etwas Gelehrtes, sondern überhaupt für nichts" hält (P 30); Fräulein Bürstner bemerkt auf die sich nur auf das äußere Geschehen der Verhaftung beziehende Äußerung K.s, es sei „schrecklich" gewesen, sehr dezidiert: „Das ist zu allgemein" und bringt K. dazu, die Szene vorzuspielen bis hin zu dem Anruf „Josef K.!" (P 39 f.), der offenbar nur K. gegenüber seine bedrohliche Wirkung verfehlt. Der Onkel vollends versteigt sich zu der als „Sprichwort" deklarierten Äußerung: „Einen solchen Prozeß haben, heißt ihn schon verloren haben." (P 119) Und wie K. in seiner Einschätzung der Bedeutung

[51] Vgl. Emrich, S. 262 ff. – Allerdings wird hier von Emrich die Ubiquität des Gerichts nicht erzähl- bzw. kommunikationstechnisch erfaßt, sondern in einer ontologisch-spekulativen Begrifflichkeit gedeutet.

des Prozesses isoliert ist (daß all die Repräsentanten des Gerichts und seine Mittelsmänner, der Advokat Huld, der Maler Titorelli und der Gefängniskaplan, eine andere Sicht von der Dachbodengerichtsbarkeit haben als K., bedarf keines Nachweises), so raten ihm auch alle Mitfiguren zu einem Verhalten der Gerichtsbarkeit gegenüber, das für K. nicht praktikabel ist: zur bedingungslosen Unterwerfung, zur Anerkennung der Berechtigung des Prozesses ohne Diskussion seiner Natur. K.s Beteuerung dagegen, er sei unschuldig, wird insofern von keiner der Mitfiguren akzeptiert, als niemand sich auf eine Diskussion von Schuld und Unschuld einlassen will. So sagt Fräulein Bürstner auf K.s Frage: „Glauben Sie denn, daß ich schuldlos bin?" vage ablenkend: „Nun, schuldlos..." (P 37), und Leni verlangt geradezu von ihm, er solle ein „Geständnis" ablegen (P 132 f.); erst dann, sagt sie, sei die Möglichkeit „zu entschlüpfen" gegeben; worin Schuld oder Unschuld bestehen könne, erscheint ihr gar nicht erwägenswert. Ein Mittelsmann des Gerichts, der Maler Titorelli, fragt K. zwar, sogar zweimal (P 179 f.), ob er unschuldig sei, bezeichnet das auch als Hauptsache — aber nur, um gleich darauf zu betonen, daß das Gericht von der Schuld eines Angeklagten niemals abzubringen sei. Und so erscheint seine Frage nachträglich als eine nach der subjektiven Sicht der Dinge K.s, erweist sich als Bestandteil eines Verhörs, in dem Titorelli sich eine Meinung über den Angeklagten K. bilden will. Indem aber Schuld oder Unschuld K.s niemals als etwas Objektivierbares, d. h. in diesem Zusammenhang als etwas Kommunikables erscheinen, liefe eine Unterwerfung K.s auf nichts anderes als die völlige Aufgabe seiner Existenzberechtigung hinaus[52]. Dann bliebe ihm nur noch die Möglichkeit, den Prozeß sekundär zu beeinflussen, entweder auf einen „scheinbaren Freispruch" abzuzielen oder den Prozeßverlauf zu „verschleppen" (P 186). Dann würde ein Angeklagter der Art des Kaufmanns Bloch aus ihm werden; dessen Leben aber erscheint K. entwürdigend, ja „hündisch" (P 233). K. wäre dann gar kein „Angeklagter" mehr, sondern ein bereits Gerichteter. Auf sein Recht und seine Würde aber als Angeklagter kann K. nicht verzichten: liegt doch in diesem Begriff, so wie K. ihn versteht, wenigstens die Möglichkeit eines Erweises von Unschuld, ein Rest von Objektivierbarkeit der Verhältnisse des Gerichts, der Umstände von Recht und Gesetz[53].

Daß K. auf seinen Status des „Angeklagten" in einem so wörtlichen Sinn, wie er ihn versteht, einen Status, den das Gericht selbst ihm ja aufgezwungen und den er, wenn auch widerwillig, akzeptiert hat, nicht verzichten kann, bringt er in dialogischen Auseinandersetzungen mit der

---

[52] Vgl. Allemann, Der Prozeß, in: Der deutsche Roman, S. 255 ff. (besonders S. 257).

[53] Allemann (ebenda, S. 255 ff.) unterscheidet zwischen einer „juridischen" und einer „ganz anderen, für den Prozeß aber entscheidenden" Rechtfertigung, geht im übrigen aber auf die Probleme der gestörten Kommunikation zwischen K. und seiner Mitwelt nicht ein.

Gerichtswelt immer wieder zum Ausdruck: so als er bei der ersten Untersuchung bemerkt, daß er rings von Gerichtsbeamten umgeben ist und daß die scheinbar objektive Reaktion der Zuhörer bei dem Verhör nur seiner Täuschung diente (P 63), so Titorelli gegenüber, dem er auf dessen Behauptung der Unmöglichkeit eines wirklichen Freispruchs hin vorhält: „Ein einziger Henker könnte das ganze Gericht ersetzen" (P 185). Er protestiert dagegen, daß das Gericht nicht „Gericht" sein will im üblichen Sinn des Wortes, d. h. eine Institution, die über Schuld befindet *oder* Unschuld und bei der Anklage und Schuldspruch nicht identisch sind.

An solchen Stellen stößt man auf die kommunikative Grundbedingung des Textes vom Prozeß, die das Ringen des „Angeklagten" K. so aussichtslos macht und die ihn so hoffnungslos von allen anderen Figuren isoliert: Während K. „Gericht", „Recht", „Gesetz", „Untersuchung", „Angeklagter" und alle die anderen Vokabeln der Gerichtssprache, mit denen der Text besetzt ist, immer im umgangssprachlich üblichen Sinne versteht, der einen objektivierbaren Rechtsbegriff, einen kontrollierbaren Gerichtsapparat voraussetzt, nehmen alle anderen Figuren die Worte so, wie sie der Welt der Dachbodengerichtsbarkeit entsprechen, deren Vorhandensein und Dominanz ja die Geschlossenheit des Erzählrahmens erst konstituiert. (So geschieht das erste Mißverständnis bereits bei der Verhaftung: K. glaubt, seine Bewegungsfreiheit sei hinfort eingeschränkt, und muß sich von dem Aufseher eines Besseren belehren lassen [P 24]; und noch am Schluß des langen Gesprächs im Dom muß der Geistliche K. darüber belehren, inwiefern das Gericht nicht so ist, wie ein „Gericht" sonst: „ . . . Das Gericht will nichts von dir. Es nimmt dich auf, wenn du kommst, und es entläßt dich, wenn du gehst." [P 265]) K., der Angeklagte, ist, so gesehen, per definitionem status – und eine andere Möglichkeit, als seinen Status wörtlich zu nehmen, hat er offenbar nicht – in einen Zustand versetzt, der ihn von aller Mitwelt trennt, anders ausgedrückt: der ihn der Umwelt als Welt der Dachbodengerichtsbarkeit rettungslos ausliefert. „Angeklagtsein" ist somit in bezug auf K. identisch mit „Anderssein", und an der „Wörtlichkeit" von K.s Verständnis seiner Situation hängt die Inkommensurabilität der Aktionen K.s und der Welt, die ihn rings umgibt.

Diese Problematik wird auf die Spitze getrieben in der Szene im Dom, der Parabel vom Gesetz und dem sich anschließenden Disput zwischen K. und dem Gefängniskaplan über die möglichen Deutungen der Parabel. Dabei ist für diesen Zusammenhang nicht die Allegorik der Parabel als Inhalt aufschlußreich, sondern die Reaktion K.s darauf im Gegensatz zu der Deutung des Geistlichen. Während K. die Parabel „wörtlich" nimmt, „Gesetz" in einem rational objektivierbaren Sinne versteht, lebt die Deutung des Geistlichen aus der „Achtung vor der Schrift" als vor etwas Vorgegebenem und in seiner umfassenden Autorität nicht Bezweifelbarem (P 258). Während K. zu dem Ergebnis kommt, der Mann in der Parabel sei von dem Türhüter „getäuscht" worden bzw. auch der Türhüter sei getäuscht worden (P 257, 263), wehrt der Geistliche alle Kritik an der Geschichte zugleich mit der Kritik am Gesetz ab mit dem Hinweis auf die grundsätzliche Unmöglichkeit, das „Gesetz“ zu kritisieren: „... ist er doch ein Diener des Gesetzes, also zum Gesetz gehörig, also dem menschlichen Urteil entrückt“ (P 264). Eben gegen diese Entrükkung aber des Gesetzes aus dem Bereich des Menschlichen wehrt sich K., denn es würde ihn aus seinem Status des Angeklagten im Sinne umgangssprachlicher Wörtlichkeit hinausschleudern und zum allemal schon Gerichteten machen. Und es ist auf die „Unwahrheit“, d. h. auf die Ablösung des Begriffs „Gesetz“ vom normalen Sprachgebrauch gezielt, wenn er abschließend sagt: „Trübselige Meinung ... Die Lüge wird zur Weltordnung gemacht.“ (P 264) So ist der Rationalist K. sprachlos und verlassen trotz aller Eloquenz inmitten einer Welt irrationaler, ja mythischer Uneindeutigkeit und kann hingerichtet werden, ohne daß ihm jemand hilft: als Angeklagter, wie er sich versteht, findet er keine Mitwelt.

Sicherlich mit Recht ist darauf hingewiesen worden, daß K. gegen den Schluß des Textes (im Dom-Kapitel und in dem Kapitel der Hinrichtung) der Einsicht in die Unausweichlichkeit seines Schicksals näherkommt[54]. Aber es ist nur die Einsicht in die Unaufhebbarkeit seiner Vereinzelung als Angeklagter. Eine Entwicklung hin zur Anerkennung einer Fragwürdigkeit, Schuldhaftigkeit des menschlichen Lebens als solchen vor der Instanz einer transzendenten Gesetzlichkeit findet in K. nicht statt – kann nicht stattfinden den Bedingungen Kafkaschen Erzählens nach: weder die „Uneindeutigkeit“ des Handlungsrahmens der Gerichtswelt, noch die Subjektivität der Aspektfigur sind in einem und dem gleichen Text erzählerisch überwindbar.

Schließlich sei noch auf die Möglichkeit einer Deutung des ganzen Prozeßgeschehens als eines auf die Innerlichkeit K.s beschränkten Vorgangs hingewiesen[55]. Ermöglicht wird diese Deutungsvariante durch einige Auffälligkeiten in der Zeit- und der Kausalstruktur des Textes. So ist die Prügelszene in ihrer Wiederholung gleichsam aus dem Zeitkontinuum herausgenommen, in dem zwischenmenschliche Interaktion sich vollzieht. Anzuführen sind außerdem folgende Stellen: Als K. die erste Vorladung vor das Gericht erhält, wird ihm kein Zeitpunkt für sein Erscheinen angegeben; er nimmt sich selbst neun Uhr als Zeitpunkt des Erscheinens vor, kommt etwas später als neun – und wird vom Untersuchungsrichter für sein Zuspätkommen getadelt (P 52); er findet sich zu dem Ort des Gerichts hin, obwohl er nur nach dem „Tischler Lanz“, einer von ihm selbst erfundenen Person, gefragt hat (P 49 ff.); schon ehe

---

[54] So von Emrich, S. 293 ff.; Allemann, Der Prozeß, in: Der deutsche Roman, S. 255.

[55] Vgl. Emrich, S. 264 f.; Allemann, Der Prozeß, in: Der deutsche Roman, S. 242. – Während Emrich meint, das Gericht als „seelisches Spiegelbild K.s“ deuten zu können, zeigt Allemann auf, daß die Deutung des Geschehens mit Hilfe einer „Traumlogik“ nicht konsequent durchführbar ist.

K. seine „Verhaftung“ mitgeteilt worden ist, scheint die Welt um K. sich verändert zu haben: die alte Frau, die ihm gegenüber wohnt, so fällt ihm auf, beobachtet ihn mit „einer ganz ungewöhnlichen Neugier“ (P 9) – offenbar ist er an diesem seinem 30. Geburtstag in den Zustand des Andersseins, eben des „Angeklagtseins“ hinein aufgewacht; dem entspricht sein Vorwissen um die Zeit seines Todes: am Vorabend zu seinem 31. Geburtstag sitzt K., „ohne daß ihm der Besuch angekündigt worden wäre“, schwarz angezogen in einem Sessel in der Nähe der Tür, bereit, mit seinen Henkern mitzugehn (P 266). Soweit sich freilich die erzählerische Absicht des Autors rekonstruieren läßt, wollte Kafka das Prozeßgeschehen nicht als einen Traumvorgang verstanden wissen. So ist bezeichnenderweise ein Kapitel, in dem ein Traumgeschehen beschrieben wird („Das Haus“, P 290 ff.) unvollendet geblieben, und schon Beißner hat bezeichnet, warum der Versuch dieses Kapitels hat scheitern müssen: Indem auf die Traumhaftigkeit des Vorgangs hingewiesen wird, tritt der Erzähler aus seinem „Helden“ heraus – eine Operation, die Kafkas Erzählprinzip zuwiderläuft[56]. Wollte man den ganzen „Prozeß“ als Traum verstehen, wäre all die fürchterliche Erfahrung des Josef K. psychologisiert, relativiert, entschärft.

Daher ist festzuhalten, daß K.s Isolierung in der eigenen Subjektivität darin besteht, daß er, allein in seinem Angeklagtsein, auf einem objektivierbaren Begriff von Recht und Gesetz beharrt. Erzwungen wird seine Vereinzelung dadurch, daß die Mitwelt, in der zu leben er gewohnt war, ihm plötzlich die Möglichkeit versagt, seine Schwierigkeiten – seien sie nun solche einer individuellen Immanenz oder solche der Auseinandersetzung mit einer transzendenten Macht – zu objektivieren: Der Josef K. des „Prozesses“ erleidet, ob schuldhaft oder nicht, den totalen Verlust mitmenschlicher Solidarität. So ist die eigentlich tödliche Erfahrung denn auch die des Verlassenseins von allen, und klagend heißt es am Schluß: „. . . ein Mensch, dünn und schwach in der Ferne und Höhe . . .“ *(P 272).*

2.1.2.3 „Das Schloß“ – Auswanderung aus der Mitmenschlichkeit

Wurde Josef K. im „Prozeß“ durch die plötzlich in sein Leben einbrechende „Anklage“ aus der Gemeinsamkeit mit seiner Mitwelt herausgelöst und war es die Mitwelt, die ihm, dem Angeklagten, die Solidarität verweigerte, so wird die Vereinzelung der Vordergrundsfigur im „Schloß“, des Landvermessers K., von dieser selbst herbeigeführt: K. ist vom Augenblick seiner Ankunft im Dorf allein, und er ist es, der das Dorf gesucht hat; denn das Dorf liegt unterhalb des Schlosses, und ins Schloß

[56] Beißner, Der Erzähler Franz Kafka, S. 39 f.

oder wenigstens in größtmögliche Nähe davon zu gelangen, ist K.s einziges Ziel[57].

Wie es dazu kam, daß K. sich zum Dorf unterhalb des Schlosses auf den Weg gemacht hat, bleibt ungewiß. Einerseits ist davon die Rede, daß der Graf Westwest den Landvermesser habe „kommen lassen“ (S 11), andererseits ist von einer ganz allgemeinen Entscheidung der Schloßbehörde die Rede, daß „ein Landvermesser berufen werden solle“ (S 83); aber dieser Erlaß könne, so wird K. vom Dorfvorsteher eröffnet, nichts mit ihm zu tun haben, „denn das war vor vielen Jahren“ (S 84). Auch von einer „Berufung“ K.s ist einmal die Rede (S 86 ff.), zugleich wird aber betont, „daß nach einem Landvermesser bei uns kein Bedarf sei“ (S 88). Ungeklärt bleibt also, ob sich K. von sich aus bei den Behörden des Schlosses um den Posten beworben hat oder ob er – so sagt er selbst einmal – „hergelockt“ worden ist (S 101). Die Tatsache, daß die Bewandtnis seines Kommens völlig im dunkeln bleibt, fixiert K. in seinem Gespräch mit dem Dorfvorsteher selbst: „So bleibt dann das Ergebnis, daß alles sehr unklar und unlösbar ist, bis auf den Hinauswurf.“ (S 102) Und der Vorsteher sagt darauf: „Wer wollte wagen, Sie hinauszuwerfen, Herr Landvermesser? . . . Eben die Unklarheit der Vorfragen verbürgt Ihnen die höflichste Behandlung . . .“ Ein Blick in das Davor der Romanhandlung und damit in das Warum ihres Beginns öffnet sich nicht.

Ebenso ungewiß ist, was es mit der Unzugänglichkeit des Schlosses und seiner Behörden auf sich hat, bzw. was K. an dem Schloß so sehr reizt, daß er alles daransetzt, dorthin zu gelangen. Von Bindungen an eine Außenwelt in bezug auf Schloß und Dorf ist K. nicht mehr gehalten. Die Erwähnung von Frau und Kind (S 14) hat außerhalb des Gesprächs mit dem Brückenwirt, in dem sie geschieht, offenbar keinerlei Bedeutung: die Möglichkeit, Frieda zu heiraten, wird für K. dadurch nicht beeinträchtigt[58]. Da die Anziehungskraft, die „Bedeutung“ des Schlosses somit allein über die Innerlichkeit des Landvermessers erstellt wird (das „Schloß“ des Textes ist immer nur „das Schloß, zu dem K. hingelangen will“), eine erzählerische Objektivation des Schlosses anders als über das Interesse K.s daran nicht gegeben wird und auch ohne Infragestellung des einsinnigen Erzählprinzips gar nicht gegeben werden kann[59], soll eine Interpretation des „Schloßwesens“ hier ebensowenig versucht werden wie die des „Prozeßwesens“ versucht worden ist[60].

Deutlicher als in den beiden anderen Romanen ist das Vorhaben der Vordergrundsfigur als „Kampf“ angelegt. Die Situation, in der K. sich dem Schloß gegenüber befindet, ist ihm als Kampfsituation bewußt, und er nimmt an, daß auch die Schloßbehörden ihrerseits ihre Relation zu

---

[57] Vgl. Politzer, S. 319.

[58] Vgl. Richter, S. 333, Anm. 12.

[59] Entscheidendes dazu hat Fietz gesagt (S. 73 ff.).

[60] Versuche zu einer solchen Interpretation des „Schloßwesens“ finden sich z. B. bei Emrich, S. 310 ff.; Richter, S. 252 ff.

ihm als Kampf verstehen – einen Kampf, so vermutet er, den die andere Seite „lächelnd aufnahm" (S 13). In diesem Kampf K.s um Aufnahme beim Schloß entspricht die Funktion der Mitfiguren der, welche die Mitfiguren Karl Roßmanns in „Amerika" in dessen Kampf um Gerechtigkeit und die Mitfiguren Josef K.s im „Prozeß" in dessen Kampf um den Nachweis eigener Unschuld erfüllten. Dabei sind nun Unterschiede gegenüber „Amerika" und dem „Prozeß" festzustellen: Während in „Amerika" alle Figuren, einschließlich Karl Roßmanns, Opfer einer ungerechten Gesellschaftsordnung sind und im „Prozeß" von Josef K. als dem Opfer der Dachbodengerichtsbarkeit verzweifelt um eine Möglichkeit der Kommunizierung und Objektivierung seines Versuchs einer Rechtfertigung gerungen wird, bleibt das Unternehmen des Landvermessers K. in seiner Motivik den Mitfiguren völlig unvermittelt. Nur das ureigenste Interesse K.s bewegt die Handlung, und nicht einmal der Versuch wird unternommen (Konstruktion der Fabel und Wahl des Erzählerstandorts verhindern das), die Mitfiguren über dieses Interesse aufzuklären, oder gar, sie daran zu beteiligen. So sind die Mitfiguren K.s im Schloß, insofern sie in das Unternehmen eines ihrer Welt Fremden hineingezogen werden (zur Sonderstellung der Familie des Barnabas vergl. Anm. 62!), Opfer K.s.

Das mit dem Anfang der Fabel in das Dorf mitgebrachte Anderssein K.s hindert ihn nicht daran, sondern zwingt ihn geradezu, nach Verbündeten, nach Helfern – freiwilligen oder unfreiwilligen – zu suchen. Dabei muß es ihm darum gehen, Information, Einfluß, Geltung und über all das ein gewisses Recht auf ein Leben in der Nähe des Schlosses zu erwerben. Da alle Dorfbewohner den Versuch der Annäherung K. s an das Schloß für aussichtslos, ja sinnlos oder gar unmoralisch halten, werden seine Ansinnen immer wieder zurückgewiesen. So erwidert der Lehrer, den K. auf seinem ersten Spaziergang durch das Dorf fragt, ob er den Grafen nicht kenne, nachdem er die Frage inhaltlich verneint hat: „Nehmen Sie Rücksicht auf die Anwesenheit unschuldiger Kinder." (S 19) Als es ihm im Hause des Gerbermeisters Lasemann gelungen ist, sich „förmlich in einem Sprunge" an die Frau zu wenden, der er etwas Besonderes, nämlich eine Beziehung zum Schloß, abgespürt hat, wird er kurzerhand aus dem Haus geworfen (S 24). Hilfsangebote von Dorfbewohnern andererseits, die einer Annäherung an das Schloß nicht dienlich sind, werden von K. zurückgewiesen. So resümiert er, als die Familie des Barnabas ihn freundlich aufnimmt: „Die Leute aus dem Dorf, die ihn wegschickten oder die vor ihm Angst hatten, schienen ihm ungefährlicher, denn sie verwiesen ihn im Grund nur auf ihn selbst, halfen ihm, seine Kräfte gesammelt zu halten; solche scheinbare Helfer aber, die ihn, statt ins Schloß . . . in ihre Familie führten, lenkten ihn ab, ob sie wollten oder nicht, arbeiteten an der Zerstörung seiner Kräfte." (S 47) Alle Versuche K.s aber, den Glauben[61] der Dorfbewohner an die Unerreichbarkeit des

[61] Auf die Gläubigkeit der Dorfbewohner als Kontrast zur „Rationalität" K.s hat zuerst Anders hingewiesen (S. 26 f.).

Schlosses zu erschüttern, scheitern an der Einheit, die Schloß und Dorf dem aus einer anderen Welt zugereisten K. gegenüber bilden: „Zwischen den Bauern und dem Schloß ist kein großer Unterschied", sagt der Lehrer (S 20). So muß der Kampf des Landvermessers in doppelter Hinsicht ein Einzelkampf bleiben: er kämpft allein und er kämpft allein für sich. Und die Vereinzelung des Landvermessers K. ist gegenüber der des Josef K. im „Prozeß" insofern noch auf die Spitze getrieben, als es zum Landvermesser im „Schloß" keine Parallelfigur[62] gibt wie den Kaufmann Block zu Josef K. Ist der Status des „Angeklagten" ein allgemeiner, kann es also viele und vielerlei Angeklagte geben (Josef K. wird als ein unüblicher, in seiner hartnäckigen Rationalität besonderer Angeklagter gezeigt), so ist K. im „Schloß" nicht nur der einzige, sondern auch der einzig denkbare Fremde: sein „Fremdsein" ist kein Gattungsbegriff, sondern die Bezeichnung radikaler Individualität[63].

Welche Folgen eine solche Anlage des Kampfes der Haupt- und Aspektfigur für die Zeichnung und Entfaltung der Mitfiguren hat, soll unter zwei Gesichtspunkten betrachtet werden: dem der *Entindividualisierung* der Mitfiguren und dem ihrer *Mißbrauchbarkeit* durch den „Helden".

Am meisten erscheinen die Figuren einer Tendenz zur Entindividualisierung ausgesetzt, die mit K. den meisten und nächsten Umgang haben, die beiden Gehilfen und Frieda, seine Geliebte. Den Gehilfen ist K. von Anfang an gram. Dabei hat er eigentlich gar keinen Grund dazu; er selbst hat die Ankunft von Gehilfen angekündigt (S 11), und nun sind auf einmal – vom Schloß gestellt – Gehilfen da. Schon ehe er von den beiden Männern erfuhr, daß sie ihm als Gehilfen zugeteilt sind, wollten sie ihm als „einander sehr ähnlich" erscheinen (S 25); seit er ihre Funktion

---

[62] So hat Walser die Glieder der Familie des Barnabas, besonders Amalia, als „Parallelfiguren" bezeichnet (S. 49 ff.). Diese Deutung kann in den Zusammenhang dieser Untersuchung nicht übernommen werden: denn Amalia, die sich einem Schloßbeamten verweigert hat und deswegen zu einer Paria geworden ist, bleibt doch eine Paria innerhalb des Dorfes und in bezug auf die Gesetze und das Leben im Dorf; die von außen hereingetragene Fremde K.s dagegen ist auf die Dorf-Schloß-Welt gar nicht beziehbar. Mit anderen Worten: Die Existenz der Familie des Barnabas hebt die Vereinzelung K.s nicht auf, mildert sie nicht einmal. Für die Beziehungen der Figuren untereinander bedeutet dies z. B., daß zwischen Amalia bzw. zwischen Olga und Frieda ein ausgesprochenes Haß-Verhältnis bestehen kann; zwischen K. und den übrigen Figuren herrscht nur Unverständnis (und allenfalls, wie bei der Brückenwirtin, Irritation darüber – eine Gegnerschaft, die in ihrer Grundsätzlichkeit völlig „abstrakt" bleibt). – Zum Verhältnis K.-Dorf-Schloß vgl. auch Homer Swander, The Castle: K.'s Village, S. 173 ff.

[63] Hier liegt der Ansatz dafür, daß das „Schloß" immer wieder als Künstlerroman gedeutet worden ist.

kennt, weigert er sich, überhaupt zwischen ihnen zu unterscheiden: „‚Wie soll ich euch denn unterscheiden? Ihr unterscheidet euch nur durch die Namen, sonst seid ihr einander ähnlich wie' – er stockte, unwillkürlich fuhr er dann fort – ‚sonst seid ihr einander ja ähnlich wie Schlangen.'" Diese Ununterscheidbarkeit ist nicht unbedingt habituell, denn der Text geht weiter: „Sie lächelten. ‚Man unterscheidet uns sonst gut', sagten sie zur Rechtfertigung. ‚Ich glaube es', sagte K., ‚ich war ja selbst Zeuge dessen, aber ich sehe nur mit meinen Augen, und mit denen kann ich euch nicht unterscheiden. Ich werde euch deshalb wie einen einzigen Mann behandeln und beide Artur nennen ...'" (S 30) Und von da an sind die nur von den Augen K.s gesehenen Gehilfen dazu verdammt, wie Marionetten zu agieren, wie ein Paar Strichmännchen eines Trickfilms. Sie sind „Fleisch", das „manchmal den Eindruck machte, es sei nicht recht lebendig" (S 311); für sie typische Bewegungen sind „Herumspringen" und „Händeausstrecken" (S 182), und was sie sonst noch vollführen können, ist „Wimmern" (S 172), „Winseln" (S 181), „Köpfeschütteln" (S 178), „Augenverdrehen" (S 215), „Lispeln" und „Kichern" (S 64). Da sie ein Kollektiv sind, erübrigt es sich für K., menschliche Eigenschaften an ihnen wahrzunehmen, und sie erscheinen ihm, als er sie in der Ecke seines Raumes kauern sieht, als „ein großes Knäuel" (S 64). Nicht die Funktion, die den Gehilfen vom Schloß beigegeben ist, nämlich K. zu „erheitern" (S 309), bestimmt ihr Erscheinungsbild im Text, sondern der Blick K.s auf sie, der sie erst sichtbar macht. Daß ihr „Verhalten an sich" auch ganz anders erfahren werden könnte, ergibt sich aus der Reaktion Friedas auf sie, die sie tatsächlich erheiternd findet und bereit ist, über sie zu lachen (S 169, 185). K. aber kann sie, da sie ihm vom Schloß beigegeben sind, nur lästig finden, ärgerlich – und seine Optik bestimmt.

Auch in „Amerika" und im „Prozeß" finden sich, wie schon Walser festgestellt hat[64], derartige „Begleiter" des „Helden", die ihm jeweils aufgezwungen sind. Aber gerade wenn man die Figuren des Robinson und Delamarche – die drei niederen Bankbeamten Kullich, Kaminer und Rabensteiner im „Prozeß" haben nur einen kurzen Auftritt – mit den beiden Gehilfen im „Schloß" vergleicht, zeigt sich der Verlust an Individualität, den diese Begleiterfiguren auf dem Wege der Entwicklung Kafkaschen Erzählens von „Amerika" bis zum „Schloß" erlitten haben. Und bezeichnenderweise kehrt den Gehilfen ein Rest von Individualität zurück, sobald sie aus ihrer Funktion K. gegenüber heraustreten, sobald sie K. einzeln gegenüberstehn: so erscheint Jeremias auf einmal „älter, müder, faltiger, aber voller im Gesicht", ja dem Gehilfen ist die Veränderung, die mit ihm vorgegangen ist, selbst bewußt: „‚Es ist, weil ich allein bin', sagte Jeremias. ‚Bin ich allein, dann ist auch die fröhliche Jugend dahin.'" (S 308) Mit der Veränderung von K.s Sehweise (der vereinzelte

[64] Walser, S. 54 ff.

Gehilfe ist ihm kein Anlaß mehr zur Irritation, er erkennt ihn kaum wieder) ändern sich auch die Figuren. K.s Optik deutet die Figuren nicht nur, sondern formt sie[65]. Eine Entwicklung macht auch die Zeichnung der Frauenfiguren in den Romanen durch. Sind in „Amerika" die Gestalten der Klara, der Oberköchin, der Therese und vor allem der Brunelda noch so individuell ausgeformt und anschaulich gezeichnet, daß eine Deutung ihrer Funktionalität in bezug auf die Mittelpunktsfigur eines beträchtlichen Aufwands an Abstraktion bedarf[66], so sind etwa die Frau des Gerichtsdieners und Leni im „Prozeß", zu denen doch Josef K. ein ungleich erotisch-intimeres Verhältnis hat als Karl Roßmann zu irgendeiner der Frauen, denen er begegnet, kaum noch voneinander zu unterscheiden: die Frau des Gerichtsdieners hat „schwarze leuchtende Augen" (P 51), Leni hat „große schwarze Augen" (P 121), und es ist kaum ein Individualmerkmal, sondern eher Ausdruck ihrer archaischen Verführungsgewalt[67], wenn sie zwischen Ringfinger und Mittelfinger ihrer rechten Hand ein „Verbindungshäutchen" hat (P 134)[68]. Im Sinne dieser Entwicklung ist es nur folgerichtig, wenn Frieda, die Geliebte K.s im „Schloß", mit der Bedeutung, die sie im Kampfe K.s gegen die Schloßbehörden hat, nicht nur ihre Wirkung auf diesen, sondern gleichsam ihr Wesen ändert. War sie, solange sie für K. eine Möglichkeit bedeutete, Klamm nahezukommen, noch „unsinnig verlockend", so hat sie, als sich K.s Hoffnung nicht erfüllt, alles von ihrer „Frische und Entschlossenheit, welche ihren nichtigen Körper verschönt hatte", verloren (S 182). Indem sie für K. bedeutungslos wird, „verwelkt" sie (S 182).

In unmittelbarem Zusammenhang mit dem Verlust an stabiler Individualität und Identität, dem die Mitfiguren des „Helden" unterworfen sind, steht ihre Manipulierbarkeit, ihre Mißbrauchbarkeit. Frieda selbst ahnt (oder weiß?), daß K. sie nur als Mittel zum Zweck benutzt hat: „Du hast keine Zärtlichkeit, ja nicht einmal mehr Zeit für mich, du überläßt mich den Gehilfen, Eifersucht kennst du nicht, mein einziger Wert für dich ist, daß ich Klamms Geliebte war, in deiner Unwissenheit strengst du dich an, mich Klamm nicht vergessen zu lassen, damit ich am Ende nicht zu sehr widerstrebe, wenn der entscheidende Zeitpunkt gekommen ist ..." (S 207); und bezeichnenderweise ist ihr der Verdacht, es könne wirklich so sein, in einer Situation gekommen, in der K. den Versuch gemacht hat, sich eines neuen, eines weiteren „Mittels" zu bemächtigen,

---

[65] Ganz anders deutet etwa Emrich (S. 348 ff.) die Figuren der Gehilfen. Da er eine erzählerische Objektivation des Schlosses an und für sich zu erkennen glaubt, kann er auch eine stoffliche Deutung der Funktion der Gehilfen im Handlungszusammenhang des Textes liefern, d. h. eine Deutung der Gehilfen „als solche".

[66] Vgl. bei Politzer (S. 225 ff.) die Deutung der Figur der Brunelda.

[67] Vgl. Emrich, S. 277 ff.

[68] Zur Beschreibung der Frauengestalten siehe auch Walser, S. 60.

der Mutter des Hans Brunswick, die auf dem Schloß gewesen war und von dort ein Kind ins Dorf zurückgebracht hatte (S 189 ff.); hat K. eben noch behauptet, nichts in seiner Beziehung zu Frieda habe sich geändert, so hält sie ihm nun entgegen: „... in Wirklichkeit aber hat sich alles geändert, seit ich dich mit dem Jungen habe sprechen hören. Wie unschuldig hast du begonnen, fragtest nach den häuslichen Verhältnissen, nach dem und jenem; mir war, als kämst du gerade in den Ausschank, zutunlich, offenherzig, und suchtest so kindlich-eifrig meinen Blick. Es war kein Unterschied gegen damals, und ich wünschte nur, die Wirtin wäre hier, hörte dir zu und versuchte dann noch, an ihrer Meinung festzuhalten. Dann aber, plötzlich, ich weiß nicht, wie es geschah, merkte ich, in welcher Absicht du mit dem Jungen sprachst. Durch die teilnehmenden Worte gewannst du sein nicht leicht zu gewinnendes Vertrauen, um dann ungestört auf dein Ziel loszugehen, das ich mehr und mehr erkannte. Dieses Ziel war die Frau. Aus deinen ihretwegen scheinbar besorgten Reden sprach gänzlich unverdeckt nur die Rücksicht auf deine Geschäfte. Du betrogst die Frau, noch ehe du sie gewonnen hast. Nicht nur meine Vergangenheit, auch meine Zukunft hörte ich aus deinen Worten ..." (S 210) Und tatsächlich war K., schon ehe dieses Gespräch stattgefunden hat, drauf und dran, seine Verlobte Frieda zu betrügen – mit ihrer Nachfolgerin als Ausschankmädchen im Herrenhof, Pepi. K. findet Pepi durchaus nicht anziehend – „Und doch, trotz ihrem kindlichen Unverstand hatte auch sie wahrscheinlich Beziehungen zum Schloß; sie war ja, wenn sie nicht log, Zimmermädchen gewesen, ohne von ihrem Besitz zu wissen, verschlief sie hier die Tage, aber eine Umarmung dieses kleinen, dicken, ein wenig rundrückigen Körpers konnte ihr zwar den Besitz nicht entreißen, konnte aber an ihn rühren und aufmuntern für den schweren Weg. Dann war es vielleicht nicht anders als bei Frieda? O doch, es war anders. Man mußte nur an Friedas Blick denken, um das zu verstehen. Niemals hätte K. Pepi angerührt. Aber doch mußte er jetzt für ein Weilchen seine Augen bedecken, so gierig sah er sie an." (S 137) An einer gestrichenen Stelle heißt es sogar: „Und doch, da K. sie hier sitzen sah, auf Friedas Sessel, neben dem Zimmer, ... vielleicht heute noch Klamm beherbergte, die kleinen dicken Füße auf dem Fußboden, auf dem Frieda gelegen war, hier im Herrenhof, im Haus der Herren Beamten, mußte er sich sagen, daß er, wenn er statt Frieda Pepi hier getroffen und irgendwelche Beziehungen zum Schloß bei ihr vermutet hätte – und wahrscheinlich hatte auch sie solche Beziehungen – das Geheimnis mit den gleichen Umarmungen an sich zu reißen gesucht hätte, wie er es bei Frieda hatte tun müssen." (S 437 f.) So ist es nur folgerichtig, daß das Gespräch, das K. mit Pepi führt, nachdem er sich von Frieda getrennt hat, beendet wird durch das Eintreten einer weiteren Frauenfigur, der K. sich sofort ganz zuwendet, da sie ihm vielversprechend zu sein scheint, der Herrenhofwirtin (S 410). Schließlich kann noch auf eine weitere gestrichene Stelle hingewiesen werden, wo ein Schloßsekretär, Momus, also ein Gegenspieler K.s, auf die Zweckhaftigkeit aller Beziehungen K.s zu Frauen hinweist (S 451 und in Brods 1. Nachwort zum „Schloß" S 486 ff.)[69].

Über die Rolle der Frauen in Kafkas Werk ist weithin und von weither spekuliert worden[70]. Hier soll nur noch angedeutet sein, welche Bedeutung die „sexuelle Interaktion" in der Welt der K.s hat. Während im „Prozeß" nur einmal der Vorgang einer geschlechtlichen Vereinigung angedeutet wird (P 135), wird im „Schloß" zweimal ausführlich eine Vereinigung K.s mit Frieda beschrieben (S 60, 65 f.). Dabei wird klar, als wie groß die Gefahr von K. empfunden wird, sein Ziel, das Schloß, und damit sich selbst in der Vereinigung mit Frieda aus den Augen zu verlieren: „... sie rollten in einer Besinnungslosigkeit, aus der sich K. fortwährend, aber vergeblich, zu retten suchte, ein paar Schritte weit, schlugen dumpf an Klamms Tür und lagen dann in den kleinen Pfützen Biers und dem sonstigen Unrat, von dem der Boden bedeckt war. Dort vergingen Stunden ..., in denen K. immerfort das Gefühl hatte, er verirre sich oder er sei so weit in der Fremde, wie vor ihm noch kein Mensch, einer Fremde, in der selbst die Luft keinen Bestandteil der Heimatluft habe, in der man vor Fremdheit ersticken müsse und in deren unsinnigen Verlokkungen man doch nichts tun könne als weiter gehen, weiter sich verirren. Und so war es wenigstens zunächst für ihn kein Schrecken, sondern ein tröstliches Aufdämmern, als aus Klamms Zimmer mit tiefer, befehlendgleichgültiger Stimme nach Frieda gerufen wurde." (S 60) Näher als in jedem anderen Augenblick seines Kampfes ist der Landvermesser K. in der derb sinnlich beschriebenen Begegnung mit Frieda einer seine Subjektivität transzendierenden Erfahrung; aber weil er sich, seine Schloß-

---

[69] Walser (S. 58 ff.) hat davon gehandelt, wie Frauen von K. als Helferinnen benutzt werden; allerdings erklärt er ihre Funktionalität, wie schon einmal im Hinblick auf seine Deutung aller Nebenfiguren betont, nicht konsequent nur ihrem Verhältnis nach, das sie K. gegenüber haben. Sicherlich hat Walser recht, wenn er sagt, daß sich die „Funktionalität" nicht bei allen Figuren so deutlich zeige, wie gerade bei den Frauen (S. 60); aber während er die vergleichsweise undeutliche Funktionalität der Schloßsekretäre in bezug auf K. durch ihre Funktionalität „in der Ordnung der geschaffenen Welt" ergänzt, möchte ich auch die Charakterisierung dieser Figuren durch die Subjektivität K. s bedingt sehen, durch die Vorstellung nämlich, die sich K. vom Schloß, von seinem Wesen und damit auch von seinen Behörden macht.

[70] U. a. von Emrich (S. 275 ff.) und Politzer (S. 280 ff.). Einleuchtend dagegen erscheint in ihrer methodischen Vorsicht die Untersuchung Allemanns (Der Prozeß, in: Der deutsche Roman, S. 274 ff.) über die Rolle der Frauen im „Prozeß". Aufschlußreich ist dabei besonders der Hinweis, daß auch die Frauen – besonders im „Schloß" – auf K. eine „geheime Hoffnung" setzen (S. 275). K. wäre dann auch seinerseits in den jeweiligen Beziehungen zu den Frauen der Ausgenutzte. (So ist wohl auch die Äußerung Pepis zu verstehen, K. sei „mißbraucht" worden [S. 402].) Allerdings scheint mir innerhalb der Romanhandlung, die ganz um das Kampfunternehmen K. s zentriert ist, das Interesse K.s und seine Manipulationen der Mitfiguren zu dominieren.

suche (an der Frieda keinen Anteil haben kann) nicht aus dem Blick verlieren will, erlebt er diese Nähe einer Mitmenschlichkeit als „Fremde" – und diese Fremde erscheint ihm viel gefährlicher als die Fremde der Dorf- und Schloßwelt, denn sie wird nicht wie jene von seiner Subjektivität umfaßt. (Daraus ließe sich die Schlußfolgerung ziehen, daß Kafkas „Held" seiner Erlösung, dem Aufbrechen seiner hermetisch gedichteten Subjektivität niemals näher war als in der kraß sinnlich erfahrenen sexuellen Partnerbegegnung – aber das wäre nun auch eine Spekulation über den Kafka-Text hinaus.)

Überblickt man den zurückgelegten Gedankenweg noch einmal auf seine Ergebnisse hin, so wird deutlich, in welchem Maße sich in Kafkas letztem Roman die Erzählperspektive und die Kommunikations- bzw. Interaktionsstruktur entsprechen: Die Vordergrunds- und zugleich Perspektivfigur ist zu einer solch konsequenten Subjektivität, einer solch radikalen Hingabe an ihr individuelles Interesse (das Erlangen der Nähe des Schlosses) gereift, daß die Mitfiguren, besonders die Frauen, von ihr zu reinen Werkzeugen ihres Handelns degradiert werden. Dabei kann gar nicht erwiesen werden, daß es K. stets bewußt wäre, wie sehr er Frieda, Pepi, die Mutter des Hans Brunswick mißbraucht; Leidenschaft, Gefühle, auch Verantwortungsgefühl, K.s sind im Text realisiert oder wenigstens proklamiert (besonders in dem langen Gespräch K.s mit Frieda in der Schule, S 204 ff.); aber gerade wenn man das Geflecht der Beziehungen K.s zu den anderen Figuren als Ganzes überblickt, ergibt sich die unbezwingliche Dominanz der Subjektivität K.s: da sein Kampf gegen und um das Schloß in seiner Motivik an die Mitfiguren nicht vermittelbar ist, kann es zu Akten, die sein isoliertes Ich transzendieren, nicht kommen – *ein die Subjektivität der Perspektivfigur übersteigendes Handeln läßt sich unter den Bedingungen zugespitzter Kafkascher Erzählkonsequenz nicht realisieren.* K. kämpft seinen Kampf, zu welchem Ende er auch führen mag, allein. Und sollte ihm der Aufenthalt in der Nähe des Schlosses gestattet werden, so wäre auch das nur eine Erlaubnis zu unbehelligter Einsamkeit.

2.1.3 Die Dissoziierung im Dialog

Betrachtet man die Romane Kafkas auf die Quantität der Personenrede hin, so läßt sich von „Amerika" über den „Prozeß" bis zum „Schloß" eine deutliche Zunahme der Gespräche feststellen. Dabei treten die verschiedensten Formen der Personenrede auf: neben Äußerungen von Handlungsfiguren, die durchgängig in direkter Rede wiedergegeben sind, finden sich solche, die in unmerklichen Übergängen zwischen direkter und indirekter Rede pendeln, ja es finden sich Personenäußerungen, die, ohne durch Anführungszeichen gekennzeichnet zu sein, in direkter Rede berichten, wobei nicht deutlich wird, inwieweit der Erzähler „durch die redende Figur hindurch" selbst das Wort hat. Solche gleitenden Übergänge durch die verschiedenen Formen der Personenrede[71] zeigen besonders der Bericht Thereses vom Tode ihrer Mutter (A 170 ff.), der Bericht des Advokaten Huld über das Wesen der Dachbodengerichtsbarkeit (P 138 ff.) und der Bericht Pepis über ihre Tätigkeit als Zimmermädchen und als Mädchen im Ausschank (S 380 ff.). Die jeweilige Vordergrundsfigur ist Zuhörer bei diesen Berichten, so daß sich diese Redepartien auch als eine Art Gedächtnisprotokoll der Aspektfigur verstehen lassen. Aufschlußreich ist in diesem Zusammenhang noch, daß Äußerungen der jeweiligen Aspektfigur, also der K.s selbst, so gut wie immer in direkter Rede gegeben werden.

Kafkas Kunstfertigkeit im Umgang mit den Zwischenformen der Rede, seine Fähigkeit, gleitende Übergänge zwischen den verschiedenen Redeformen zu schaffen, erschweren es sehr, die Personenrede in seinem Werk zu quantifizieren. Zählt man die Romane halbseitenweise[72] daraufhin aus, wo überall Personenrede vorliegt – ausschließlich oder zum überwiegenden Teil –, so ergibt sich, daß in „Amerika“ 50–55 %, im „Prozeß“ 60–65 % und im „Schloß“ 70–75 % des Textes Personenrede bzw. Dialog ist. Während in „Amerika“ noch mehrere längere Textpartien aus Erzählerbericht bestehen, nämlich: das Leben im Hause des Onkels (A 48–59), der Marsch nach Ramses (A 121–126), die Tätigkeit Karl Roßmanns als Liftboy (A 161–168) und die Demonstration (A 277 ff. – hier sind in größeren Abständen immer wieder Dialoge eingestreut), verfestigt sich der Text im „Schloß“ kaum noch zu solchen „erzählenden“ Partien; die Beschreibung von K.s Gang durchs Dorf auf das Schloß zu (S 17–19), das Warten K.s in Klamms Wagen (S 139–141) und das Herumirren K.s im Herrenhof (S 359–370) sind noch die längsten Partien, die nicht dialogbestimmt sind, und nur die letzte davon ist länger als drei Druckseiten. Dabei ist erstaunlich, daß dem Leser die Dominanz des Gesprächs gar nicht zu Bewußtsein kommt, daß man mit Kafka-Romanen durchaus nicht wie etwa mit Fontane-Romanen die Vorstellung von Dialog- bzw. Gesprächsromanen verbindet; vielmehr erinnert man sich an Kafka-Texte als an massive Blöcke einheitlich, ja einförmig Erzählten. An diesem Eindruck ist vor allem die konsequente „Einsinnigkeit“ der Erzählung schuld, die Beibehaltung der gleichen Erzählperspektive auch bei den Dialogen, so daß selbst die Rede einer Nebenfigur – schon ihrem Stil nach – mediiert erscheint durch das Bewußtsein der die Rede rezipierenden Aspektfigur. Und offenbar hat Kafka selbst zunehmend Wert darauf gelegt, seine Texte als massive Erzählblöcke erscheinen zu lassen: die Integration der Redepartien in die Wiedergabe des sich gleichzeitig oder dazwischen vollziehenden Handlungsgeschehens ist am schwächsten in „Amerika“[73], am stärksten im

---

[71] Siehe dazu: Lämmert, Bauformen des Erzählens, S. 234 ff.

[72] Bei der Auszählung wurden die Taschenbuchausgaben des Fischer Verlags benutzt.

[73] Jahn (S. 73 ff.) belegt das Abzielen Kafkas auf „szenische Gestaltung“.

„Schloß“ [74] ausgeprägt – was sich optisch so realisiert, daß in „Amerika“ noch sehr oft das Ende einer Personenrede durch Zeilenschluß markiert wird; im „Schloß“ ist der Dialog in den fortlaufenden Text eingebaut, eine neue Zeile wird nur bei Zäsuren im Erzählablauf als Ganzem begonnen.

So läßt sich festhalten, daß das „Geschehen“ in den Romanen Kafkas immer mehr in das von den Handlungsfiguren gesprochene Wort hinein verlagert wird: nicht das, was geschieht, steht im Vordergrund des Erzählinteresses, sondern die verschiedenen Deutungen [75], die das Geschehen durch die Personen der Handlung erfährt. Ja, es läßt sich sagen, daß die größeren Erzähltexte Kafkas immer „handlungsärmer“ werden, daß die Romanwelt Kafkas sich zunehmend verbalisiert. Diese Beobachtungen legen es nahe, nach der Funktion zu fragen, die in den Romanen Kafkas der verbalen Interaktion der Figuren der Handlung zukommt, zu fragen, welche kommunikative Bedeutung der Dialog überhaupt hat [76].

Während das Gespräch, besonders das Zwiegespräch, in der Epik wie keine andere Erzählform dazu geeignet scheint, ein „‚Mal menschlicher Begegnung‘“ [77] zu sein, sind sich die Kafka-Interpreten, soweit sie auf das Gespräch als Erzählform überhaupt eingehen, darin einig, daß hier die Diskussionen, Verhandlungen, Verhöre, Auseinandersetzungen, oder welche Form die Gespräche auch haben mögen, niemals zu einer Synthese der darin gegeneinander gesetzten Meinungen führen [78], ja daß es nicht einmal zu einer Klärung der unterschiedlichen Positionen kommt, so daß ein dialektisches Inbeziehungtreten der Gegensätze überhaupt nicht beginnen kann. Vielmehr stehen alle Dialoge unter dem Prinzip der „Aufhebung“ [79]: die vertretenen Standpunkte sind einander zu fremd, ja sind von Wesen her inkommensurabel. Zu untersuchen ist daher vor allem, welche Bedingungen des Gesprächsrahmens oder Merkmale der Gesprächsmechanik die Standorte der Gesprächspartner unbeziehbar aufeinander, unabgleichbar untereinander werden lassen [80].

---

[74] Zur Begründung der inneren Notwendigkeit der indirekten Rede vgl. Walser, S. 30.

[75] Max Bense (S. 106) weist in diesem Zusammenhang auf die Häufigkeit der Worte „deuten“ und „bedeuten“ hin.

[76] Zur Funktion der Dialoge in der Epik allgemein siehe Lämmert, Bauformen des Erzählens, S. 214 ff.

[77] Ebenda, S. 219.

[78] Bense (SS. 73 u. 86) spricht von „abgehackter Dialektik“.

[79] Dieser Begriff findet sich bei Walser (S. 79 ff.).

[80] Hillmann (S. 151) versucht, das Prinzip der „Aufhebung“ als ein Grundprinzip Kafkaschen Denkens überhaupt zu erweisen. – Vgl. dazu auch die Arbeit von Klaus Ramm.

2.1.3.1 *Die Kategorie des Mißverständnisses*

In „Amerika" finden sich drei große in Gesprächsform gebaute Verhandlungen, an denen außer der Hauptfigur noch mehrere andere Figuren teilnehmen. Die letzte davon ist die erfolgreiche Bewerbung Karl Roßmanns um eine Stelle beim „Theater von Oklahoma" (A 313 ff.), die erste ergibt sich aus dem Versuch Karls, dem Heizer zu seiner Genugtuung zu verhelfen (A 21 ff.), das zweite hat die Gründe für Karls Entlassung aus der Stellung im Hotel Occidental zum Gegenstand (A 195 ff.). In den ersten beiden geht es Roßmann darum, „Gerechtigkeit" zu finden – für den Heizer im ersten, im zweiten für sich selbst. Aber die jeweilige Gegenpartei, bei der sich stets die Figuren befinden, deren Autorität sie zu Richtern macht (der Kapitän, der Oberkellner), haben kein Interesse an der Gerechtigkeit, zumal sich die Sachverhalte, die jeweils zu klären wären, ehe die Gerechtigkeit ihren Lauf nehmen kann, als sperrig, verwickelt, uneindeutig erweisen: so kann der Heizer nicht klarlegen, inwiefern er von Schubal Unrecht erlitten hat („Immerhin erfuhr man aus den vielen Reden nichts Eigentliches" [A 24]; „. . . aus allen Himmelsrichtungen strömten ihm [dem Heizer, D. K.] Klagen über Schubal zu, von denen seiner Meinung nach jede einzelne genügt hätte, diesen Schubal vollständig zu begraben, aber was er dem Kapitän vorzeigen konnte, war nur ein trauriges Durcheinanderstrudeln aller insgesamt." [A 25 f]) So kann sich gegenüber dem von Karl geforderten Prinzip der Gerechtigkeit das von dem Onkel so benannte der „Disziplin" durchsetzen: „‚Mißverstehe die Sachlage nicht', sagte der Senator zu Karl, ‚es handelt sich vielleicht um eine Sache der Gerechtigkeit, aber gleichzeitig um eine Sache der Disziplin.'" (A 42) Und es erscheint am Ende der Verhandlung selbstverständlich, daß dem Heizer geschehen wird, „was er verdient" (A 41). Karl gibt ihm im Abgehen zwar noch den Rat: „Du mußt dich aber zur Wehr setzen, ja und nein sagen, sonst haben doch die Leute keine Ahnung von der Wahrheit" (A 44), aber selbst ihm ist klar, daß die „Wahrheit" dem Heizer nicht helfen wird – nicht weil es sie nicht gibt („Dir ist ja unrecht geschehen wie keinem auf dem Schiff, daß weiß ich ganz genau" [A 43], sagt Karl zu seinem Schützling), aber die Umstände sind nicht so, daß die Wahrheit geklärt werden könnte; weder kann der Heizer sich überzeugend äußern, noch wird Schubal sich beiseiteschieben lassen, noch hat der Kapitän Zeit. So siegt mit dem autoritären Prinzip der „Disziplin" zugleich die Einsicht, daß der infragestehende Sachverhalt, das dem Heizer geschehene Unrecht, unaufklärbar ist; die Wahrheit, auf die sich beide am Gespräch beteiligten Parteien einigen könnten als auf eine zwischen ihnen liegende Objektivität, bleibt unerhellbar.

Diesem Gedanken der „Unauffindbarkeit der Wahrheit" [81] soll bei der

[81] Vgl. die Diskussion des Begriffs des „Agnostizismus" Kafkas bei Günter Anders (S. 47 ff.).

Betrachtung des zweiten großen Parteien-Gesprächs, der Verhandlung im Hotel Occidental, gefolgt werden. Verzichtet wird auf eine psychologisierende Deutung, wie sie gerade bei dieser Szene den Interpreten nahegelegt wird, die aus den verschiedensten Interpretationsinteressen heraus nach dem stofflich-objektiven Moment der Schuld oder Unschuld Karl Roßmanns fragen[82].

Das Parteien-Gespräch, bei dem Karl Roßmann seine Seite diesmal allein vertritt, beginnt mit der Vorwegnahme des Ergebnisses der Verhandlung durch die der Hotelhierarchie nach für Karl zuständige Autoritätsperson, den Oberkellner: „Du hast deinen Posten ohne Erlaubnis verlassen. Weißt du, was das bedeutet? Das bedeutet Entlassung." (A 195) Und obgleich sich der Oberkellner jede Erörterung des Vorgefallenen verbittet („Ich will keine Entschuldigungen hören, deine erlogenen Ausreden kannst du für dich behalten ..." [A 195]), besteht das ganze Gespräch dann eben doch aus der Erörterung der Teilaspekte von Karls „Schuld". Außer der Tatsache, seinen Posten vorübergehend verlassen zu haben – was Karl nicht abstreitet, worüber man sich also einig ist –, wird Karl nacheinander vorgeworfen: daß er den Oberportier grundsätzlich nicht grüße (A 197), daß er seine Nächte regelmäßig außerhalb des Hotels verlottere (A 202) und daß er einen Fremden (Robinson) in sein Bett im Schlafsaal der Liftjungen gelegt habe (A 209); mit diesem letzten, von Karl ebenfalls in seiner Berechtigung nicht bestrittenen Anklagepunkt werden die Beschuldigungen verknüpft, daß Karl Robinson im Hotel betrunken gemacht (A 211) und daß er ihm Geld versprochen habe, wobei impliziert wird, Karl habe sich das Geld erst noch auf unlautere Weise verschaffen wollen (A 212 f.). Die erwiesenen und von Karl nicht bestrittenen Teilverfehlungen spielen im Verlauf der Verhandlung kaum eine Rolle; das Verlassen des Postens jedenfalls scheint die Oberköchin verzeihlich zu finden. Wie sich aus dem Telefongespräch ergibt, das der Oberkellner mit ihr führt, ist sie entschlossen, für Karl Pardon zu erbitten – allerdings nur solange, wie sie von den anderen „Verfehlungen" Karls noch nichts weiß (A 202). Ebenso findet der zweite von Karl ohne weiteres zugegebene Verstoß gegen ein – in diesem Fall ungeschriebenes – Gesetz des Hotels kaum Beachtung: daß er Robinson in sein Bett gesteckt hat, wird von dem sadistischen Oberportier sarkastisch-verständnisvoll kommentiert: „Es ist ja ganz recht, seinem Saufbruder muß man helfen" (A 211). Weiter ausgesponnen in der Verhandlung und folgenreicher sind dagegen Fehldeutungen und Verdrehungen einzelner Äußerungen von Karl Roßmann, an denen dieser selbst insofern nicht ganz unbeteiligt ist, als seine Äußerungen tatsächlich mißverständlich sind – zumal für jemanden, der ein Interesse daran hat, sie fehlzudeuten. Die Aussage von Karl: „Der Mann ist mein Kamerad von früher her, er kam, nachdem wir uns zwei Monate lang nicht mehr gesehen hatten, hierher, um mir einen Besuch zu machen, war aber so betrunken, daß er

---

[82] Diese Deutungsweise ist besonders ausgeprägt bei Politzer (S. 216 ff.).

nicht wieder allein fortgehen konnte" (A 211), wird vom Oberkellner zweimal interpretiert, und zwar zuerst mit den Worten: „Er kam also zu Besuch und war nachher so betrunken, daß er nicht fortgehen konnte" (A 211), und dann noch krasser fehldeutend: „... das ist allerdings etwas Besonderes, ... daß du den Mann erst hier im Hotel betrunken gemacht hast, woran ja nicht der geringste Zweifel ist, denn du selbst hast zugegeben, daß er allein gekommen ist, aber nicht allein weggehen konnte ..." (A 212). Ebenso bietet das Teilgeständnis Karls: „... schuld bin ich nur daran, daß ich den Mann ... in den Schlafsaal gebracht habe. Alles andere, was er gesagt hat, hat er aus Betrunkenheit gesagt und ist nicht richtig" (A 211) Möglichkeiten zu Einwendungen und daraus ableitbaren Unterstellungen. So hat Robinson auch gesagt, daß Karl ihm Geld versprochen hat; das will Karl auch nicht leugnen, er hat es nur einfach „vergessen" bei der Eingrenzung seiner „Schuld". Dem Oberkellner aber fällt es nun leicht, die ganze Aussage Karls als Lüge zu diffamieren: „Du verrennst dich immer mehr ... Wenn man dir glauben sollte, müßte man immer das, was du früher gesagt hast, vergessen ..." (A 212) Er bezweifelt jetzt nicht nur die Aussage Karls, daß er Robinson das Trinkgeld vom Tage habe geben wollen, impliziert nicht nur, daß Karl sich „offenbar doch noch anderes" holen wollte (A 212), sondern stellt sogar die Identität des Freundes von Karl in Frage mit dem Hinweis darauf, daß Karl diesen für einen Iren ausgegeben habe, während Iren doch, „seit es Irland gibt", noch nie so geheißen hätten (A 212).

Am verhängnisvollsten aber wirkt sich für Karl eine Anschuldigung aus, die eine schiere Erfindung des Oberportiers ist: daß er Nacht für Nacht das Hotel verlassen habe. Hier beginnt die Maschinerie „kafkaesker" Mißverständnisse ihre Unentrinnbarkeit zu zeigen: Der Oberköchin ist die Anschuldigung des Oberportiers noch telefonisch übermittelt worden, und sie hat daraufhin den Hörer aufgelegt (A 203 f.). In der Zwischenzeit, die vergeht, ehe sie persönlich in den Raum der Verhandlung kommt, wird dem Oberkellner deutlich, daß diese Anschuldigung des Oberportiers widerlegbar ist – durch die Aussage aller Liftjungen nämlich, die wissen, daß Karl seine Abende und Nächte vor dem Schlafen lesend verbracht hat. Er lenkt denn auch sofort ab: „‚Laß Feodor!', sagte der Oberkellner, dessen telefonisches Gespräch mit der Oberköchin plötzlich abgebrochen worden zu sein schien. ‚Die Sache ist ja ganz einfach. Auf seine Unterhaltungen in der Nacht kommt es in erster Reihe gar nicht an. Er möchte ja vielleicht vor seinem Abschied noch irgendeine große Untersuchung über seine Nachtbeschäftigung verursachen wollen ... Also das machen wir lieber nicht.'" (A 203 ff.) Für die Oberköchin, die erst eine Weile später den Raum betritt, bleibt die Behauptung, daß Karl die Nächte außerhalb des Hotels verbracht habe, eine erwiesene Tatsache; und da sie annimmt, daß er das nur zum „Nachtschwärmen" und zu moralisch dubiosen „Vergnügungen" (A 216) getan haben könne, sieht sie sich in der Verteidigung der Sache Karls gelähmt; denn als mütterliche Beschützerin Karls fühlt sie sich für dessen Moralität in besonderem Maße verantwortlich. Dabei treibt eine gänzlich unsinnige „Enthüllung" das Mißverständnis auf die Spitze: Robinson hat offenbar in seiner Trunkenheit auch von Brunelda erzählt, von der aber sowohl Roßmann als auch, Kafkas Erzählprinzip nach, der Leser bisher nur ganz Vages erfahren haben („Brunelda ... eine herrliche Sängerin" [A 184]). Als nun aber der Oberkellner rekapituliert: „Der Mann unten hat nämlich weiterhin gesagt, daß ihr beide nach deiner Rückkunft irgendeiner Sängerin einen Nachtbesuch machen werdet..." (A 209), reagiert die Oberköchin besonders empfindlich: „... die sichtlich bleich gewordene Oberköchin erhob sich vom Sessel, den sie ein wenig zurückstieß." (A 209) Nun kann sie, in der Seele getroffen, die Hoffnung nicht mehr erfüllen, die Karl auf sie setzt: „Wie sie so dastand ..., hätte man ganz gut erwarten können, sie werde im nächsten Augenblick sagen: ‚Nun, Karl, die Sache ist, wenn ich es überlege, noch nicht klargestellt und braucht, wie du richtig gesagt hast, noch eine genaue Untersuchung. Und die wollen wir jetzt veranstalten, ob man sonst damit einverstanden ist oder nicht, denn Gerechtigkeit muß sein.'" (A 214) Gerechtigkeit kann nicht sein. Nicht weil das, was geschehen ist, sich nicht klären läßt, nicht weil – wenigstens was die Oberköchin angeht – kein „guter Wille" da ist, den Karl vermißt (A 213), sondern weil der gute Wille gelähmt ist durch Mißverständnisse. Die Machtmittel hätte die Oberköchin offenbar, den Oberkellner umzustimmen („Der Oberkellner macht ja alles, was die Oberköchin will, er liebt sie ja ...", hat Therese gesagt [A 205]); aber dem Verlauf des Parteien-Gesprächs nach bleibt ihr nichts anderes übrig, als der anderen Seite zu glauben: „Der Oberkellner, dessen Menschenkenntnis ich im Laufe vieler Jahre zu schätzen gelernt habe, und welcher der verläßlichste Mensch ist, den ich überhaupt kenne, hat deine Schuld klar ausgesprochen, und die scheint mir allerdings unwiderleglich." (A 215) Bleibt noch die Frage zu stellen, was denn Karl Roßmann, der durchaus nicht als Dümmling und Stammler dargestellt ist, dem Mißverständnis so gänzlich ausliefert.

Wie Anders zutreffend bemerkt hat[83], spielt hier die soziale Stellung des „Helden" die entscheidende Rolle. Da der Ablauf des Gesprächs (wie schon der Verhandlung um den Heizer) von Trägern größerer Autorität, von Mächtigen der sozialen Struktur gesteuert wird, „manipuliert" wird, möchte man sagen, und da sich von diesen beliebig viele Verdrehungen, Mißdeutungen von Gesagtem in das Gespräch einführen lassen, hat der Untergeordnete, sozial Schwächere keine Chance, durchzudringen mit seiner Forderung nach Klärung dessen, „was war", mit seinem Drängen auf „Gerechtigkeit". So wirkt die Gesprächskategorie des Mißverständnisses zugunsten der bestehenden sozialen Machtverhältnisse und dient als Mittel zu ihrer Erhaltung.

Aber immerhin ist in diesem Frühwerk Kafkas der Anlaß und die Mechanik des Mißverständnisses noch einsehbar, die Aufklärung scheint

[83] Anders, S. 48.

– unter entsprechend günstigen Bedingungen – grundsätzlich noch möglich zu sein, da die Anlässe der Auseinandersetzung zwischen den Parteien (Verletzungen von Regeln einer Ordnung) Gegebenheiten sind, auf die beide Parteien sich beziehen können, also relativ „objektive". Und in diesem Sinne bedeutet innerhalb des Gesamtwerks Kafkas die Tatsache, daß zwar das Mißverständnis siegt, daß aber seine Ursachen (soziale Machtinteressen bzw. psychische Abnormitäten, wie der Sadismus des Oberportiers) und seine Mechanik noch rational argumentativ faßbar sind, einen Schimmer von Hoffnung.

2.1.3.2 *„Prästabilierte Disharmonie"* [84]

In Kafkas letztem Roman ist der Landvermesser K. durch sein Fremdsein im Dorf von allen übrigen Figuren getrennt. Daher kann bei den Diskussionen, die er pausenlos führt, niemand tröstend hinter ihm stehen (wie Therese hinter Karl Roßmann, deren Erfahrung von der Fremde Amerikas seiner vergleichbar ist), noch kann sich jemand zu seinem Fürsprecher machen (wie die Oberköchin sich zu dem Karl Roßmanns macht, dem sie sich der Herkunft nach verbunden fühlt [A 149]). Gegenstand aller Diskussionen, die K. führt, ist seine Stellung gegenüber dem Schloß, die Möglichkeit oder Unmöglichkeit, sich in der Nähe des Schlosses Heimatrecht zu erwerben. Da er selbst in seinem konstitutionellen Anderssein das Verhältnis der Dorfbewohner zum Schloß und dessen Behörden nicht nachvollziehen kann, die Dorfbewohner ihrerseits aber K.s Vorstellungen vom Schloß nicht billigen können, geschweige denn ihn in seinem Unternehmen, sich das Recht der Residenz in Schloßnähe zu erstreiten, unterstützen können, schlagen die Argumente der Diskussionen gleichsam, ohne sich zu berühren, aneinander vorbei.

Die irrational-mythische Qualität der Schloßwelt und ihre Widerständigkeit dem Zugriff des rational denkenden, argumentierenden K. gegenüber ist von vielen Kafka-Interpreten beschrieben worden[85]. Daß aber auch die Motivik und Methodik von K.s Argumentieren den Dorfbewohnern nicht nachvollziehbar sind, so daß die Positionen sich im Laufe einer Diskussion voneinander entfernen, sich gegeneinander verhärten, soll beispielhaft an einem Dialog gezeigt werden, in dem die Brückenwirtin den Widerpart K.s abgibt.

Als K. in der Mägdekammer im Brückenhof nach seiner zweiten Liebesnacht mit Frieda aufwacht (S 66), sitzt die Wirtin vor ihm. Sie hat „schon lange" gewartet und will nun etwas Wichtiges mit K. besprechen; um nichts anderes soll es gehen als „um einen Menschen, um Frieda,

---

[84] Dieser Begriff stammt von Musil (Der Mann ohne Eigenschaften, ed. Frisé, S. 1099).

[85] Anders, S. 25 ff.; Richter, S. 266 f. (besonders); Politzer, SS. 330 ff. u. 337 ff.; Emrich, S. 303 ff. (z. B.).

meine liebe Magd", eröffnet sie ihm (S 67). K. ist zwar mit der Unterredung einverstanden, möchte freilich sein Verhältnis zu Frieda als eine Sache zwischen zweien aufgefaßt sehen. Trotzdem sprich K. seine Absichten Frieda betreffend offen aus: „Dann kann ich Ihnen also, Frau Wirtin, sagen, daß ich es für das Beste halten würde, wenn Frieda und ich heiraten, und zwar sehr bald." Frieda, die zuerst gänzlich verwirrt auf diese Eröffnung reagiert hat („Warum ich? Warum bin ich gerade dazu ausersehen?"), fällt K. um den Hals und sinkt dann vor ihm auf die Knie, nachdem sie vorher an der Seite der Wirtin gewesen ist. Dieser bleibt nichts anderes übrig als K.s Vorsatz, Frieda zu heiraten, zu begrüßen: „Sie sind ein Ehrenmann", sagt sie (S 67); und diese Zustimmung zu einem Vorhaben K.s ist die einzige, die sie ihm jemals gönnt. Allerdings scheint die Übereinstimmung mit K. ihr nicht wohlzutun: „ . . . auch sie hatte Tränen in der Stimme, sah ein wenig verfallen aus und atmete schwer . . ." Da K. auch ihrer Anregung zustimmt, es müsse für gewisse „Sicherungen" gesorgt werden im Interesse Friedas, scheint alles, was zwischen den beiden Dialogpartnern zu erörtern ist, geklärt. An dieser Stelle des Textes scheint nach all der Ungewißheit der ersten beiden Tage, die K. nun schon im Dorf verbracht hat, etwas festgestellt zu sein: das Verhältnis K.s zu Frieda und dessen Beurteilung durch die Brückenwirtin[86].

Da bemerkt K. beiläufig: „ . . . Übrigens habe ich noch vor der Hochzeit unbedingt etwas zu erledigen. Ich muß mit Klamm sprechen." (S 68) Und plötzlich ist aller Anschein einer Verständigung und Einigkeit dahin: „‚Das ist unmöglich', sagte Frieda, erhob sich ein wenig und drückte sich an K., ‚was für ein Gedanke!' ‚Es muß sein', sagte K. ‚Wenn es mir unmöglich ist, es zu erwirken, mußt du es tun.' ‚Ich kann nicht, K., ich kann nicht', sagte Frieda, ‚niemals wird Klamm mit dir reden. Wie kannst du nur glauben, daß Klamm mit dir reden wird!' . . . Sie wandte sich an die Wirtin mit ausgebreiteten Armen: ‚Sehen Sie nur, Frau Wirtin, was er verlangt.'" Und von da an ist die Wirtin als Widerpart zu K. ganz in ihrem Element. „‚Sie sind eigentümlich, Herr Landvermesser', sagte die Wirtin . . .", heißt es und gleich darauf: „Sie verlangen Unmögliches." Und nun, da Frieda wieder – ganz wörtlich – auf ihrer Seite ist, mit ihr einig ist und nicht mit K., einig in der Beurteilung des Vorhabens von K., dessen Unmöglichkeit, hat sie sich auch körperlich wieder verändert: Sie „war erschreckend, wie sie jetzt aufrechter dasaß, die Beine auseinandergestellt, die mächtigen Knie vorgetrieben durch den dünnen

[86] Interessant ist für das Problem des „Realismus" und des „Bürgertums" bei Kafka, daß dieser Schatten einer Gemeinsamkeit zwischen weltweit voneinander entfernten Gesprächspartnern ein Rudiment bürgerlicher Moral ist: die Verpflichtung, ein Mädchen zu ehelichen, das man „verführt" hat; und das Lob, das die Wirtin für die Einhaltung dieser „Pflicht" zollt, ist gehalten in der dafür vorgesehenen stereotypen Wendung: „Sie sind ein Ehrenmann." (Vgl. dazu Lukács, Wider den mißverstandenen Realismus.)

Rock". Von da an bis zum Ende des Dialogs zwischen ihr und K. (Frieda scheint bloßes Opfer zu sein, passiv zwischen ihnen zu pendeln) verschärft sich die Gegensätzlichkeit zwischen ihnen, entschwindet jede Möglichkeit, der eine könne dem anderen seine Sicht der Dinge auch nur andeutend verständlich machen – bis zu dem Punkt, wo K. sich zu einer Unterstellung hinreißen läßt, die der Wirtin nur als Wahnsinn oder, schlimmer noch als das, als wahnsinnige Vermessenheit erscheinen kann: „Sie fürchten doch nicht etwa für Klamm?" (S 79) Während die Phase scheinbarer Einigkeit im Text nicht mehr als eine Druckseite einnimmt, ist die der sich entfaltenden Verständnislosigkeit der Gesprächspartner füreinander auf mehr als zwölf Druckseiten ausgebreitet.

Was den Dialog aller Chancen einer Verständigung beraubt hat, ist die Erwähnung des Wortes „Klamm" – von „Klamm" als von einem „Namen" und damit der Bezeichnung einer Person zu sprechen, mit der eindeutige Erfahrungen zu machen sind, hieße Klamms Funktion im Text verkennen: er ist bestenfalls die Personifizierung des Schlosses an der Stelle, wo sich eine gewisse, wenn auch undeutliche Zuständigkeit der Schloßbehörden für Leute wie Landvermesser zeigt. (Allerdings soll Klamm hier auch nicht als inhaltlich bestimmbarer „Begriff", etwa als Idee der „Liebesmacht" verstanden werden wie von Emrich[87], sondern als Vorstellungsrahmen, der in seiner Uneindeutigkeit die Funktion hat, die Unvereinbarkeit der Erfahrungs- und Denkweisen K.s und seiner Gesprächspartner aus der Dorf-Schloß-Welt, hier der Wirtin, zur Entfaltung zu bringen[88].) Klamm also ist es, der die Kluft aufbrechen läßt. Der Wirtin gelingt es nicht, K. begreiflich zu machen, warum Klamm für ihn unerreichbar ist; ihre apodiktischen Erklärungen: „Hören Sie, Herr Landvermesser! Herr Klamm ist ein Herr aus dem Schloß, das bedeutet schon an und für sich, ganz abgesehen von Klamms sonstiger Stellung, einen sehr hohen Rang. Was sind nun aber Sie, um dessen Heiratseinwilligung wir uns hier so demütig bewerben!" (S 69) und: „Sie sind ja gar nicht imstande, Klamm wirklich zu sehen . . ." (S 70) können K., den mit den Sitten, Gebräuchen, Traditionen der Dorf-Schloß-Welt nicht Vertrauten, in keiner Weise überzeugen, und ebensowenig können die wechselnden, vortäuschenden Begründungen K.s, warum er Klamm unbedingt sehen wolle, der Wirtin genügen. Auf ihre Frage: „ . . . Aber sagen Sie doch, worüber wollen Sie denn mit Klamm sprechen?" antwortet er zwar ganz einleuchtend: „Über Frieda natürlich" (S 72); aber schon vorher hat er eine Beschreibung seines Treffens mit Klamm gegeben, wie er es sich ausmalt, die ganz andere Absichten bloßgelegt hat: „ . . . Gelingt es mir aber, ihm standzuhalten, dann ist es gar nicht nötig, daß er mit mir spricht, es genügt mir, wenn ich den Eindruck sehe, den meine Worte auf ihn machen, und machen sie keinen oder hört er sie gar nicht, habe ich

---

[87] Emrich, S. 312 f.

[88] Vgl. dazu den Hinweis auf die Möglichkeit der Deutung „klam" (tschechisch) = „Illusion", den Politzer zitiert (S. 508, Anm. 22).

doch den Gewinn, frei vor einem Mächtigen gesprochen zu haben." (S 71) (Bei seinem nächsten großen Gespräch mit der Brückenhofwirtin wird K. sich noch ganz anders äußern: „... aber was ich von ihm will, ist schwer zu sagen. Zunächst will ich ihn in der Nähe sehen, dann will ich seine Stimme hören, dann will ich von ihm wissen, wie er sich zu unserer Heirat verhält. Worum ich ihn dann vielleicht noch bitten werde, hängt vom Verlauf der Unterredung ab. Es kann manches zur Sprache kommen, aber das Wichtigste ist doch für mich, daß ich ihm gegenüberstehe. Ich habe nämlich noch mit keinem wirklichen Beamten unmittelbar gesprochen." [S 117 f.])

So sieht sich die Wirtin gezwungen, die Argumente K.s in ihrer Unbegreiflichkeit auf den allgemeinsten, nur funktional zu beschreibenden Unterschied zwischen ihm und ihr zurückzuführen: „... Sie sind nicht aus dem Schloß, Sie sind nicht aus dem Dorfe, Sie sind nichts. Leider aber sind Sie doch etwas, ein Fremder, einer, der überzählig und überall im Weg ist, einer, wegen dessen man immerfort Scherereien hat, ... einer, dessen Absichten unbekannt sind ..." (S 69 f.) Und weiter sagt sie: „Herr Landvermesser, noch etwas gebe ich Ihnen mit auf den Weg, denn welche Reden Sie auch führen mögen ..., so sind Sie doch Friedas künftiger Mann. Nur deshalb sage ich es Ihnen, daß Sie hinsichtlich der hiesigen Verhältnisse entsetzlich unwissend sind, der Kopf schwirrt einem, wenn man Ihnen zuhört, und wenn man das, was Sie sagen und meinen, ... mit der wirklichen Lage vergleicht ... Wohin Sie auch kommen, bleiben Sie sich dessen bewußt, daß Sie hier der Unwissendste sind, und seien Sie vorsichtig ..." (S 78) Was an dieser letzten Äußerung der Wirtin versöhnlich klingt, wird von K. sofort zurückgewiesen durch die Ankündigung, seinem Vorhaben auf jeden Fall treu zu bleiben, und durch die – für die Wirtin schlechthin absurde – Unterstellung, womöglich sei gar nicht er selbst es, der in Gefahr kommen könne, sondern Klamm. Ebenso abrupt wie dieses endet auch das andere große Gespräch K.s mit der Wirtin: „... Und nun tun Sie nach Ihrem Willen ..." (S 119), und es ist unvermeidlich, daß die Beziehungen K.s zu Frieda, das einzige zu seinem Ende geführte mitmenschlich-dialogische Verhältnis in dem Fragment gebliebenen Text, ebenso mit einer letzten Konfrontation unvereinbarer Standpunkte endet; ehe Frieda sich endgültig von K. ab und Jeremias, K.s ehemaligem Gehilfen, ihrem Jugendfreund, zuwendet, ruft sie K. noch zu: „... Sag nichts dagegen, gewiß, du kannst alles widerlegen, aber zum Schluß ist nichts widerlegt." (S 336)

Kam die Dissoziierung in den Dialogen in „Amerika" noch dadurch zustande, daß komplexe, aber grundsätzlich noch objektivierbare Sachverhalte nicht entsprechend geklärt, gewürdigt, „beurteilt" wurden (wobei das Interesse am Mißverständnis als ein rational definierbares, nämlich gesellschaftlich-machtpolitisches zu fassen war), so sind die Meinungsverschiedenheiten, die Unmöglichkeiten der Verständigung zwischen den Gesprächspartnern im „Schloß" durch den Gesprächsrahmen selbst bedingt: Das Schloß (bzw. „Klamm") sind grundsätzlich nicht mehr als Eindeutigkeit fixierbar, die Qualität des Rationalisierbaren und damit für beide Gesprächsteilnehmer verständlich Verbalisierbaren geht ihm ab. Die Wirtin (wie auch Frieda und alle anderen Figuren der Dorf-Schloß-Welt) haben zwar mit dem Schloß (bzw. „Klamm") Erfahrungen gemacht, aber diese Erfahrungen sind an K. als Fremden nicht vermittelbar; K. dagegen hat seine Existenz darauf gesetzt, zum Schloß (bzw. „Klamm") hinzugelangen, kann aber die Motive, die ihn treiben, seinerseits den Dorfbewohnern nicht vermitteln. Die Bedingungen des Mißverständnisses sind somit nicht durch ein Interesse einer der am Gespräch beteiligten Parteien gegeben, sondern das Mißverständnis selbst ist in seiner Unvermeidlichkeit objektiviert. Die Disharmonie der Dialogpartner ist prästabiliert.

2.1.3.3 Der Mensch als Monade

Waren die „Verhandlungen" im „Amerika"-Roman in ihren Verständigungsmöglichkeiten blockiert durch Mißverständnisse, die im Interesse der Gegenpartei Karl Roßmanns lagen, und scheiterten die Diskussionen K.s mit der Brückenhofwirtin im „Schloß" an der durch den Dialograhmen bedingten Unvereinbarkeit der Standpunkte, so findet sich in einem späten Kapitel des „Schloß"-Romans ein Gespräch, das ausschließlich an der Nichtbereitschaft K.s zur Kommunikation scheitert: die nächtliche Unterredung mit dem Sekretär Bürgel (S 338 ff.). Sie findet unmittelbar nach der endgültigen Trennung Friedas von K. statt.

Nachdem K. eine „kleine Karaffe Rum" (S 337) geleert hat, macht er sich, müde geworden, auf den Weg, das Zimmer Erlangers zu suchen, zu dem er bestellt worden ist (S 316). Aber er verfehlt die Tür Erlangers und gerät an einen Mann, der ganz anders ist als alle Schloßbeamten sonst: „Erlanger war es gewiß nicht. Es war ein kleiner, wohl aussehender Herr, dessen Gesicht dadurch einen gewissen Widerspruch in sich trug, daß die Wangen kindlich rund, die Augen kindlich fröhlich waren, daß aber die hohe Stirn, die spitze Nase, der schmale Mund, dessen Lippen kaum zusammenhalten wollten, das sich fast verflüchtigende Kinn gar nicht kindlich waren, sondern überlegenes Denken verrieten." (S 339) Dieser Mann, der so ausführlich und bedeutungsvoll beschrieben ist – durch die Optik eines gänzlich verschlafenen K.! – verhält sich zu seinem Gegenüber von Anfang an anders als es die Amtsträger im Dorf-Schloß-Bereich sonst getan haben. Voll heiterer Fröhlichkeit gibt er sich als „Verbindungssekretär"[89] zu erkennen. Unbedenklich und direkt, fragt er K. nach seiner „Landvermesserei" (S 342), und als dieser gesteht, daß er gar

[89] Bei der Erklärung dieses Titels durch Bürgel ergibt sich, daß Dorf- und Schloßsekretäre ein und demselben Schloßbeamten unterstehen – ein Hinweis mehr darauf, daß die gleiche Hierarchie der Autorität über Dorf und Schloß waltet, daß Dorf- und Schloßwelt eine Einheit bilden.

nicht als Landvermesser beschäftigt ist, macht er sich unaufgefordert Notizen davon: „Ich bin bereit, ... diese Sache weiter zu verfolgen." Ja, er erkundigt sich – etwas Einmaliges im Schloß-Roman! – nach K.s Gefühlen und setzt somit voraus, daß diese ihm nachvollziehbar seien: „... leiden Sie denn nicht darunter?" (S 342) und: „Sie scheinen schon einige Enttäuschungen gehabt zu haben" (S 343). Dem Einfühlen folgt der Zuspruch: „Sie müssen sich nicht durch Enttäuschungen abschrecken lassen. Es scheint hier manches ja daraufhin eingerichtet, abzuschrecken, und wenn man neu hier ankommt, scheinen einem die Hindernisse völlig undurchdringlich. ... aber merken Sie auf, es ergeben sich dann doch wieder manchmal Gelegenheiten, die mit der Gesamtlage fast nicht übereinstimmen, Gelegenheiten, bei welchen durch ein Wort, durch einen Blick, durch ein Zeichen des Vertrauens mehr erreicht werden kann als durch lebenslange, auszehrende Bemühungen." (S 343) Was sich hier bietet, ist nicht mehr und nicht weniger als eine, von Kafka so dürr wie präzis beschriebene, Ideal-Gelegenheit zu zwischenmenschlicher Kommunikation. So eine Gelegenheit ist für K. das Gespräch mit Bürgel.

Dieses ist für beide ganz unvermutet zustande gekommen, mit der Zufälligkeit und Beiläufigkeit, mit der alles Wesentliche bei Kafka sich anzubahnen pflegt. Bürgel selbst hat, als K. zu ihm ins Zimmer trat, sogar einen „leichten Schrei" ausgestoßen (S 338). Die Ausführungen, in denen er K. nun nahezubringen versucht, wieso in dem Gespräch eine „Gelegenheit" für ihn besteht, kreisen um die Begriffe des „Nachtverhörs" (S 344 ff.) und der „Zuständigkeit" (S 351 ff.). Diese Darlegungen Bürgels sind von den bisherigen Interpreten vielfach erörtert worden, am ausführlichsten von Emrich[90] und Politzer[91], so daß gleich zur Betrachtung der Krisis des Gesprächs fortgeschritten werden kann: Bürgel faßt sein Angebot an K. folgendermaßen zusammen: „... Dies ist die Sachlage. Und nun erwägen Sie, Herr Landvermesser, die Möglichkeit, daß eine Partei durch irgendwelche Umstände ... mitten in der Nacht einen Sekretär überrascht, der eine gewisse Zuständigkeit für den betreffenden Fall besitzt. An eine solche Möglichkeit haben Sie wohl noch nicht gedacht? Das will ich Ihnen gern glauben. Es ist ja auch nicht nötig, an sie zu denken, denn sie kommt ja fast niemals vor ..." (S 352) Dann wendet sich sein Redegang von der Unwahrscheinlichkeit, daß einer Partei, also einem Antragsteller wie K., eine solche „Gelegenheit" geboten werden könne, seinen Wunsch erfüllt zu bekommen, einer anderen Unwahrscheinlichkeit zu: der nämlich, daß von der betroffenen Partei von dieser einmaligen Gelegenheit Gebrauch gemacht werden könne. Daß dies nicht geschieht, daß die Partei also die Gelegenheit versäumt, kann allein den Beamten vor seiner „selbstmörderischen" Zuneigung zu der Partei retten (S 354 f.) – wobei der betroffene Sekretär in seiner Liebe zu der Partei natürlich wünscht, diese möge ihn als „Gelegenheit" erkennen

---

[90] Emrich, S. 373–390.
[91] Politzer, S. 361 ff.

und benutzen: „... man muß, ohne sich im geringsten zu schonen, ihr (der Partei, D.K.) ausführlich zeigen, was geschehen ist, und aus welchen Gründen dies geschehen ist, wie außerordentlich selten und wie einzig groß die Gelegenheit ist, man muß zeigen, wie die Partei ... jetzt, wenn sie will, Herr Landvermesser, alles beherrschen kann und dafür nichts anderes zu tun hat, als ihre Bitte irgendwie vorzubringen, für welche die Erfüllung schon bereit ist ..." (S 355) Hier schlüge K.s Stunde, nur ein paar Worte brauchte er über die Lippen zu bringen.

Aber eben dazu, seine „Bitte irgendwie vorzubringen", ist K. nicht fähig. War er am Anfang des Gesprächs mit Bürgel müde, so ist er nun vollends eingeschlafen. Wohl hat er die Bedeutung dessen, was Bürgel sagt, noch registriert; aber das hat nicht verhindert, daß die Müdigkeit ihn übermannte. In einer Art Halbschlaf hört er zwar die Worte Bürgels noch, träumt aber zugleich seinen eigenen Traum. Darin kämpft er gegen Bürgel und gewinnt einen Sieg über ihn, ganz mühelos; „kein ernstliches Hindernis" stellt sich K. entgegen (S 348), und diese Mühelosigkeit des Traumsiegs verführt K., auf die Worte Bürgels nicht zu achten: „,Klappere, Mühle, klappere', dachte er, ,du klapperst nur für mich.'" (S 351) Und indem K. sich damit in den Schlaf lullt, daß die Mühle für ihn nur *klappert*, läßt er die Chance dahingehen, die darin liegt, daß diese Mühle *nur für ihn* klappert. Als dann die alles entscheidende Aufforderung Bürgels kommt, K. solle nun seine Bitte vorbringen, auf daß sie unverzüglich erfüllt werde, hat K. sich dieser einmaligen Gelegenheit in den tiefen Schlaf entzogen: „K. schlief, abgeschlossen gegen alles, was geschah ..." (S 355) Gleich darauf wird K. von Bürgel weg zu Erlanger gerufen, einem Sekretär wie alle anderen, bei dem sich die Schloßbürokratie wieder unzugänglich zeigt wie eh und je.

Interpretiert man diese Szene für sich, kann man zu dem Ergebnis kommen, hier liege ein Versagen K.s im Sinne einer einmaligen Fehlleistung vor, die, weil sie bei einer einmaligen Gelegenheit geschehe, Züge des Tragischen zeige[92]. Ordnet man dagegen das Sich-Entfernen K.s aus dem Gespräch mit Bürgel und sein Davontauchen in den Schlaf in den Gesamttext ein unter dem Gesichtspunkt der Möglichkeit der Kommunikation zwischen K. und dem Dorf-Schloß-Bereich, dann ergibt sich zweierlei: zum einen ist nirgendwo eine erzählerische Realität des Schlosses angedeutet, die auf seine „Zugänglichkeit" schließen ließe (die Unterscheidung Bürgels zwischen „privaten" und „amtlichen" Stellungnahmen, soweit sie die übrigen Beamten, etwa Klamm, betrifft, kann nur dazu führen, die Ungewißheit K.s – und des Lesers – über die „Kampfmöglichkeiten" des Schlosses zu steigern), und zum anderen ist nicht vorstellbar, wie K., der immer nur auf seiner Subjektivität bestanden hat, erzählerisch festgelegt darauf durch seine Funktion der einzigen Aspektfigur, nun plötzlich die Fähigkeit haben solle, bei einem Angenommenwerden durch das Schloß in diesem aufzugehen. Nein, ein happy end ist

[92] So Emrich, S. 389 f.

in Kafkas Romanen nicht durch einen unglücklichen Lauf der Ereignisse verhindert, sondern durch die Konstruktion des Erzählrahmens. Und zu dieser Konstruktion gehört es, daß die Welt des Schlosses und K. von Wesen her inkommensurabel sind. Wenn sich daher die Seite des Schlosses plötzlich als „im Gespräch zugänglich" erweist, wenn sich für K. die Möglichkeit, ans Ziel seiner Wünsche zu kommen, plötzlich in einem Verbalakt, dem bloßen Aussprechen einer „Bitte", soll realisieren lassen, dann ergibt sich als erzählerische Lösung dieser zugespitzten Situation, die den vorgegebenen Erzählrahmen rettet, ganz folgerichtig, daß K. sich in die Bewußtlosigkeit flüchtet, die Kommunikation mit Bürgel verweigert[93]. K. weiß seine Unzugänglichkeit, die den Kern seiner Existenz ausmacht, ebenso zu wahren wie das Schloß die seine[94].

Daß die epische Welt Kafkas tatsächlich nur dann „in Balance" ist, wenn K. und seine jeweiligen Dialogpartner sich nicht verständigen können, läßt Kafka seinen „Bürgel" selbst sagen, gleichsam als Resümee des gescheiterten Dialogs: „Gehen Sie, was wollen Sie denn noch hier? Nein, Sie müssen sich wegen Ihrer Schläfrigkeit nicht entschuldigen, warum denn? Die Leibeskräfte reichen nur bis zu einer gewissen Grenze; wer kann dafür, daß gerade diese Grenze auch sonst bedeutungsvoll ist? Nein, dafür kann niemand. *So korrigiert sich selbst die Welt in ihrem Lauf und behält das Gleichgewicht.* Das ist ja eine vorzügliche, immer wieder unvorstellbar vorzügliche Einrichtung, wenn auch in anderer Hinsicht trostlos . . ." (S 356, Hervorhebung durch mich, D.K.)

So hat zwar die Kafkasche Romanwelt einen Bestandteil mit der philosophischen Weltkonzeption von Leibniz gemeinsam, die Monade; während allerdings bei Leibniz eine prästabilierte Harmonie die Möglichkeit der Interaktion garantiert, macht bei Kafka eine in die Konstruktion des Erzählrahmens eingegangene Disharmonie die Interaktion unmöglich.

2.1.3.4 Gegenprobe: Der Tod als Folge glückender Kommunikation

Daß die größeren epischen Werke Kafkas entweder gar nicht enden können oder wenn, dann nur mit dem Tode der monadischen Aspektfigur, braucht nicht aufs neue im Detail erwiesen zu werden[95]. Der „Amerika"-Roman, für den Kafka möglicherweise ein glückliches Ende (wenn auch in der Phantastik des „Theaters von Oklahoma") vorgesehen hatte, blieb fragmentarisch; die Diskussion der Kafka-Literatur über die Möglichkeiten eines Schlusses (man vergleiche nur die Positionen von Emrich und

---

[93] Ebenso wie K. reagiert Josef K. im „Prozeß" mit körperlichen Ausfallerscheinungen, wenn ein Durchblick auf das Wesen der Dachbodengerichtsbarkeit sich anzubieten scheint (P 85 ff., 194 ff.).

[94] Sokel (S. 39) weist auf die „Sonderstellung des Ichs" bei Kafka hin, dem etwas „Undefinierbares" und „Geheimnisvolles" anhafte.

[95] Vgl. Walser, S. 91 ff.; Lukács, S. 37.

Politzer![96]) zeigt die Aussichtslosigkeit des Versuchs, Karl Roßmann in Amerika sein Ziel finden zu lassen. Walser deutet immerhin die Möglichkeit an, die darin liegt, daß Karl ja nach Europa zurückkehren könne[97]; allerdings liegt auf der Hand, daß der Versuch einer solchen Lösung die sphärische Geschlossenheit des Werks zerstören würde. Josef K. bekommt im „Prozeß" seinen Tod erzählerisch tatsächlich zugestanden, und darüber, daß Kafkas Konzeption vom Ende des „Schloß"-Romans, wie Brod sie berichtet (S 526 f.), die dem vorliegenden Textmaterial nach einzig konsequente ist, besteht kaum Zweifel. Dabei spielt es für diesen Zusammenhang keine Rolle, ob der Tod K.s positiv als Erlösung (und damit gleichsam als Verschmelzung der Monade K. mit dem Schloß) oder negativ als Scheitern im Nichts (und damit als endgültige Ausschließung der Möglichkeit eines Transzendierens subjektiver Immanenz) verstanden wird[98] oder als beides beinhaltende Ambivalenz[99].

Aufschlußreicher für das Problem der Möglichkeit oder Unmöglichkeit glückender Kommunikation ist eine andere Stelle in Kafkas Werk, die gleichsam die Probe aufs Exempel dafür liefert, was geschieht, wenn zwischen zwei Figuren der Handlung Verständigung plötzlich eintritt, genauer: wenn die Aspektfigur die „Sicht der Dinge" des Dialogpartners plötzlich akzeptiert.

Es handelt sich um die Erzählung „Das Urteil", entstanden 1912, die Arbeit, die eine Wendemarke in Kafkas Entwicklung als Erzähler darstellt, in der er, seiner Selbsterfahrung nach, sich seiner Erzählweise sicher wird[100].

In dem Dialog zwischen Georg Bendemann und seinem Vater, in dem Georgs und des Vaters Sicht der Dinge von Anfang an auseinanderklaffen, hat Georg als Aspektfigur lange die Oberhand, da seine Sicht dem Leser als die sozusagen wahrscheinlichere erscheint, während der Vater den Eindruck eines durch Senilität Geistesgestörten macht. Der Umschlag bahnt sich da an, wo Georg meint, seinen Vater schon „zugedeckt" zu haben, dieser aber auf einmal die Decke zurückwirft „mit einer Kraft, daß sie einen Augenblick im Fluge sich ganz entfaltete . . ." (E 63). Von da an ist Georg in die Defensive gedrängt, es zeigt sich, daß der Vater und nicht Georg für den Freund in Rußland „der Vertreter hier am Ort" gewesen ist und daß er im Vergleich zu Georg „noch immer der viel Stärkere" ist. Diese Behauptungen des Vaters, in denen er seine Übermacht ausspricht, erhalten ihre Glaubwürdigkeit nicht aus sich selbst – die Möglichkeit einer Deutung all des von ihm Gesagten als Unsinn ist auch weiterhin gegeben –, sondern aus den Reaktionen Georgs, die

---

[96] Vgl. Anm. 40 u. 41; Emrichs Deutung des Schlusses findet sich S. 257 f.
[97] Walser, S. 98.
[98] Vgl. die verschiedenen Deutungen von Emrich (S. 410) und Richter (S. 270 f.).
[99] Politzer, S. 376.
[100] Vgl. T. 293 f. u. M 214.

zunehmend unsicher werden: er beißt sich auf die Zunge (E 65), er wünscht, der Vater möge fallen und zerschmettern (E 65), er schneidet Grimassen (E 66) und macht schließlich ein unfreiwilliges Geständnis mit dem Ausruf: „Du hast mir aufgelauert!“ (E 67). Und dann folgen plötzlich Urteilsspruch und Verkündigung der Strafe in einem: „Jetzt weißt du also, was es noch außer dir gab, bisher wußtest du nur von dir! Ein unschuldiges Kind warst du ja eigentlich, aber noch eigentlicher warst du ein teuflischer Mensch! – Und darum wisse: Ich verurteilte dich jetzt zum Tode des Ertrinkens!“

Und Georg geht hin und stürzt sich von der Brücke.

Die Annahme der Deutung des eigenen Selbst durch einen anderen geschieht in einem Nu und bedeutet die Vernichtung der eigenen Existenz. Und bezeichnenderweise ist das, was der Vater in dieser Erzählung dem Sohn als Schuld anlastet, dessen grenzenlose (hier offenbar noch naiv-kindlich geprägte) Egozentrik[101], das Bestehen auf der eigenen Subjektivität („Jetzt weißt du also, was es noch außer dir gab ...“).

Auch die Wirtin vom Brückenhof wirft K. im „Schloß“-Roman vor, er sei „kindlich“ (S 73); aber K. ist nicht bereit, ihr Verdikt anzuerkennen; wollte er zugeben, daß seine Sicht der Dorf-Schloß-Welt unangemessen, eben durch seine naive Subjektivität bedingt sei, müßte er sein Unternehmen aufgeben, müßte an all dem, was sein Ich ausmacht (eben dem Kampf um die Aufnahme beim Schloß, wie er ihn führt) verzweifeln, müßte sich gleichsam selbst annihilieren: er wäre verurteilt.

Die Annahme des Vater-Urteils durch Georg Bendemann ist der einzige Fall einer total glückenden Kommunikation im Werk Kafkas: Das „Erkennen des anderen“ und die Erfahrung zugleich des „Erkanntseins durch den anderen“ – sonst die Beschreibung einer Vereinigung in Liebe – sind bei Kafka gespiegelt in den Kategorien von Urteil und Strafe. Annahme aber des Urteils kann dann nur eins bedeuten: Tod durch Selbstmord.

So ergibt sich, daß die Erzählform der Personenrede als Dialog bei Kafka nicht dazu dient, eine Begegnung zwischen Handlungsfiguren darzustellen, eine Gemeinsamkeit als verbale Übereinkunft zu veranschaulichen; ja sie hat auch nicht die Funktion, Standpunkte in ihrer Verschiedenheit, Gegensätzlichkeit deutlich werden zu lassen; die Dialoge in Kafkas Werk, zumal in seinem späteren Romanschaffen, sind so organisiert, daß Gesprächs-Anlaß, -Thema und -Situation (der Gesprächsrahmen) und die Mechanik der Gesprächsentwicklung, die bestimmt ist durch die Redeinteressen der Personen, eine Beziehung der Gesprächspositionen aufeinander verhindern. Es ist, als bewegten die Gesprächsteilnehmer sich auf verschlungenen Bahnen umeinander herum und aneinander vorbei oder als bewegten sie sich überhaupt auf verschiedenen Ebenen des Sprechens. Das bedeutet, daß der Dialog bei Kafka in

---

[101] Vgl. Politzer, S. 96.

seiner charakteristischen Ausprägung die Funktion hat, die Unvereinbarkeit der Interessen eines Subjekts mit irgend anderen Interessen zur Entfaltung zu bringen, die Chancenlosigkeit der Annäherungsversuche der Menschen aneinander im Wort.

2.2 DIE BINDUNG DER HAUPTFIGUR AN DIE INDIVIDUALITÄT DES AUTORS

Betrachtet man das Verhältnis des Autors Kafka zu seinem Werk, so trifft man auf eigenartige Widersprüche: Einerseits kann Wagenbach noch 1964 schreiben: „Kafka selbst hat zur Aufhellung seines äußeren Lebens wenig beigetragen, obwohl die Tagebücher und Briefe mit über 3000 Seiten (rechnet man die noch ausstehenden Briefe an die Braut und die Familie hinzu) umfangreicher sind als das dichterische Werk“ [102], andererseits setzt ein beträchtlicher Teil der wissenschaftlichen Kafka-Literatur bei der Biographie des Autors ein (siehe weiter unten!), und die sich auf das rein Biographische beschränkende Literatur zu Kafka ist nicht nur ihren Titeln nach umfangreich[103], sondern erreicht auch bei einzelnen Publikationen Auflagehöhen, die ein bemerkenswertes Interesse einer großen Leserschaft an der Individualität Franz Kafkas zeigen[104]. Dieses Interesse erscheint um so erstaunlicher, wenn man sich vergegenwärtigt, daß Kafkas Leben eigentlich ein „provinzielles Dasein“ war, daß darin die Ortswechsel und weiten Reisen, die Bildungserlebnisse und die Begegnungen mit großen Kollegen fehlen[105].

Es soll nun im folgenden nicht auf die allgemeine dichtungstheoretische Frage eingegangen werden, inwieweit jedes literarische Kunstwerk notwendig an die Einmaligkeit der jeweiligen dichterischen Existenz gebunden ist und wie gerade aus der radikal erfahrenen Besonderheit einer Existenz und ihrer Lebensumstände die „überzeitliche“ Gültigkeit eines Kunstwerkes erwächst; vielmehr sollen die Elemente in Kafkas Werk ins Auge gefaßt werden, die das Interesse des Lesers an der Individualität Franz Kafkas wecken, unübersehbar auf sie verweisen – als auf etwas, dessen Vorkenntnis Voraussetzung sein könnte für ein angemessenes Verstehen des Werks.

---

[102] Wagenbach, Kafka in Selbstzeugnissen und Bilddokumenten, S. 11 f.

[103] Vgl. die Bibliographie unter den Stichworten „Zeugnisse, Materialien, Zur Biographie“ bei Wagenbach, ebenda, S. 146 f.

[104] Die 1964 aufgelegte Monographie Wagenbachs hatte im Januar 1970 bereits das 85. Tausend erreicht.

[105] Ebenda, S. 9.

Auf das Besondere des Verhältnisses zwischen dem Autor Kafka und seiner literarischen Hinterlassenschaft ist mehrfach hingewiesen worden[106], und besondere Beachtung wurde der Tatsache geschenkt, daß bei Kafka auch die beiläufige autobiographische Notiz noch bedeutungsvoll sei. Was nun aber die Begründung des so weit verbreiteten Interesses an der besonderen Individualität Kafkas angeht, so sind dazu gerade nicht die umfangreichen autobiographischen Äußerungen, sondern die ihrer Gattungszugehörigkeit nach eigentlich poetisch-fiktionalen, also die „Erzähltexte" heranzuziehen. Wie sich zeigen wird, hat Kafka wie kein anderer Epiker dieses Jahrhunderts so viel individuelles Lebensdetail so unverhohlen direkt, mit so wenig metaphorischer Überhöhung und Distanzierung, so „wörtlich" in sein Werk übernommen, ohne – und das ist das Eindrucksvolle dabei – die sphärische Geschlossenheit der Fiktion zu beeinträchtigen[107].

Die im folgenden referierten Ergebnisse sind von der Kafka-Forschung bereits, wenn auch verstreut, erwähnt worden. Trotzdem kann auf eine zusammenfassende und ordnende Darstellung der Beziehungen zwischen der Individualität des Autors und dem Werk nicht verzichtet werden, da nur die Vielfalt und Dichte dieser vom Werk selbst signalisierten Beziehungen eine hinreichende Erklärung dafür abgeben, daß so viele Deutungen der Romane und Erzählungen Kafkas bei der Individualität des Autors einsetzen.

Der Name

Die Bindung des Werks an die Individualität des Autors geschieht so gut wie ausschließlich über die jeweilige Vordergrundsfigur, die meistens zugleich Aspektfigur ist.

So kann kein Leser Kafkas übersehen, daß die Namen der „Helden" aller drei Romane über ihren Anfangsbuchstaben (*K*arl Roßmann in „Amerika", Josef *K.* im „Prozeß", *K.* im „Schloß") auf den Namen *K*afka verweisen. Dieser Hinweis gewinnt dadurch an Wirksamkeit, daß in den beiden späteren Werken nur noch die Abkürzung des Namens des „Helden" für den Namen steht, somit durch keinerlei Parallelbildung (wie noch bei *K*arl Roßmann) die Deutekraft der Chiffre K. eingeschränkt wird. Ist diese Beobachtung einmal gemacht, dann ist für einen Kafka-Leser auch nicht übersehbar, daß die Namen der „Helden" in „Die Verwandlung" (Gregor *Samsa*) und in „Hochzeitsvorbereitungen auf dem Lande" (*Raban*) um ihrer Assonanz zu *Kafka* willen gewählt sind. Nicht ganz so zutage liegend ist die Verbindung zwischen dem Namen der Hauptfigur in „Das Urteil" und dem Namen Kafka, die der

---

[106] Vgl. Beißner: „. . . er (Kafka, D. K.) erzählt sich selbst." (Der Erzähler Franz Kafka, S. 29). Vgl. auch Hillmann, S. 48.

[107] Zu diesem „Mangel an Distanz" vgl. Politzer, S. 262.

Autor selbst folgendermaßen erläutert: „Georg hat so viele Buchstaben wie Franz. In Bendemann ist ‚mann' nur eine für alle noch unbekannten Möglichkeiten der von der Geschichte vorgenommenen Verstärkungen von ‚Bende'. Bende aber hat ebenso viele Buchstaben wie Kafka und der Vokal e wiederholt sich an den gleichen Stellen wie der Vokal a in Kafka." (T 296) Rechnet man als Leser erst einmal mit dergleichen Beziehungen der Namen der Hauptfiguren in Kafkas Texten mit dem Namen des Autors, kann man sogar in dem Namen des Helden in „Der Jäger Gracchus" den Bezug auf den Autor erkennen: „Kavka" heißt im Tschechischen „Krähe", „Dohle", „gracchio" im Italienischen und „graculus" im Lateinischen dasselbe; und wer die „Gespräche mit Kafka", aufgezeichnet von Gustav Janouch, gelesen hat, dem kann einfallen, was Kafka dort über seine Beziehungen zu den Dohlen gesagt hat: „Ich bin ein ganz unmöglicher Vogel. Ich bin eine Dohle – eine kavka ... Verwirrt hüpfe ich zwischen den Menschen herum. Sie betrachten mich voller Mißtrauen. Ich bin doch ein gefährlicher Vogel, ein Dieb, eine Dohle. Das ist aber nur Schein. In Wirklichkeit fehlt mir der Sinn für die glänzenden Dinge ... Ich bin grau wie Asche. Eine Dohle, die sich danach sehnt, zwischen den Steinen zu verschwinden"[108].

Überblickt man das ganze Erzählwerk Kafkas im Hinblick auf die Namengebung, so findet man, daß nur in den Erzählungen bzw. Skizzen oder „Betrachtungen", in denen ein Außenerzählerstandort gewählt ist, die Hauptfiguren eigenständige, d. h. von „Kafka" unabhängige Namen haben (z. B. „Odysseus" in „Das Schweigen der Sirenen", „Bucephalus" in „Der neue Advokat" usw.). In den Stücken, die, seien sie in der Ich-Form oder der Er-Form abgefaßt, ihren Erzählerstandort innerhalb des Handlungsgeschehens haben (d. h. in der Aspektfigur, die meistens auch Hauptfigur ist), sind die „Helden" namenlos. Entweder wird nur mit „ich" oder „er" auf sie Bezug genommen, oder ihre Individualität wird durch eine Funktionsbezeichnung (z. B. „Hungerkünstler", „Fremder" – so in „Schakale und Araber"), durch einen Gattungsbegriff (z. B. „Affe" in „Bericht für eine Akademie", „Tier" in der „Der Bau") oder durch eine mathematisch abstrakte Chiffre (wie „A" im Unterschied zu „B" in „Eine alltägliche Verwirrung") angedeutet. Ausnahmen dazu bilden „Blumfeld, ein älterer Junggeselle", wo die Beziehung auf den Autor durch die Sozialfunktion des „Junggesellen" gegeben ist, und „Josefine, die Sängerin oder Das Volk der Mäuse", wo der Begriff „Sängerin" den Bezug herstellt zur Problematik des Künstlertums des Autors.

Offenbar war die „Kongruenz"[109] zwischen der jeweiligen Aspekt- bzw. Hauptfigur und dem Autor stets so groß, war Kafka seinen „Helden" so nahe, daß es ihm unmöglich war, die Distanz eines fremden Namens dazwischentreten zu lassen.

---

[108] Janouch, S. 18.

[109] Diesen Begriff hat Walser eingeführt (S. 22 ff.).

Konflikt mit dem Vater, Familie

In den Band der Kafka-Ausgabe, der einen Teil der Prosa aus dem Nachlaß enthält und nach dem frühen Text „Hochzeitsvorbereitungen auf dem Lande“ benannt ist, hat Brod den „Brief an den Vater“ aufgenommen (H 162 ff.). Die Aufnahme des Briefes in eine Edition des literarischen Werks rechtfertigt Brod mit dem Hinweis, daß dieser „dem Adressaten niemals übergeben worden ist, somit die Funktion eines Briefes nie erfüllt hat“ (H 449). Daß dieser Brief rein autobiographische Relevanz hat, ja daß er den „umfassendsten Versuch einer Selbstbiographie“ Kafkas darstellt, hat auch Brod eingeräumt. Seine Veröffentlichung nun innerhalb des literarischen Werks hat einerseits das Interesse der Kafka-Leser ganz direkt auf dessen Lebenshintergrund gelenkt; andererseits zeigt der Brief in besonderer Eindringlichkeit, wie stark die autobiographische Komponente auch in den Werken fiktionaler Gattungen des Schreibens von Kafka ist, wie sehr die Hauptfiguren in den Romanen und Erzählungen mit dem Verfasser des „Briefes an den Vater“ verbunden sind, wie „kongruent“ die Aspekte des Autobiographen und des Dichters Kafka. So hat ganz besonders dieser längste und literarischste aller Kafka-Briefe, der das Herzstück auch des 1965 von Politzer herausgegebenen „Kafka-Buches“ ist, das Interesse der Leser an den Werkelementen Kafkas stimuliert, die im Rahmen fiktionalen Erzählens durch die Individualität des Autors, seine besonderen Lebensumstände bedingt sind – und offenbar auch im Sinne des Autors als solche erscheinen.

Am bedenkenlosesten enthüllt sich das Persönlich-Private in den Erzählungen Kafkas, die mit seiner schärfsten existentiellen Krise zugleich auch den Durchbruch zur Besonderheit seines Künstlertums markieren: im „Urteil“ (September 1912) und in der „Verwandlung“ (November 1912). In beiden Fällen ist das autobiographische Element darin zentriert um die Auseinandersetzung der Aspektfigur mit ihrer Familie, im „Urteil“ besonders mit dem übermächtigen Vater. Hat dieser dem „Brief“ zufolge den Sohn zu einer Selbsterfahrung ewigen Ungenügens verdammt[110], so wird er in der „Verwandlung“ durch den Wurf eines Apfels, der den Panzer des Käfers durchdringt und darunter zu faulen beginnt, die mittelbare Ursache des Todes von Gregor Samsa (E 118, 136)[111]; im „Urteil“ bedarf es nicht einmal eines der Psychoanalyse entnommenen Requisits wie dem des Apfels: die Vernichtung des Sohnes durch den Vater erfolgt durch einen Schuldspruch, gegen den der Sohn so machtlos ist, daß er auch noch den Strafvollzug selbst übernehmen muß. Die Figur der Schwester Grete, deren Namensanfang mit Gregor stabt, hat außerdem die Interpretationsmöglichkeit geboten, Kafka

---

110 Vgl. Sokel, S. 44 f.
111 Vgl. Politzer, S. 115.

habe hier eigene brüderlich-schwesterliche Beziehungen zur Andeutung eines inzestuösen Verhältnisses verarbeitet[112].

Spannungen zwischen der Hauptfigur und der Familie, bzw. den „Eltern“ spielen bereits im „Amerika“-Roman eine Rolle (sind es doch die Eltern, die Karl Roßmann nach Amerika verbannt haben, und dem Versuch der Rechtfertigung ihnen gegenüber dienen seine Unternehmungen in dem fremden Land), und wie Sokel zeigt, läßt sich sogar zwischen dem Heizer und dem „Ur-Vater“ Kafkas eine Beziehung herstellen[113].

In den späteren Romanen spielt die Familie nicht mehr die Rolle wie in „Amerika“ und in den großen Erzählungen der Krisenzeit; aber immerhin sind im „Prozeß“ als deren Repräsentanten die Mutter und der Onkel noch figuriert (eine Vaterfigur, die eine Tagebuchnotiz als Bestandteil der Konzeption ausweist [T 413 ff.], ist bei der Ausarbeitung weggelassen worden), und Sokel hat ausführlich dargestellt, inwiefern sich der Onkel als Abwandlung des Vaters im „Urteil“ und in der „Verwandlung“ verstehen läßt[114]. Bedeutungsvoller erscheint allerdings der Zusammenhang zwischen dem Vater als Anklagendem und Verurteilendem in den Erzählungen und der Anklage- und Gerichts-Instanz im „Prozeß“, dem System der Dachbodengerichtsbarkeit und dessen Grundlage, dem anonymen „Gesetz“, von dessen Wesen die Dom-Szene handelt. Von hier aus ergeben sich Möglichkeiten, den „Prozeß“-Roman als eine Auseinandersetzung mit einer zur Göttlichkeit erhobenen Vaterfigur zu verstehen[115]. Die mit der Vatergestalt verbundenen Motive der Schuld, des Urteils und des Gerichts leben in abgewandelter Form wieder auf in der Erzählung „In der Strafkolonie“ (entstanden Ende 1914)[116]; und schließlich teilt das „Schloß“ mit seiner Beamtenschaft grundlegende Züge mit der Vatergestalt von „Urteil“, „Verwandlung“ und „Strafkolonie“[117]; allerdings ist die Vatergestalt hier nicht mehr eine Instanz, vor der eine Rechtfertigung zu versuchen ist, die immer nur scheitern kann, sondern eine, bei der Aufnahme, Gnade, Erlösung gesucht wird; daß diese Suche freilich in der Form des „Kampfes“ geschieht und daß K. auf seinen Bedingungen der Auseinandersetzung beharrt, zeigt, daß der Antagonismus zur Vatergestalt im Werk Kafkas nie erloschen ist[118].

---

[112] Ebenda, S. 116 ff.
[113] Sokel, S. 313.
[114] Ebenda, S. 176 ff.
[115] Politzer, S. 263 ff.
[116] Vgl. Sokel, S. 107.
[117] Ebenda, S. 393.
[118] Vgl. Emrich, S. 298 ff.; Sokel, S. 399.

Geschlecht, Junggesellentum

Alle Hauptfiguren Kafkas sind männlichen Geschlechts – mit Ausnahme der Künstlerin Josefine, der Sängerin (Aspektfigur in dieser Erzählung ist allerdings eine anonyme Maus). Alle sind sie unverheiratet und kinderlos (von der Ausnahme des unehelichen Kindes des Karl Roßmann in „Amerika“ war schon die Rede). Das hat zur Folge, daß in Kafkas epischer Welt Frauen fast nur als Mütter bzw. mütterliche Gönnerinnen (auch „bedrohliche Gönnerinnen“) oder als Geliebte bzw. potentielle Geliebte und potentielle Ehefrauen auftreten. (Zu den potentiellen Geliebten ist wohl auch die „Schwester“ in der Verwandlung zu rechnen. – Vgl. oben!) Unter die erste Kategorie fallen, betrachtet man daraufhin die Romane, die Oberköchin in „Amerika“, Frau Grubach im „Prozeß“, die Brückenhofwirtin im „Schloß“; unter die zweite Klara, Therese, Brunelda in „Amerika“, Fräulein Bürstner, die Frau des Gerichtsdieners, Leni im „Prozeß“, Frieda, Olga, Amalia, Pepi (die Herrenhofwirtin?) im „Schloß“. Wie aus einer privaten Äußerung Kafkas hervorgeht, war seine Erfahrung mit Frauen auf die Wahrnehmung nur ganz weniger weiblicher Reaktionen beschränkt: „Merkwürdig, wie wenig Scharfblick die Frauen haben“, schreibt er an Brod, „sie merken nur, ob sie gefallen, dann ob man Mitleid mit ihnen hat und schließlich ob man Erbarmen bei ihnen sucht, das ist alles, nun es ist ja im allgemeinen auch genug“ (Br 323). Zwischen diesen Polen, dem Gefallenfinden an ihnen und dem Erbarmensuchen bei ihnen bewegen sich die Beziehungen der Kafkaschen „Helden“ zu den Frauen, wobei das Mitleidhaben eine Reaktion ist, die, gleichsam in der Mitte liegend, die Wandlung der Geliebten zur potentiellen Ehefrau markiert – so geht das Gefühl erotischen Angezogenseins, das K. für Frieda empfindet, in ein Gefühl des Mitleids über, sobald die Konsequenzen einer Heirat sich abzeichnen (S, Kapitel 13).

Das Junggesellentum der Helden Kafkas ist niemals – ebensowenig wie es das für den Autor selbst war – eine nur beiläufige Bestimmung des Lebens. Wie Politzer nachgewiesen hat, ist der Junggeselle zu einer „Grundfigur“ Kafkaschen Schreibens geworden[119]. So kann der junge Kafka eine Tagebucheintragung vom 14. November 1911, in der er sein Junggesellentum beklagt (T 160 f.), mit nur geringen Änderungen in die Erzählsammlung „Betrachtungen“ übernehmen, wo das Stück unter dem Titel „Das Unglück des Junggesellen“ erscheint (E 34 f.)[120].

Diese Bindung der Aspektfigur an den individuellen Lebensumstand des Junggesellentums des Autors, an dessen Erfahrungen von drei[121] aufgelösten Verlobungen, haben auch das weitere Werk zentral geprägt: In der Erzählung „Das Urteil“, die unter der Widmung steht „Eine Geschichte für Felice B.“ (gemeint ist Kafkas zweimalige Verlobte Felice

---

[119] Politzer, S. 45 ff.

[120] Zu den Veränderungen vgl. Politzer, S. 56 ff.

[121] Vgl. Wagenbach, Julie Wohryzek, die zweite Verlobte Kafkas, S. 31 ff.

Bauer), wird die Krise im Verhältnis des Sohnes zum Vater ausgelöst durch eine Verlobung mit einem Fräulein „Frieda Brandenfeld“ [122], und die Lüsternheit, die der Vater Bendemann seinem Sohn vorwirft („... weil sie die Röcke so und so gehoben hat, hast du dich an sie herangemacht...“ [E 64]), wird zum Charakteristikum auch aller weiteren „Helden“ Kafkas. So liegt das einzige Element einer objektivierbaren „Schuld“ des Josef K. im „Prozeß“ in seinem „tierhaften“ Überfall auf das Fräulein Bürstner (P 42), so schadet er seinem Prozeß – jedenfalls der Ansicht des Onkels nach – durch die Bereitwilligkeit, mit der er sich von Leni verführen läßt (P 135), und noch der Geistliche in der Szene im Dom hält dem Angeklagten vor, er suche zuviel „fremde Hilfe ... und besonders bei den Frauen“ (P 253). Ebenso begleitet die erotisch-sexuelle Erregbarkeit den Landvermesser K. durch die ganze Handlung des „Schloß“-Romans, und die Werbung des „verfügbaren Mannes“ K. um die Frauen, die ihm dazu verhelfen sollen, in die Nähe Klamms zu gelangen, bestimmt das Geschehen entscheidend. Wohl wird von dem Landvermesser einmal behauptet, er habe „Frau und Kinder“ zurückgelassen (S 14), doch damit ist offenbar nur in einer für die Dorfleute verständlichen Weise das bisherige Leben K.s in einer anderen Welt umschrieben; denn nichts hindert K., um Frieda zu werben: So sehr sind die „Helden“ Kafkas an das Junggesellentum ihres Autors gewöhnt, daß sie als Geliebte oder potentielle Ehemänner stets verfügbar sind. Mit dieser permanenten Verfügbarkeit, die eine Bereitschaft zu einer endgültigen Festlegung gegenüber einem Partner ausschließt, hängt die allgemeinste und tiefste Metaphorik zusammen, die Kafka seinem individuellen Lebensumstand des Unverheiratetseins abgewann: das Alleinsein des Künstlers.

Künstlertum, Einsamkeit

Bedeutet das Junggesellentum den Verzicht auf mitmenschliche Wärme, Zuspruch, Pflege, all die eheweiblichen Fürsorglichkeiten, wie sie in der Erzählung „Das Ehepaar“ (B 124) so eindringlich beschrieben sind, so ist es andererseits unabdingbare Voraussetzung zur Erfüllung eines Lebens, in dem alles, was nicht Literatur ist, „langweilt“, „stört“ oder „aufhält“ (T 320). Künstlersein bedeutet für Kafka eine Situation des nur beobachtenden Teilnehmens am Leben: „Einem Gespräch zweier Leute zuhören, die eine Angelegenheit besprechen, die sie nahe angeht, während ich an ihr nur einen ganz fernen Anteil habe, der überdies vollständig selbstlos ist.“ (T 325) Und wie Allemann in seiner Deutung des „Prozeß“-Romans

[122] Kafkas Deutung des Namens der Verlobten Georg Bendemanns lautet: „Frieda hat ebensoviel Buchstaben wie F(elice) und den gleichen Anfangsbuchstaben, Brandenfeld hat den gleichen Anfangsbuchstaben wie B(auer) und durch das Wort „Feld“ auch in der Bedeutung eine gewisse Beziehung.“ (T 297 – Ergänzungen in Klammern von mir, D. K.)

zeigt, ist das Zuschauersein nicht nur eine Rolle aller Nebenfiguren, sondern auch Josef K.s selbst: er ist, niemals ganz aufgehend in einer mitmenschlichen Bindung, stets auch ein Zuschauer seiner selbst[123]. Das Zuschauersein aber des Josef K. hat Folgen nicht nur für die „Konzeption der Rechtfertigung", also das Stofflich-Inhaltliche des Werks, sondern auch für die charakteristische Ausformung der Aspektfigur, für ihre „Sehweise", d. h. für die Wahl der Perspektive, in der jede einzelne Szene gesehen wird, sowie für die Selektion des von der Aspektfigur „Gesehenen" und somit den Werk-Aufbau überhaupt.

Es läßt sich festhalten, daß Kafkas ganz individuell-persönliche Erfahrung seines Junggesellentums sein Werk bis in die Bereiche der Struktur und der Stilistik hinein geprägt hat.

Kafkas Tagebuch ist voll von Meditationen über die Antinomien von mitmenschlichem Leben und Künstlertum[124] – eine Problematik, auf die im Schlußteil dieser Arbeit noch einzugehen sein wird –, und spätestens seit dem Erscheinen der „Briefe an Milena" (1952) und der „Briefe an Felice" (1967) kann kein intensiver Kafka-Leser umhin, in den Produkten fiktionalen Schreibens diese Problematik widergespiegelt zu sehen, sich vom literarischen Werk selbst zurückverwiesen zu sehen auf die Lebensumstände des Individuums Franz Kafka. Schon im „Urteil" repräsentiert die Gestalt des „Freundes" das, wie Sokel es formuliert, „reine Ich" der Aspektfigur Georg Bendemann, sein tiefstes Wesen, seine wahrste Verpflichtung, die zur Einsamkeit; diese ist so radikal verstanden, daß sie zur „russischen Einsamkeit" wird; und nur indem Georg Bendemann es zu unternehmen wagt, sein „reines Ich" zu verraten, so zu tun, als wäre er fähig zur Mitmenschlichkeit, zur Ehe, setzt er sich der Verurteilung durch den Vater aus[125].

Von da an sind alle „Helden" in Kafkas Erzählwerk auf Einsamkeit hin veranlagt, und die Verknüpfung dieser existentiellen Bedingung mit Vorstellungen von Kunst nimmt bis hin zu den Erzählungen der letzten vom Autor selbst veröffentlichten Sammlung immer weiter zu.

Wie Emrich gezeigt hat, ist das Angenommensein des allein in Amerika irrenden Karl Roßmann im „Theater von Oklahoma" deutbar als Angenommensein in einem außerhalb der Realität der Arbeitswelt liegenden Bereich der Kunst. In diesem „Welttheater", in dem jeder das sein kann, was er seiner natürlichen Bestimmung nach ist, braucht keiner „Künstler" zu sein („Künstler werden wollte niemand" [A 305]), da alles Leben sich in diesem „Theater" unter den Bedingungen der Kunst abspielt[126]. Im „Prozeß" läßt sich die Künstlerproblematik auf zweierlei Ebenen der Handlungsstruktur wiederfinden: zum einen in der Verein-

---

[123] Allemann, Der Prozeß, in: Der deutsche Roman, S. 261 ff.

[124] Vgl. Hillmann, SS. 18 ff. u. 22 ff.; Walser, S. 11 ff.

[125] Ich schließe mich hier der Deutung Sokels an, wie er sie im zweiten Kapitel seines Buches bietet (S. 44 ff.).

[126] Emrich, S. 247.

zelung, im Sinne des Gedankengangs dieser Untersuchung in dem „Anderssein“ des Josef K., die sich aus seiner existentiellen Bedingung des Angeklagtseins ergibt; zum anderen in spezieller deutendem Sinn in der von Titorelli vorgeschlagenen Weise, auf die Anklage zu reagieren, nämlich den Versuchen, einen „scheinbaren Freispruch“ oder eine „Verschleppung des Prozesses“ zu intendieren: steht bei der ersten Reaktionsmöglichkeit des Angeklagten die Kunst des genauesten Beobachtens der Umstände und die Reaktion auf ihre Veränderungen, die Kunst der „Mimesis“ im Vordergrund, so geht es bei der zweiten um „Einschränkung“, „künstliche Zusammendrängung“, um „Konzentration“[127]; beide Verhaltensformen weisen auf die Überlebenskunst des Affen in dem „Bericht für eine Akademie“ hin – und eine Funktion der Kunst ist es für Kafka, wie es schon in dem „Brief an den Vater“ heißt, daß man bei ihr „einigermaßen in Sicherheit“ ist (H 202).

Thematisch direkt angesprochen, wenn auch nicht in dem allegorisch-direkten Sinn, wie eine allzu naive Kafka-Deutung es sehen wollte[128], ist die Künstlerproblematik in den „Forschungen eines Hundes“ und den Stücken des 1924 kurz vor dem Tode Kafkas zum Druck gebrachten Erzählungsbandes „Ein Hungerkünstler“[129]. Dabei setzt sich von den „Forschungen eines Hundes“ an eine kritisch-selbstkritische Einschätzung der Möglichkeiten der Kunst durch; zwar sieht Emrich das Wesen der „Lufthunde“ noch jenseits all ihres „philosophischen Geschwätzes“ im „Schweigen“, in dem „schwebenden Grund, auf dem nicht nur sie, sondern der Mensch selbst und alle Wissenschaft vom Menschen beruht“[130], aber Hillmann versteht das Verdikt des Erzähltextes durchaus wörtlich, das von der „Unsinnigkeit, der schweigenden Unsinnigkeit dieser Existenzen“ (B 261) spricht[131]. Am konsequentesten ist die Vereinsamung des künstlerischen Ichs in den beiden letzten Werken Kafkas dargestellt, dem im Winter 1923/24 geschriebenen „Bau“ und in „Josefine, die Sängerin“, die erst im März 1924, kurz vor dem Tode des Autors (3. Juni) entstanden ist. Sei es, daß man diese Entwicklung von Kafkas Einschätzung seiner Existenz als der eines Künstlers positiver deuten will, wie Politzer, der von dem „Bau“ als von einem „Schloß im Inneren“, einem „schütteren Bollwerk schüchterner Sicherheit“ spricht[132],

---

[127] Sokel, S. 359 f.

[128] Vgl. die Auseinandersetzung Emrichs mit Norbert Fürst (u. a.) (SS. 164 f. u. 427, Anm. 79).

[129] Vgl. Hillmann (S. 73 ff.), der unter Beziehung auf Fürst die Einheit der Sammlung unter dem Gesichtspunkt der Thematik des Künstlertums behauptet; fragwürdig ist dabei die Einordnung der Erzählung „Eine kleine Frau“, die Politzer ausdrücklich als nicht zum Gesamtthema der Sammlung gehörig gedeutet sehen will (S. 429).

[130] Emrich, S. 166 f.

[131] Hillmann, S. 56.

[132] Politzer, S. 470.

oder sei es, daß man mit Sokel den „Kampf um Anerkennung und Sonderstellung“ als „Illusion“ bzw. als „willkürlichen Angriff des Ichs“ versteht[133], unvermeidlich erscheint die Erkenntnis, daß Kafka in seinen letzten Schöpfungen die radikale Vereinzelung ausweist, in die ihn seine individuelle Erfahrung von Kunst und Künstlertum geführt hat.

So konturiert sich mit Kafkas existentieller Erfahrung auch deren Spiegelung im Werk. Da es eine Trennung zwischen Leben und Werk für Kafka niemals gab, da er geradezu, wie Walser es beschrieben hat, sein Leben nach seiner Kunst modellierte[134], ist die Kraft der Verweisung des Werks zurück auf die Existenz des Autors bei Kafka so besonders groß. (Walsers Postulat: „Bei Kafka muß man das Leben aus dem Werk erklären, während das Werk auf die Erhellung durch die biographische Wirklichkeit verzichten kann“[135], wurde – so begründet es dichtungstheoretisch sein mag – von der Wirkungsgeschichte des Werks nicht beachtet.)

2.3 DIE REDUKTIVEN DEUTUNGSANSÄTZE

Die bisher gefundenen Merkmale Kafkaschen Erzählens haben die Kafka-Interpretation bestimmt, indem sie bestimmte Deutungsansätze nahelegten, ja unvermeidlich provozierten.

Die Subjektivierung des Erzählerstandorts durch die konsequente Verlagerung des Erzählaspekts in eine und innerhalb eines Textes immer gleiche Handlungsfigur hat zur Folge, daß der gesamte fiktionale Weltausschnitt, den der Text repräsentiert, und damit auch und besonders die menschliche Mitwelt der Aspektfigur nicht unabhängig von dieser, nicht „an ihr vorbei“ interpretiert werden kann – das um so weniger, als die Aspektfigur fast immer auch Mittelpunktsfigur der Handlung ist. Diese Subjektivierung kann, wie am Beispiel des „Prozesses“ gezeigt worden ist, so weit gehen, daß eine Deutung des Gesamtgeschehens als eines traumhaften, sich in der reinen Innerlichkeit des in der Aspektfigur verkörperten Subjekts vollziehenden, nahegelegt scheint.

Da die Aspekt- und Mittelpunktsfigur in Kafkas Erzählwerk in zunehmendem Maße vereinzelt, ja isoliert erscheint, ihre Beziehung zu den Mitfiguren immer mehr den Charakter eines Kampfes dieses isolierten Ichs gegen die ganze Umwelt und Mitwelt annimmt, die Vermittlung zwischen den Parteien immer weniger möglich erscheint, wird dem

---

[133] Sokel, S. 386 f.
[134] Walser, S. 11 f.
[135] Ebenda, S. 17.

Leser, Deuter nahegelegt, die Bedingungen der Unvereinbarkeit der Standpunkte in eben diesem Ich als einem besonderen zu suchen. Das Handlungsgeschehen erscheint als Kampf eines Ichs, das in besonderem Maße Ich ist, das an die Verwirklichung seiner selbst in der Welt besondere Ansprüche stellt: ein exemplarisches Ich scheint seinen Behauptungskampf zu führen gegen den Rest der Welt.

Da dieses monadische Ich in allen Texten Kafkas eine auffallende Gleichartigkeit zeigt (eine Konstanz, die sich nicht nur in der Stilistik als einer Funktion des Erzählaspekts realisiert, sondern ausgewiesen ist auch in der Ähnlichkeit, der „Fast-Identität" der einzelnen Mittelpunktsfiguren, soweit sie als Charaktere gezeichnet sind[136]), und da weiterhin dieses zentrale Werk-Ich der Individualität des Autors Kafka weitgehend „kongruent" erscheint, vielerlei erzählerische Maßnahmen den Charakter einer Rückverweisung auf den Autor haben, ist bei diesem Werk wie bei keinem anderen der jüngeren erzählenden Literatur nahegelegt, mit der Deutung bei der Person des Autors, bei Franz Kafka einzusetzen.

Alle die Deutungsversuche, die das Werk zu erhellen versuchen, indem sie es auf die Individualität des Autors und seine besonderen Lebensumstände zurückführen, werden hier unter dem Begriff *„reduktiven"*[137] Deutens zusammengefaßt. (Es wird sich zeigen, daß die reduktiven Deutungen nicht immer deutlich von den „spekulativen" zu trennen sind, daß der reduktive Beweisansatz zuweilen nur ein Mittel ist, ein ausgeprägt spekulatives Deutungsunternehmen überzeugend erscheinen zu lassen; trotzdem bleiben die Merkmale der Methode die gleichen, und es ist eine Frage des Schwerpunkts einer Interpretation, ob man sie dem reduktiven oder spekulativen Ansatz zurechnen will.)

2.3.1 Der biographische Ansatz

Die Wirkungsgeschichte des Werkes von Franz Kafka wurde entscheidend durch einen Mann bestimmt: Max Brod. Selbst Autor und prominente Figur des Literaturbetriebs im zweiten und dritten Jahrzehnt dieses Jahrhunderts, war er nicht nur Mentor Kafkas, Vermittler von Beziehungen zu Publikationsorganen, späterer Testamentsvollstrecker und Herausgeber des Nachlasses (d. h. in diesem Falle: des allergrößten Teils des Werks), sondern immer auch: der Freund. So sind in seine Deutungen des

---

[136] Vgl. Anm. 3.

[137] Zum Begriff des „Reduktiven" vgl. Bocheński, S. 100 ff. – Von Klaus Ramm wird der Begriff der Reduktion anders als im Zusammenhang dieser Arbeit, nämlich zur Beschreibung Kafkascher Erzähltechnik verwandt: „Der Begriff der Reduktion soll in dieser Arbeit unter stilkritischem Aspekt erprobt werden." (S. 15, Anm. 5.) Auf die philosophischen Implikationen des Begriffs (den Wahrheitsbegriff der Phänomenologie) geht Ramm nur kursorisch ein (S. 148–150). – Walser spricht von der „Reduktion der bürgerlichen Persönlichkeit" Kafkas (S. 11 ff.).

Werks von Kafka – und Brods Deutungen sind nicht nur die ersten, sondern auch die folgenreichsten gewesen – eine intime Kenntnis sowohl des Autors als auch der Umstände der Entstehung der Texte eingegangen. Daß in der Deutung Brods das Interesse an dem Menschen Kafka und dessen weltanschaulichem Konzept (wie es Max Brod erschien) das Interesse an den Texten als Dichtung überdeckte, daß womöglich das Interesse an der Propagierung einer bestimmten Weltanschauung, der Weltanschauung Brods, zu deren Demonstration Kafkas Werk geeignet sein konnte, eine sachlichere, distanziert-kritischere Sichtung verhinderte, ist von der neueren Kafka-Forschung häufig bedauert worden[138]. Allerdings ist Brod inzwischen auch bestätigt worden, daß seine Herausgabe der Texte, wenn sie auch letzten wissenschaftlich-textkritischen Ansprüchen nicht genügt[139], über den Vorwurf der Willkür oder gar Manipulation erhaben ist[140].

Die erste Würdigung Kafkas durch Brod geschah noch zu Kafkas Lebzeiten und erschien unter dem Titel „Der Dichter Franz Kafka" 1921 in der „Neuen Rundschau". Das Brodsche Hauptwerk zu Kafka, „Franz Kafka, Eine Biographie", erschien 1937, wurde in einer dritten, erweiterten Auflage 1954 verlegt. In drei weiteren Arbeiten, deren Titel schon programmatisch sind („Franz Kafkas Glauben und Lehre", „Franz Kafka als wegweisende Gestalt" und „Verzweiflung und Erlösung im Werk Kafkas"), setzt Brod seinen Deutungsweg fort, der, beim biographischen Faktum einsetzend, stets hinführt zu einer religiösen Quintessenz der dichterischen „Aussage" Kafkas.

Folgende Analyse soll die Problematik des reduktiven Deutens bei Brod erhellen:

Im Zusammenhang des Berichts von den Beziehungen, die Kafka mit Milena Pollak verbanden (Kap. 8 der Ausgabe der Biographie von 1954) bietet Brod den Ansatz einer Deutung des Schloßromans, besonders des darin wichtigen Verhältnisses zwischen K. und Frieda. In den einleitenden Bemerkungen ist das Interesse des Biographen noch planvoll sich selbst begrenzend definiert: „Von allen umfassenden, ja universal-religiösen Horizonten abgesehen, die das ‚Schloß' *außerdem* bietet, darf dieser biographische Vordergrund nicht vernachlässigt werden"[141]. Leider bleibt es nicht bei der Beschränkung darauf, den „biographischen Vordergrund" zu liefern; die Versuchung, biographische Gegebenheiten als Deutungsansatz zu verwenden, ist zu groß, der Bericht der Lebensum-

---

[138] Siehe die Summe, die Hans Mayer zieht (S. 56 f.).

[139] Vgl. Martinis Textuntersuchung zum „Dorfschullehrer" in: Jahrbuch der Deutschen Schillergesellschaft von 1958, und die Arbeit von Uyttersprot zum „Prozeß": Zur Struktur von Kafkas „Der Prozeß", Versuch einer Neu-Ordnung, Brüssel 1953.

[140] Dazu das Urteil von Emrich, das immer noch Gültigkeit hat, auch von Hans Mayer zitiert wird (Emrich, S. 418 f.).

[141] Brod, Biographie, S. 268.

stände des Autors zur Zeit der Entstehung des Werks geht über in ein Deutungsunternehmen, das in der Direktheit des Verknüpfens von biographisch belegbaren Fakten mit angeblichen Werkinhalten unvermeidlich kurzschlüssig, simplifizierend, deformierend wirkt:

> Milena, im Roman in höchst karikierter Gestalt als „Frieda" auftretend, tut entscheidende Schritte, um Kafka (K.) zu retten; sie verbündet sich mit ihm, begründet mit ihm einen Hausstand in Armut und Entsagung, aber fröhlich und entschlossen, sie will für immer die Seine sein und ihn gerade dadurch in die Naivität und Unmittelbarkeit des wahren Lebens zurückführen, – aber sowie K. einschlägt, die dargebotene Hand ergreift, melden sich die früheren Bindungen, die die Frau beeinflussen (das „Schloß", das Volkstum, die Gesellschaft, vor allem aber der geheimnisvolle Herr Klamm, in dem man ein übersteigertes und dämonisiertes Schreckbild des legalen Gatten zu sehen hat, von dem Milena innerlich nicht loskam), das erträumte Glück findet ein rasches Ende, da K. für Halbheiten nicht zu haben ist und seine Frieda als Ehefrau für sich allein haben will, ohne daß sie ständig von den Sendboten des „Schlosses", den rätselhaften Gehilfen, und von Klamm beherrscht wird. Sie aber verrät ihn, wendet sich zur Sphäre des „Schlosses" zurück, aus der sie kam. Es wird klar, daß in K. der Wille zur integralen Rettung weit kompromißloser aufgeflammt ist als in Frieda, die sich mit einer Art Strohfeuer begnügt oder doch zu rasch der Enttäuschung Raum gibt. Mündlich hat Milena mir mitgeteilt, daß ihr Mann, als er erfuhr, daß Kafka sein Rivale sei und sie heiraten wolle, sich aufs neue für sie zu interessieren begann.[142]

K. wird mit Kafka gleichgesetzt und Frieda mit Milena. Die Charakterisierung K.s in der Interpretation des „Schlosses" („für Halbheiten nicht zu haben", „will seine Frieda ganz für sich", „Wille zur integralen Rettung", „kompromißlos") entspricht der Charakterisierung Kafkas in den biographisch referierenden Teilen der Arbeit: „Von der Ehe hat Franz Kafka den höchsten Begriff gehabt"[143], „Mit einem Ehe-Surrogat aber konnte Kafka sich nicht zufrieden geben, für den die Ehe als schicksalhafte Gemeinschaft mit Frau und *Kindern* die heiligste Krönung des Lebens bedeutete"[144]; und ebenso entspricht die Charakterisierung der Frieda und ihrer Handlungsmotivation („Strohfeuer", „rasche Enttäuschung", „sie verrät ihn, wendet sich zur Sphäre des Schlosses zurück") der Kennzeichnung von Person und Handeln der Milena: „... ihre leidenschaftliche Persönlichkeit"[145], „Milena war bereit, hin und wieder für eine Zeitlang mit Kafka zusammenzukommen. Sie war aber nicht bereit, ihren Mann zu verlassen und mit Kafka dauernd zu leben"[146]. Diese partikuläre „Belegung" der Charaktere der Romanfiguren samt der daraus sich ergebenden Deutung eines Handlungszusammenhangs

---

142 Ebenda, S. 269.
143 Ebenda, S. 170.
144 Ebenda, S. 283.
145 Ebenda, S. 271.
146 Ebenda, S. 283

ohne Integrierung dieser Elemente in eine Gesamtdeutung muß das Werk Kafkas als einen Erzähltext verfälschen. Hier ist die Reduktion von Elementen des fiktionalen Textes auf belegbare Details der Autorenbiographie geeignet, Zusammenhänge nicht zu erhellen, sondern zu verdunkeln.

Noch bedenklicher wird Brods biographischer Deutungsansatz, wo die Methode der Reduktion von angeblichen Textinhalten auf biographische Faktizität dazu benutzt wird, eigene Weltanschauung zu propagieren, wo beides, die als solche behauptete Lebenswirklichkeit des Autors und das Erzählwerk in ihrer gegenseitigen Abhängigkeit, herhalten müssen als Beweismittel für die Richtigkeit des Weltbilds des Biographen. So ergänzen sich eine Würdigung der Person Franz Kafkas („Seine geistige Richtung ging durchaus nicht auf das Interessant-Angekränkelte, Bizarre, Groteske, sondern auf das Große der Natur, auf das Heilende, Heilkräftige, Gesunde, Festgefügte, Einfache“ [147]) und eine Interpretation bestimmter Werke Kafkas („Gerade deshalb wirken seine Bücher [‚Verwandlung‘ oder ‚Urteil‘ usw.] so schauerlich. Weil rings um sie herum und eigentlich auch mitten in ihnen die ganze freie Welt offensteht. Weil sie nicht ‚aus Prinzip schauerlich‘ sind – sondern aus Prinzip vielmehr das Gegenteil von ‚schauerlich‘, aus Prinzip idyllisch vielleicht oder heroisch, jedenfalls aufrecht, gesund, positiv, allem Lebenwollenden zugeneigt, allem Milden und Guten, dem blühenden Mädchenkörper, der am Schluß der ‚Verwandlung‘ über dem Aas des Helden aufglänzt, der Landarbeit, allem Natürlichen, Einfachen, Kindlich-Frischen, voll von Streben nach Freude, Glück, Anständigkeit, körperlicher und seelischer Kraft – aus Prinzip also etwas wie der Vorsatz eines gütigen Gottes bei der Weltschöpfung – aber ‚nicht für uns‘ ...“ [148]) zur Verherrlichung von Brods ureigenem Weltverständnis. Dabei ist keinerlei Absicht der Irreführung zu unterstellen. Die Verunklarung des Werks seines Freundes unterläuft Brod, weil kein selbstkritisches Methodenverständnis das Überhandnehmen des Interesses an eigener Ideologie-Verkündigung in Schranken hält.

Grundsätzlich ist also gegen solches Deuten einzuwenden, daß es in methodischem Kurzschluß Teilaspekte des Textes direkt mit einzelnen Fakten aus dem Leben des Autors verknüpft (ohne auf die erzählerischen Bedingungen zu achten, unter denen die „Aussage“ des Textes geschieht) und nach dieser „Belegung“ einer Partikularität des Textes zu einer Gesamtschau des vom Werk „Gemeinten“ kommen zu können meint. (Was das spekulative Element in Brods Kafka-Deutung angeht, siehe den Teil 3.2 dieser Arbeit [149].)

---

[147] Ebenda, S. 52.

[148] Ebenda, S. 161.

[149] Vgl. das Verdikt von Siegbert Reiß in: German Life and Letters, New Series, Jg. 9, Oxford 1956, H. 4, S. 294–305.

Die jüngere biographische Literatur zu Kafka hat die Fehler der zugleich partikulären und exzessiven Werkdeutung aus dem Lebensdetail des Autors zu vermeiden gewußt, indem sie sich auf die Bereitstellung „biographischen Vordergrunds" beschränkte und gleichsam nur Angebote zur Nuancierung einer dichtungswissenschaftlich-systematischen Gesamtdeutung machte[150]. Die Problematik jeder Art von Identifizierung biographisch belegbarer Ursächlichkeit in einem Werk fiktionaler Literatur kann sich allerdings auch bei wissenschaftlich exaktesten Arbeiten zeigen. Malcolm Pasley, der brillante Textkritiker und – mit Wagenbach zusammen – Autor der Datierung des Entstehens sämtlicher Kafka-Texte, hat drei Erzählungen Kafkas als literarische Mystifikationen identifiziert und ihre Entstehung aus biographisch belegbarem Lebenssubstrat mit akribischer Genauigkeit nachgewiesen. Besonders aufschlußreich ist sein Versuch, das Ding „Odradek" in „Die Sorge des Hausvaters" als die Erzählung „Der Jäger Gracchus" zu identifizieren[151]. Es soll gar nicht bestritten werden, daß für Kafka die Erfahrungen, die er mit dem „Jäger Gracchus" machte, Schreiberfahrungen, Erfahrungen des Ringens um Komposition, Autorenerfahrungen (und das heißt für Kafka in höchstem Maße „Lebens"-Erfahrungen), Anlaß geworden sein können, das Stück „Die Sorge des Hausvaters" zu schreiben. Zweifellos ist die Metapher der geistigen „Vaterschaft" für Texte bei Kafka nachgewiesen[152], und es kann als gegeben angenommen werden, daß Kafka seine Geschichten begegneten wie Menschen (oder Dinge), so abgelöst von ihm, mit so viel Eigenständigkeit, Widerständigkeit. Problematik ergibt sich nur, wenn versucht wird, einen biographisch fixierbaren Anlaß zum Entstehen eines fiktionalen Textes, also ein komplexes, tief in Irrationalität verwobenes Kausalitätsverhältnis zu vereinfachen zur Behauptung einer Identität: Bei Pasley *ist* Odradek die Erzählung vom „Jäger Gracchus". Auf irgendeine Form der Beziehung zwischen beiden hatte – das berichtet auch Pasley – schon Herbert Tauber hingewiesen[153]; aber Tauber drückte sich noch vorsichtig aus: „Diesem Symbol (d. h. Odradek, D. K.) verwandt ist der Jäger Gracchus." Bei Pasley wird die Beziehung zwischen den beiden literarischen Gebilden so beschrieben: „Jedoch handelt es sich hier nicht bloß um verwandte Symbole, sondern um ein viel intimeres Verhältnis: Kafkas Beschreibung seines Odradek bezieht sich ausschließlich und bis in jede Einzelheit hinein auf die Erzählung „Der Jäger Gracchus", d. h. auf den Gesamteindruck, den dieses fragmentarische Stück auf seinen kritisch nachprüfenden Autor machte"[154]. Schon vorher hatte Pasley die Frage gestellt, welche

---

[150] Z. B. Janouch in seinen „Gesprächen mit Kafka" und Wagenbach in: Franz Kafka, Eine Biographie seiner Jugend.

[151] Pasley, Drei literarische Mystifikationen Kafkas, S. 21 ff.

[152] Vgl. Brod, Biographie, S. 171.

[153] Herbert Tauber, S. 75.

[154] Pasley, Drei literarische Mystifikationen Kafkas, S. 22.

Erzählung Odradek „verkörpert", und am Schluß seiner Untersuchung ist von der „Verwandlung der ‚Gracchus'-Erzählung in Odradek" die Rede[155]. Dabei ist entscheidend, daß die Formulierungen Pasleys zwischen dem Erzählstück vom Odradek mit all dem Wirkungspotential, das ihm als fiktionalem Text anhaftet (seiner Vieldeutigkeit, seiner assoziativen Anregungskraft der Bilder, der Suggestivkraft spekulativer Redeweisen etc.), und dem kausalen Anstoß, der den Autor Kafka dazu brachte, dieses Stück zu schreiben, keinen Unterschied macht, daß nicht mit der Doppelstruktur eines fiktionalen Textes gerechnet wird, der Kausalstruktur und der, wie Wolfgang Iser sagt, „Appellstruktur"[156]. So kommt Pasley in Überschätzung der methodischen Möglichkeiten des biographischen Deutungsansatzes zu einer allzu selbstgewissen Abwertung aller anderen bisherigen Deutungen von Odradek: „Und was hat sich nicht um Odradek für ein Nebel gelagert! So etwa Max Bense..."[157], und es folgt ein Zitat Benses[158], das eine ontologische Deutung des Odradek ad absurdum führen soll. Selbst wenn man die Deutung Benses nicht für überzeugend hält, muß man für Bense und gegen Pasley aufrecht erhalten, *daß auch der exakteste Nachweis der kausalen Bedingungen, unter denen ein fiktionaler Text entstand* (wozu auch die „Absicht" des Autors gehört, die er beim Schreiben hatte, der „Sinn", in dem er schrieb), *die Deutungsmöglichkeiten des Textes nicht terminiert.* Pasleys biographische und textliche Rekonstruktionen sind bewundernswerte Philologenarbeit, seine „Deutung" des Odradek ist ein positivistisches Mißverständnis.

Wagenbach, der in seiner Kafka-Monographie oft nur knapp ähnliche Mißverständnisse vermeidet[159], hat in seiner früher veröffentlichten Arbeit zu Kafka, der Biographie seiner Jugend, ein unangreifbares Biographen-Programm aufgestellt: „Entscheidend war in jedem Fall..., neues, aber sachliches und verläßliches Material zu geben. Aus dem gleichen Grunde wurde auch, mit seltenen Ausnahmen, auf Bezüge zum Werk, so verlockend sie oft waren, verzichtet"[160].

---

155 Ebenda, S. 24.

156 Iser, S. 11 ff.

157 Pasley, Drei literarische Mystifikationen Kafkas, S. 24.

158 Die von Pasley zitierte Stelle stammt aus: Max Bense, Die Theorie Kafkas, S. 63 f.

159 Wagenbach ist sich der Problematik des „Deutens aus der Biographie des Autors heraus" bewußt; er spricht von „Realitätspartikeln" bei der Beschreibung dessen, was der Biograph erhellend zur Werkdeutung beisteuern kann (Franz Kafka in Selbstzeugnissen und Bilddokumenten, S. 130); das hält ihn andererseits nicht vor Formulierungen zurück wie der, daß Kafka seine Berliner Wirtin in der Miquelstraße in der Erzählung „Eine kleine Frau" „porträtiert" habe (ebenda, S. 134).

160 ders., Franz Kafka, Eine Biographie seiner Jugend, S. 9.

2.3.2 Der tiefenpsychologische Ansatz

Die tiefenpsychologischen Deutungsversuche sublimieren und nuancieren die Ergebnisse der biographisch einsetzenden Werkdeutungen Kafkas, indem sie die Texte aus den unterbewußten oder halbbewußten Spannungen in der Seele des Autors zu erhellen suchen. In ihren Deutungsgrundlagen der Kafka-Biographie, besonders Max Brod, verpflichtet, befassen sie sich vor allem mit den Werken, die während oder kurz nach der Existenzkrise Kafkas im Jahre 1912 entstanden sind; außerdem spielt der 1919 entstandene „Brief an den Vater" eine besondere Rolle.

Hauptvertreter der tiefenpsychologischen Kafka-Deutung sind: Angel Flores[161], Kate Flores[162], Hellmut Kaiser, Charles Neider[163] – eine Zuordnung, wie sie ähnlich schon mehrfach vorgenommen wurde[164].

Als Beispiel für die Implikationen dieses Deutungsansatzes soll der Aufsatz von Kate Flores „The Judgment" dienen, der 1958 in der Sammlung „Kafka Today" abgedruckt wurde.

Die Arbeit beginnt mit biographischen Angaben zur Entstehung der Erzählung „Das Urteil", wie sie im Tagebuch Kafkas (T 293 f. und 296 f.) und in der Biographie Brods[165] beschrieben ist. Nach der Auseinandersetzung mit zwei früheren Deutungen der Erzählung[166] beginnt die Beschäftigung mit dem Text mit der Beobachtung der Veränderung, die Georg Bendemann im Verlauf der Handlung vor den Augen des Lesers durchzumachen scheint. Aus dem Unterschied zwischen der Erscheinung Georgs vor der Auseinandersetzung mit dem Vater und bei deren Anfang und seiner Erscheinung im späteren Teil der Auseinandersetzung wird eine Doppelgesichtigkeit Georgs konstatiert, d. h. der Vorgang der Veränderung im Erscheinungsbild der Handlungsfigur wird durch Eliminierung des dynamischen Textelements der Entwicklung zu einer statischen Gespaltenheit abstrahiert. Die Vorstellung von der Gespaltenheit der Handlungsfigur des Textes wird unverzüglich in eine der Gespaltenheit der Person des Autors hinübergespielt. Während diese Doppelgesichtigkeit Kafkas zuerst als Doppelheit des Eindrucks belegt

---

161 Siehe die Bibliographie in: Angel Flores/Homer Swander, Kafka Today, S. 265.

162 Besonders die Arbeit „The Judgment", die den Deutungsansatz von Kate Flores ganz deutlich werden läßt (vgl. unten).

163 Siehe die Bibliographie in: Angel Flores/Homer Swander, Kafka Today, S. 275.

164 So von Emrich, S. 420, Anm. 10; Richter, S. 13 ff.; B. Flach, S. 2 ff.

165 Brod, Biographie, S. 155 ff.

166 Gemeint sind die Deutungen von Herbert Tauber und Claude-Edmonde Magny. (Vgl. die bibliographischen Angaben in: Kate Flores/Homer Swander, Kafka Today, S. 24, Anm. 2.)

wird, den Kafka auf seine Mitwelt machte[167], wird sie gleich darauf (unter Berufung auf Brod) auf zwei „Tendenzen, die in Kafka um die Oberherrschaft kämpften" übertragen[168], nämlich sein Bedürfnis nach Einsamkeit, die sein Autorentum verlangte, und sein Bedürfnis nach Mitmenschlichkeit. Von da an steht die Analyse des literarischen Textes unter der Dominanz von Begriffen und Begriffsstrukturen, die aus der Psychoanalyse geborgt sind: dualistischen Vorstellungen von „Innen" und „Außen" einer „gespaltenen Persönlichkeit" und dem Schema des „Ödipuskomplexes". Dabei erfordert die Durchführung der psychoanalytischen Deutung des Textes die Gleichsetzung von Textelementen einerseits und Valenzen der „Innerlichkeit" des Autors Kafka andererseits. So wird die „geschäftliche Aktivität" des Freundes in Petersburg mit Kafkas Autorentum gleichgesetzt; das „äußere Ich", also Georg Bendemann in seiner Erscheinungsform beim Beginn des Dialogs mit dem Vater, soll „Kafka, dem Mann", entsprechen, der entschlossen ist zu heiraten; das Selbstgespräch Georgs „ist" in dieser Deutung das Selbstgespräch Kafkas, „eine Objektivation seiner inneren Auseinandersetzung" über die Frage, ob heiraten oder nicht, durch die Bekanntschaft mit Felice Bauer auf die Spitze getrieben: „‚The Judgment' is the product of Kafka's quandary on first meeting Fräulein Bauer, a literary demonstration, for his own benefit, of the utter impossibility of marrying her"[169]. Bleibt im Rahmen dieser Interpretation noch die Schwierigkeit, die Figur des Vaters in das System der Gleichsetzungen einzuführen, seine Beziehungen zum „Freund in Petersburg" zu erhellen. Diese Schwierigkeit wird gelöst, indem auf die Verachtung des alten Kafka für das Schreiben seines Sohnes hingewiesen wird und auf das Bemühen des Sohnes, sein Schreiben vor dem Vater zu verbergen, die schriftstellerische Produktion ganz aus dem Vater-Bereich zu entfernen; dieses Vorhaben aber des Autors Kafka, so die Deutung von Kate Flores, mißlingt: stellt es sich doch in dem gleichsam als Beweismittel vorliegenden Text der Erzählung heraus, daß der alte Bendemann, die Vaterfigur der erzählerischen Fiktion, mit dem „Freund in Petersburg" eine enge Beziehung eingegangen ist und den Freund „hier am Ort" vertritt – das heißt nach der Dechiffrierung mittels psychoanalytischer Deutungsmethode, daß in der Erzählung „Das Urteil" in dem Autor Kafka die Erkenntnis durchbricht, daß all sein Schreiben „nicht nur über seinen Vater, sondern für seinen Vater war"[170]. Und ein Ausblick auf Kafkas weiteres Werk dient dazu, die Dominanz der Vaterfigur darin zu erweisen. Dabei nimmt der Vater, an den Kafka durch einen Ödipus-Komplex gebunden ist, wie es heißt, die

---

[167] Dieser Eindruck wird belegt durch ein Zitat aus Brods Biographie (S. 52 f.) – Kate Flores zitiert nach einer Brod-Übersetzung; hier sind jeweils die Seitenzahlen der deutschen Fassung gegeben.

[168] Brod, Biographie, S. 119 ff.

[169] Kate Flores, The Judgment, S. 16.

[170] Ebenda, S. 23 (Übersetzungen von mir, D. K.).

Dimension einer Art Gott („a kind of God") an, was mit einem Hinweis auf den „Schloß"-Roman belegt wird. Der psychoanalytischen Theorie wird voll Genüge getan.

Die Partie des interpretierenden Textes, in der die Methodik dieses Deutungsansatzes am deutlichsten wird, soll im Wortlaut zitiert sein:

> The judgment – old Bendemann's diatribe – is not what Kafka's father might have said if Kafka were to become engaged. It is what Kafka, the guilty self-torturer, wished his father would say lest he become engaged. In this dreadful self-castigation, this unravelable emotional knot of hatred, love, guilt, despair over the state of his writing and his father's distaste for his writing, the father appears as the externalization of Kafka's unconscious, addressing him with his father's crudeness, incoherence, and melodramatic flourish. Thus the father's disdain for his son's „perfidious notes to Russia" is Kafka's own contempt for his „scribbling", the father's disgust with Georg's susceptibility to his fiancée's attractions is Kafka's own disgust with his susceptibility, and the father's inconsistent attitude toward Georg's engagement (. . .) is Kafka's own vacillation in the face of marriage; for he felt guilty on both scores, guilty for wishing to marry and guilty for not being able to marry.[171]

Die psychoanalytische Deutung in dieser Form der uneingeschränkten Gleichsetzung von Textelementen und Valenzen der Innerlichkeit des Autors setzt voraus, daß das Bedürfnis der Selbstanalyse die Hauptbedingung (wenn nicht gar die einzige Bedingung) des Zustandekommens des literarischen Textes war. Dieser Voraussetzung entsprechend reagiert das Interpretationsunternehmen auf den Text in einer Weise, als ging es ausschließlich darum, Kafkas Innenleben zu klären, Unbewußtes darin ins Bewußtsein zu heben, Kafka zu heilen. *Der Interpret gibt vor, dem Autor gegenüber die Rolle des Psychiaters einnehmen zu können, der Text wird als „Material zur Analyse" verwandt.* Indem die Metaphorik des literarischen Textes als Metaphorik der Traumsprache des menschlichen Unterbewußtseins verstanden wird, gewinnt sie – innerhalb der Theorie des jeweils benutzten psychoanalytischen Begriffsapparats (hier ist es der Freuds) – eine totale Deutbarkeit: als reine Spiegelung des Unterbewußtseins des Autors erscheint der Text restlos erklärbar. Die Komplexheit des fiktionalen Textes ist, so gesehen, nichts anderes als eine Analogie des „emotionalen Knotens" („emotional knot") in der Seele des Autors. Dieser „Knoten", diese Ballung von Komplikationen, ist bei Kafka, so wird zugegeben, besonders groß, und darin wird zugleich auch sein schriftstellerischer Rang gesehen: „The triangular conflict man vs. writer vs marriage might, for most writers, be complication enough. But not for Kafka . . ."[172] Die Schwierigkeiten, denen der Interpret sich demgemäß gegenüber sieht, scheinen keine anderen zu sein als die, denen man als Psychiater durch einen besonders schwierigen

[171] Ebenda, S. 22.
[172] Ebenda, S. 16.

Patienten konfrontiert wird – und das „Interpretationsinteresse“ bei einem solchen Deutungsunternehmen bietet sich dar als analog dem des Psychiaters, also als eines in Weisheit und Güte die Komplikationen entwirrenden Freundes. Den Bedingungen der Rezeption eines literarischen Textes, den Bedingungen somit jeweils anderer geschichtlicher Realität, unter denen ein Text seinen Lesern, Deutern erscheint und entsprechend der Komponente seiner ihm eigenen „Unbestimmtheit“ [173] immer anders erscheint (Bedingungen also, die ein totales, „absolutes“ Erklären des Textes gerade unmöglich machen), wird keinerlei Beachtung geschenkt. *So führt die Deutung, die ihre einzige Aufgabe darin sieht, den Text in der Kausalität seines Zustandekommens, hier in der Kausalität der Mechanismen des Unterbewußtseins des Autors, zu erhellen, zu einer Destruktion des Textes als eines literarisch-fiktionalen: der Text wird in seinen Möglichkeiten des Erscheinens vor dem Leser nicht gefördert, sondern beengt.*

Hans Mayer hat das Unterfangen psychoanalytischer Deutung von Kafkas Werken wie folgt bewertet: „Daß dabei Aufschlüsse über Kafkas seelische Struktur erzielt werden konnten, die auch für die Deutung gewisser Werk-Partien nützlich sein mögen, soll nicht bestritten werden“ [174]. Dem wäre einschränkend hinzuzufügen, daß die „Nützlichkeit“ nur dann gegeben ist, wenn derlei Analysen als Material zu einer Deutung der Texte im Rahmen des ihnen als Gattung Gemäßen geboten werden. Das aber würde größere Zurückhaltung im Formulieren der „Auflösungen“, Vermeidung eben der positivistischen Gleichsetzung von Seelenregung des Autors und literarischem Textelement verlangen. Wo diese kritische Selbstbegrenzung fehlt, ist die psychoanalytische Deutungsmethode eher geeignet, den Zugang zu Kafkas Werk und seiner zeitgenössischen Relevanz zu verschütten.

2.3.3 Der soziologische Ansatz als empirisch-positivistischer

Von den literatursoziologischen Deutungsversuchen der Werke Kafkas lassen sich nicht alle dem Begriff des *reduktiven Deutens* subsumieren.

Hans Norbert Fügen unterscheidet in seiner Systematisierung der literatursoziologischen Methoden zwei Hauptrichtungen, von denen sich eine mehr mit den Umständen des Zustandekommens eines Literaturwerks, den Umständen seiner Vermittlung an das Publikum und den Bedingungen der Rezeption beschäftigt, die andere dagegen, beim Text selbst ansetzend, die in das Werk und seine Strukturen eingegangenen gesellschaftlich-geschichtlichen Bedingungen zu analysieren sucht. Innerhalb der zweiten Hauptrichtung unterscheidet Fügen die thematisch-inhaltlich orientierte Untersuchungsmethode von der strukturell-

---

[173] Iser, S. 8 ff.
[174] Hans Mayer, S. 58.

immanent vorgehenden[175]. Da die meisten Arbeiten zu Kafka, die, der letztgenannten Hauptrichtung (und darin wieder der strukturell-immanenten Methode) folgend, auf eine umfassende Gesellschaftstheorie (in den meisten Fällen eine marxistische) abzielen[176], müssen sie dem spekulativen Deutungsansatz subsumiert und an einer anderen Stelle dieser Untersuchung dargestellt werden. Das *reduktive* Deutungselement überwiegt gewöhnlich bei den von Fügen als „empirisch-positivistisch" klassifizierten Deutungsversuchen, wobei allerdings oft Übergänge in eine literatursoziologische Diskussion von Werkinhalten festzustellen sind.

Folgende zwei Zitate sollen umreißen, welche Umstände des Entstehens der Werke Kafkas zum Gegenstand literatursoziologischer Untersuchungen geworden sind.

Günter Anders schreibt über den gesellschaftlichen Hintergrund des Autors Kafka:

> Als Jude gehörte er nicht ganz zur christlichen Welt. Als indifferenter Jude – denn das war er ursprünglich – nicht ganz zu den Juden. Als Deutschsprechender nicht ganz zu den Tschechen. Als deutschsprechender Jude nicht ganz zu den böhmischen Deutschen. Als Böhme nicht ganz zu Österreich. Als Arbeiterversicherungsbeamter nicht ganz zum Bürgertum. Als Bürgerssohn nicht ganz zur Arbeiterschaft. Aber auch zum Büro gehört er nicht, denn er fühlt sich als Schriftsteller. Schriftsteller aber ist er auch nicht, denn seine Kraft opfert er der Familie. Aber „ich lebe in meiner Familie fremder als ein Fremder".[177]

Und Hans Mayer verweist auf die umfassenderen geschichtlichen Zusammenhänge:

> Wichtiger als die nun einigermaßen bekannte Familiengeschichte der Kafkas ist die Situationsgebundenheit dieses deutsch-jüdischen Juristen in seiner höchst eigentümlichen Prager Umwelt der untergehenden Habsburger Monarchie und des neugeborenen tschechoslowakischen republikanischen Nationalstaates. Ob und in welcher Form sich diese Umschichtungen in Kafkas Werk gespiegelt haben, ob nicht sein Entschluß, den größten Teil seiner Arbeiten vernichten zu lassen, durch Einsicht in neue Wirklichkeiten der Gesellschaft veranlaßt wurde, ist bisher eigentlich noch gar nicht ... untersucht worden.[178]

Die eigentümlichen völkischen, gesellschaftlichen und sprachlichen Verhältnisse, aus denen heraus Kafka seine Werke schrieb, sind inzwischen immer gründlicher analysiert worden, so von Wagenbach[179], Demetz, Eisner und Frynta. Diese Arbeiten, die sich als biographisch-soziologi-

---

[175] Hans Norbert Fügen, Die Hauptrichtungen der Literatursoziologie.
[176] So die Arbeiten von Lukács, Adorno, Richter, Mayer.
[177] Anders, S. 18.
[178] Hans Mayer, S. 67.
[179] Wagenbach, Franz Kafka, Eine Biographie seiner Jugend, S. 66 ff. (besonders).

sche Materialsammlungen darbieten und die Grundlagen für weiterführende Deutungen liefern, sind methodisch unproblematisch.

Kafkas Verhältnis zur Welt der Arbeit und zum Sozialismus ist vor allem von Autoren mit einem umfassenden (marxistischen) gesellschaftstheoretischen Deutungsinteresse (Lukács, Adorno, Richter), aber auch ontologisch-spekulativen Deutern (Emrich, Politzer) untersucht worden. Ein ausgeprägt *reduktives* Deutungselement findet sich jedoch bei den Arbeiten, die sich mit Kafkas jüdischer Abstammung und mit seinem Verhältnis zur jüdischen Theologie und zum Zionismus befassen. Hier, im Bereich der rassensoziologischen Probleme in Kafkas Lebenshintergrund ist der empirisch-positivistische Deutungsansatz am fruchtbarsten geworden. Als Beispiel für diese Variante des *reduktiven* Deutens soll die Geschichte der Interpretationen der Erzählung „Josefine, die Sängerin oder Das Volk der Mäuse" dienen. Der erste, der „Josefine" rassensoziologisch unter Bezugnahme auf Kafkas Verhältnis zum Judentum deutete, war wiederum Max Brod:

> Der negative Aspekt der Judenfrage, die Unhaltbarkeit der jüdischen Situation wird auch in der Erzählung „Josefine, die Sängerin oder Das Volk der Mäuse" klar ... Auf welches Volk die Darstellung der gehetzten schutzlosen Mäusescharen den nächsten Bezug hat, braucht nicht ausdrücklich gesagt zu werden. Wie sich innerhalb der tiefsten Bedrängnis des Volkes immer noch Eitelkeit des Stars, des Literaten, der führenden „Persönlichkeit" geltend macht: diese ironische Darstellung des Protagonisten, der glaubt, nur auf ihn ... habe die Welt gewartet, trifft leider auch eine gerade im jüdischen Partei- und Literaturwesen besonders häufige Erscheinung ... In „Josefine" zeigt sich aber auch bereits der Weg zur positiven Lösung ... Die *Einordnung* des einzelnen in das Schicksal des Volkes, dabei gleichzeitig die strengste Prüfung des Gewissens, die Läuterung, die in der Freiheit des einzelnen liegt, seine tätige Mitwirkung wird verlangt. Der Leser dieser Biographie findet genügend Anhaltspunkte dafür, wie Kafka in seinem speziellen jüdischen Falle diesen Anschluß an das Volk gesucht hat.[180]

Brod liefert die Bezeichnung der Absicht, die dieser Deutung zugrundeliegt, gleich mit: Es geht ihm darum, Kafka als einen von der Sache des Zionismus Betroffenen zu reklamieren. Brod bleibt damit auf der Linie, auf der alle seine Kafka-Arbeiten liegen: es ist sein Anliegen, Kafka durch den Hinweis auf dessen „Glauben und Lehre" als „wegweisende Gestalt" zu erstellen, als einen Verkünder einer weltanschaulichen Überzeugung. So wird das Instrument der soziologischen Deutungsmethode (als einer empirisch-positivistischen) dazu benutzt, eine dem Werk innewohnende Heilslehre zu behaupten. (Hier wird ein spekulatives Element deutlich, indem der Glaube Brods an die Zukunft des Zionismus die Werkdeutung vorherbestimmt.)

---

[180] Brod, Biographie, S. 234 f.

Entsprechend unterschiedlich deutet der christlich-theologisch orientierte Günter Anders die Erzählung von „Josefine“:

> Wie wenig Kafka seine Schriften als Stück jüdischer Theologie aufgefaßt hat, geht aus der ... Geschichte „Josefine“ hervor, in der er eindeutig die jüdische Religion als einen *Zwischenfall* in der Geschichte des jüdischen Volkes darstellt. ... – diese Geschichte ist der endgültige Beweis, daß Kafka, wiewohl religiöser Darsteller des jüdischen Schicksals, der jüdischen Religion kritisch gegenüberstand und ihre Stimme als ein Intermezzo betrachtet hat.[181]

Auch bei Anders dient der soziologische Ansatz nur als Einstieg in eine Beweisführung, deren Ziel die Darstellung bestimmter Gottes- bzw. Religionsvorstellungen des Interpreten selbst ist; das interpretierte Werk dient dazu, diese Vorstellungen als gültig zu erweisen. (Diese Charakterisierung trifft durchaus nicht auf die ganze Kafka-Arbeit von Anders zu.)

Nachdem Wissenschaftler wie Beißner[182], Muschg[183] und Emrich[184] mit ihrer Interpretation von „Josefine“ als einer Entfaltung der Künstlerproblematik von der rassensoziologischen Deutung der Erzählung abgelenkt haben, kehrt Politzer unter Berufung auf Brod und Woodring[185] noch einmal dahin zurück. Woodring hat nachgewiesen, daß Kafka in den Jahren 1910 und 1911 von einer jüdischen Theatertruppe fasziniert war, die Stücke und Opern auf Jiddisch spielte und sang. In einer Tagebuchaufzeichnung von Ende 1911 (T 206 ff.) beschäftigt Kafka selbst sich mit der Bedeutung, welche Literatur im Leben einer kleinen Nation hat. Von diesen beiden Anregungen ausgehend kommt Politzer zu einer Deutung, in der eine Sozialproblematik (die Bedeutung der Nationalliteratur eines kleinen Volks) und die Individualproblematik des Künstlertums einander die Waage halten[186]. Zu einer bedächtigen Wertung all dieser Deutungsmöglichkeiten kommt Hans Mayer:

> Wie also steht es mit der Geschichte der Sängerin Josefine? ... Man stände nicht vor Kafka, gäbe es eine eindeutige Antwort. ... Das jüdische Thema und das Thema des Künstlers, genauer gesagt vielleicht sogar: des modernen Intellektuellen, sie sind beide in die Erzählung verwirkt ... Keine Interpretation aber kann diese Erzählung und auch die meisten anderen des Dichters wie eine Scharade auflösen. Was immer man unterlegen mag: die Dichtung geht niemals ganz auf. Man ist stets in Gefahr, vor Kafka zu versagen, wenn man ihn nicht wörtlich nimmt. So sonderbar es klingen mag: die Erzählung von Josefine ...

---

[181] Anders, S. 94 f.
[182] Beißner, Kafka, der Dichter.
[183] Muschg, S. 545.
[184] Emrich, S. 167 ff.
[185] Woodring, S. 71 ff.
[186] Politzer, S. 437 ff.

handelt nicht bloß von Juden und Künstlern, sondern vor allem einmal von Mäusen und einem Leben unter Mäusen.[187]

Damit sind zugleich die Möglichkeiten und Grenzen einer empirisch-positivistischen Deutung Kafkas aus seinem völkisch-rassisch-gesellschaftlichen Hintergrund heraus umschrieben: *Die Rückführung der „Bedeutung" des Werks auf einzelne darin gespiegelte Sozialbedingungen seines Entstehens und der Versuch einer „totalen Erklärung" dann des Textes unter diesem Teilaspekt müssen zu einer einseitigen und zugleich exzessiven Interpretation führen*, die willkürlich erscheint und der, da sie einer systematisch-überzeugenden Bezugnahme auf den Text entbehrt, beliebig viele Neben- oder Gegenvarianten angefügt werden können. Nur wenn sich das rückführende Deuten als eine Teil-Analyse versteht, wenn es Einzelelemente der gesellschaftlich-geschichtlichen Bedingheit des literarischen Werks liefert und zur Integrierung in eine dichtungswissenschaftlich-systematische Erhellung anbietet, kann es eine den wissenschaftlichen Kafka-Dialog befördernde Funktion haben.

Außerdem zeichnet sich nach diesem Überblick über die reduktiven Deutungsunternehmen innerhalb der Kafka-Literatur die Konsequenz ab, *daß das Werk Kafkas (wie jedes vergleichbar künstlerisch-fiktiv aufgeladene) sich auch aus der Summe der Kausalitäten seines Entstehens nicht als Objektivität, als „Werk an sich" erhellen läßt, daß es bei einem der eigenen Methodik gegenüber kritischen wissenschaftlichen Vorgehen gar nicht um die Erstellung einer endgültigen Eindeutigkeit des Werkes geht, sondern zuallererst um die Klärung der Bedingungen, unter denen der jeweilige Text als dichterisch-fiktiver sich zur Diskussion stellt – Bedingungen, die im Falle des Erzählwerks Kafkas gegeben sind in der Erzählstruktur der Texte. Die Frage, die sich freilich daran anzuschließen hat, ist die, inwiefern und inwieweit sich eben in diesen Erzählstrukturen, diesen Bedingungen des Erzählens, die Gesellschaftlichkeit und Geschichtlichkeit eines Autors und seiner Zeit realisiert und mitteilt. Erst eine solche Fragestellung bietet Raum für die Offenlegung des – seinerseits selbst wieder geschichtlich-gesellschaftlich bedingten – Interesses, aus dem die Werkdeutung erfolgt.* (Vgl. Teil 4 dieser Untersuchung.)

---

[187] Hans Mayer, S. 65 f.

3.1 MOTIVGESTALTUNG UND WELTVERMITTLUNG

Wie die charakteristischen Erzählformen Kafkas nicht nur die Kommunikationsstruktur innerhalb der Texte bedingen, sondern auch bestimmte Ansätze der Deutung des Werks nahegelegt haben, so ist, wie im folgenden gezeigt werden soll, die charakteristische Motivgestaltung und die mit ihr gegebene Modalität der Weltvermittlung in den Erzähltexten Kafkas die Bedingung für den extrem hohen „Unbestimmtheitsfaktor" der episch-fiktionalen Welt Kafkas in sich, für das Unvermögen der Handlungsfiguren, sich in dieser Welt zu orientieren und sich über diese Welt zu verständigen, und zugleich Ursache für die allzugroße Varianz, die Widersprüchlichkeit, ja zuweilen Inkommensurabilität der wissenschaftlichen Äußerungen zum Erzählwerk Kafkas.

Ergab sich bei der Erörterung der Erzählformen Kafkas, daß die Möglichkeiten der Subjektivierung und Relativierung der epischen Wirklichkeit dort in der Vereinzelung der Aspektfigur ihre Wurzel haben, so liegen die Möglichkeiten der Subjektivierung und Verfremdung bei der Motivgestaltung in der Deformation der kulturgeschichtlich tradierten („klassischen") Motive und in der Tilgung des zeitgenössisch-historischen Bezugs.

Die Deformation „klassischer" Motive läßt sich an einigen Erzählskizzen nachweisen und in ihren verschiedenen Formen und Abstufungen untersuchen; die fragmentarische Erzählung „Der Jäger Gracchus", ein von der Kafka-Literatur besonders beachtetes Werk, liefert eine Anschauung von den Konsequenzen, welche die Motiv-Deformation für den Erzähltext als Welt in sich hat. Die Tilgung des zeitgenössisch-historischen Bezugs soll in den Romanen untersucht werden. Der Nachweis schließlich des Prinzips der „hermetischen" Dichtung der episch-fiktionalen Welt Kafkas gegenüber jeder zeitgenössischen „Realität" bietet die Möglichkeit, die Extensivität und Exzessivität des spekulativen Deutens in der Kafka-Literatur als durch das Werk selbst evoziert zu erweisen.

3.1.1 Die Deformation klassischer Motive

Unter den Erzählungen Kafkas fällt diejenige, der Max Brod den Titel „Der Jäger Gracchus" gegeben hat[1], dadurch auf, daß darin wie in kei-

[1] Entstehung zwischen Januar und Mai 1917; Erstveröffentlichung in: Beim Bau der Chinesischen Mauer, Berlin 1931 (hrsg. v. Max Brod und Hans-Joachim Schoeps).

ner anderen Motive gebündelt sind, die einer klassischen Motivtradition zu entstammen scheinen – einer „klassischen" teils im exakt historischen Sinn des Wortes, teils in einem allgemein qualifizierenden, d. h. Motive, die, etwa dem Judaismus oder Christentum entstammend, in die europäische Kulturgeschichte eingegangen und in Kontinuität darin tradiert worden sind. Zugleich bietet diese Erzählung ein Handlungsgerüst, das sich als Versuch einer Kommunikation zwischen den beiden darin agierenden Vordergrundsfiguren verstehen läßt. Die Lese-Erfahrung nun, daß zwar in diesem Text mehrere relativ eindeutig identifizierbare Motive verarbeitet sind, daß aber trotzdem die Binnenwelt des Textes eigenartig undefinierbar erscheint, daß auch die Figuren der Handlung in ihrem Kommunikationsversuch keine Möglichkeit zu haben scheinen, sich über ihre Welt zu verständigen, mag dazu beigetragen haben, daß dieser Text in der Kafka-Literatur so große Beachtung gefunden hat[2]. Besonders eindringlich ist die Feststellung Adornos, der mit Bezugnahme unter anderem auch auf diesen Text sagt: „Vom Verständnis dieser vorgeschobensten, inkommensurablen Produktionen und einiger anderer, die ebenfalls der kurrenten Vorstellung von Kafka sich entziehen, dürfte einmal das Ganze abhängen"[3].

Die Deutungsschwierigkeiten bei „Der Jäger Gracchus" ergeben sich, wie gezeigt werden soll, aus einer für Kafka charakteristischen Deformation der kulturgeschichtlich tradierten Motiv-Gestalt. Ehe aber auf diese größere Erzählung einzugehen ist, soll an einigen kleinen Erzählskizzen aufgezeigt werden, welche Modalitäten der Deformation kulturgeschichtlich etablierter Motive sich bei Kafka feststellen lassen.

3.1.1.1 Arten der Deformation

Klassische Motive im strengen Sinn des Wortes, Motive also, die aus der klassischen europäischen Antike stammen, finden sich in den Erzähltexten Kafkas im „Jäger Gracchus" noch in den Stücken „Der neue Advokat", „Das Schweigen der Sirenen", „Prometheus", „Poseidon". Alle diese Stücke sind – wie auch der „Jäger Gracchus" – zwischen Januar 1917 und Herbst 1920 entstanden. (Eine Zusammenstellung aller Anklänge klassischer Motive in den nicht eigentlich literarischen Texten, vor allem in den Tagebüchern und Briefen, bietet Binder[4].)

„Das Schweigen der Sirenen" (H 78 ff.)

Eine verhältnismäßig eindeutig zu beschreibende Verformung erfährt bei Kafka das von Homer in die abendländische Kulturgeschichte einge-

---

[2] Z. B.: Emrich, S. 13 ff.; Binder, S. 171 ff.; Heselhaus, Franz Kafka, in: Die Religion in Geschichte und Gegenwart, Bd. III, Tübingen 1959, Sp. 1086.

[3] Adorno, S. 329.

[4] Binder, S. 30, Anm. 74.

führte Motiv der „Sirenen“[5]. Bei Homer sind diese den Harpyen ähnliche Wesen, allerdings ohne deren Scheußlichkeit und Macht, Beute zu greifen. Die bildende Kunst späterer Zeiten hat sie gewöhnlich mit Frauenköpfen und Vogelleibern dargestellt[6]. Möglicherweise waren sie ursprünglich „Seelenvögel“, denn sie besaßen die gefährliche, sonst den Toten zugeschriebene Macht, andere an sich zu ziehen. So pflegten sie die Seeleute, die an der Insel, auf der sie hausten, vorbeisegelten, durch ihren Gesang anzulocken; wer aber ihrem Ruf folgte, scheiterte an den Klippen unterhalb des Inselfelsens und ertrank jämmerlich[7].

Bei Homer nun hat Odysseus, auf seinen Irrfahrten in die Gegend der Sirenen verschlagen, sich gegen sie zu wappnen gewußt, ohne doch auf die Erfahrung der Macht ihres Gesanges zu verzichten: Einem Rat der Kirke folgend stopfte er den Gefährten, die rudern mußten, Wachs in die Ohren; sich selbst ließ er am Mast festbinden; so verschaffte er sich den Genuß (die Qual?) des Hörens der Stimmen der Sirenen bei gleichzeitiger Sicherung des Lebens.

Kafka hat den Mythos in einem entscheidenden Sachdetail (absichtlich?) mißverstanden[8]: er läßt den Odysseus *sich selbst* Wachs in die Ohren stopfen und hält zugleich fest, daß er sich am Mast anbinden ließ. Dadurch verliert der Mythenbericht seine motivische Spannkraft: denn jetzt zielen beide Vorkehrungen des Odysseus auf die eigene Sicherheit ab und nicht mehr nur die eine, während die andere, das Freihalten der Ohren, ein Sichaussetzen dem Gesange der Sirenen bedeutet und bezeichnend ist für die unstillbare Neugier, die „kontrollierte Risikofreude“ der Odysseus-Gestalt. Auf eben diese Veränderung baut Kafka seine Variation des Mythos: Die Sirenen, deren Gesang „alles durchdrang“ (also auch das Wachs in den Ohren des Odysseus durchdrungen hätte), schweigen angesichts des auf seine „Mittelchen“ vertrauenden „Helden“. Vorübergehend wird im Text Kafkas impliziert, daß sie Odysseus mit ihrem Schweigen um so sicherer verderben konnten, da dessen Annahme, er habe sie mit dem „Mittelchen“ der Wachspfropfen tatsächlich überwunden, ihn unfehlbar einer „alles fortreißenden Überhebung“ habe ausliefern müssen.

Einer anderen (nicht homerischen) klassischen Variante der Sage nach haben die Sirenen sich aus Ärger darüber, daß Odysseus ihnen entkam, ertränkt; eine von ihnen, Parthenope, soll an der Stelle wieder aus dem Meere aufgetaucht sein, wo heute Neapel steht – daher der poetische

---

[5] Homer, Odyssee XII, 39 ff., 166 ff.

[6] Dieser Sachverhalt war Kafka bekannt; vgl. Br 362.

[7] Vgl. Hunger, H.: Lexikon der griechischen und römischen Mythologie. Wien [2]1954, S. 323 f.

[8] Hasselblatt spricht in diesem Zusammenhang von „konstruktiver Destruktion“ (S. 128), und Walter Benjamin von „kleinen Tricks“, die Kafka in seine „Märchen für Dialektiker“ hineingesetzt habe (S. 203). Den Implikationen solcher Motivdeformation ist keiner von beiden nachgegangen.

Name „Parthenope“ für Neapel[9]. Ein Nachklang dieser Variante liegt wahrscheinlich vor, wenn Kafka erzählt, die Sirenen ihrerseits seien vom Glanz der Augen des Odysseus verzaubert worden: „Hätten die Sirenen Bewußtsein, sie wären damals vernichtet worden. So aber blieben sie, nur Odysseus ist ihnen entgangen.“

Bis zu dieser Stelle ist der Text in seiner darlegenden Redeweise durch die in den Eingangsworten gegebene Absichtserklärung bestimmt: „Beweis dessen, daß auch unzulängliche, ja kindische Mittel zur Rettung dienen können ...“ Danach baut Kafka, angeblich in Anlehnung an einen ebenfalls überlieferten „Anhang“, in Wirklichkeit frei erfindend, das Motiv der Sirenen und des Odysseus zu einer ganz neuen Sage um, der von der Überwindung der Macht der Sirenen durch eine neue in Odysseus verkörperte Macht: „Vielleicht hat er, obwohl das mit Menschenverstand nicht mehr zu begreifen ist, wirklich gemerkt, daß die Sirenen schwiegen, und hat ihnen und den Göttern den obigen Scheinvorgang nur gewissermaßen als Schild entgegengehalten.“ Der „Beweis“, von dem am Anfang die Rede ist, geht über in ein Vermuten („Vielleicht hat er ...“), dessen spielerische Unverbindlichkeit das Entstehen eines anderen, allerdings ganz heterogenen Mythos ermöglicht[10].

Zeichnet man die Modalität der Verformung dieses klassischen Motivs bei Kafka nach, so ergibt sich, *daß der Mythenbericht bereits in der motivischen Grundstruktur* (der Verbindung von „wagemutiger Neugier“ und „Kalkulierung des Risikos“, einem Verhaltensmuster, wie es mit der Gestalt des „schlauen Helden“ Odysseus gegeben ist) *verändert wird und damit, seiner immanenten Spannung und seines geschichtlichen Ortes* (des „homerischen Griechenland“ einer ersten – eben in der Gestalt des Odysseus – sich abzeichnenden Selbstbewußtheit menschlicher Geistigkeit) *beraubt, beliebig benutzt werden kann* – sei es zu einem „Beweis“ einer kindlich-selbstgefälligen Schwäche des „Helden“, einer fast kleinbürgerlich-spießig anmutenden Vorliebe für „Mittelchen“ zur Sicherung des eigenen Ich, sei es zu einer Mutmaßung über eine „alle Vorstellung übersteigende“ Schlauheit.

„Poseidon“ (B 97 f.), „Der neue Advokat“ (E 145 f.)

Ganz anders die Art der Deformation des klassischen Motivs in zwei weiteren Erzählskizzen: zwei mythische Individualitäten werden transformiert unter Beibehaltung eines Teils ihrer figurativen Identität.

---

[9] Vgl. Rose, S. 249, Anm. 1.

[10] Vgl. die Behandlung des Motivs durch B. Brecht in „Odysseus und die Sirenen“. Brecht übernimmt (wie fast immer bei der Verarbeitung „klassischer Motive“) den Mythos in seiner Grundstruktur (seinem Grundgestus) unverändert. Seine „Kritik“ an Odysseus ist „eindeutig“.

Griechisch-römischer Mythentradition zufolge war Poseidon der Sohn des Kronos, Enkel des Uranos, Bruder des Zeus und des Hades und als solcher nach Zeus und neben Hades größter der Götter. Sein Name als der des *Herrschers der Meere* (jonisch „Poseidōn“ bzw. „Poseidaōn“, dorisch „Poteidān“) bedeutet wahrscheinlich „Gemahl der Erdgöttin“, was zu seinem Beinamen „Gaiäochos“ (=Erderhalter) passen würde[11]. Sein eigentlicher mythischer Hintergrund ist nicht sicher bekannt. Eine vertretbare Hypothese ist, daß er seine notorischen Eigenschaften der *Gewalttätigkeit und Wildheit* von Gottheiten des Windes und der Erdbeben geerbt hat. Fast immer wird er als *schlecht gelaunt* geschildert[12], niemals in Ruhe und unermüdlich im Verfolgen seiner Rache[13]. Er ist von ungeheuerer Stärke und, selbst für einen Gott, von wunderbarer *Schnelligkeit*[14]. Sein ständiges Beiwort ist „Erderschütterer“; ein Schlag mit seinem Dreizack genügt, um einen Felsen zu zerschmettern und einen Mann, der darauf steht, ins Meer zu stürzen[15].

Einige Charakteristika nun der klassischen Mythengestalt hat Kafka in seiner Erzählskizze beibehalten: Poseidon ist nach wie vor *Herrscher* aller Meere, und er hat eine *Größe*, die ihm nicht genommen werden kann, auch nicht zugleich mit dem Amt: „Konnte der große Poseidon doch immer nur eine beherrschende Stellung bekommen.“ Sogar von der *Reizbarkeit* des Meergottes ist bei Kafka noch etwas geblieben: Poseidon ist „wütend“, wenn er von Zeus, bei dem er offenbar ab und zu zum Befehlsempfang antreten muß, zurückkehrt. Auch seine körperliche Gewaltigkeit hat er behalten, wenn dieser auch eine gewisse Empfindlichkeit beigegeben zu sein scheint: „... sein göttlicher Atem geriet in Unordnung, sein eherner Brustkorb schwankte.“ Sonst ist das Poseidon-Motiv gleichsam umgestülpt: An die Stelle naturhafter Wildheit ist bürokratische Gewissenhaftigkeit getreten, an die Stelle ungebärdiger Jagden durch die aufgewühlte See – Dienstreisen[16]. Über die noch immer vorhandenen Reste der „überkommenen Vorstellung von Poseidon“, zitiert im Text als Kontrast zu dem, was er dem Textzusammenhang nach wirklich ist, kann dieser sich nur „ärgern“. In der humorigen Darstellung Kafkas ist er sozusagen ein lange Verkannter, der heute angemessener begriffen werden kann[17]. Diese „Umstülpung“ des mythischen Motivs geschieht jedoch unter Beibehaltung der Qualität des Mythischen: Die Poseidon-Gestalt wird nur, so der Text Kafkas, einem angemesseneren

---

11 Rose, S. 62 f.

12 Vgl. Kerenyi: Die Mythologie der Griechen. Zürich 1951, S. 179.

13 So in der Verfolgung des Odysseus, der ihm den Sohn Polyphem getötet hat. (Vgl. z. B. Odyssee V, 282 ff.)

14 Vgl. Ilias XIII, 17 ff.

15 Vgl. Odyssee IV, 505 ff.

16 Vgl. Emrich, S. 81 f.

17 Vgl. Politzer, S. 371. Dort auch der Verweis auf Michel Dentan: Humour et création littéraire dans l'œvre de Kafka. Genf 1961.

Verständnis von der Ausübung herrscherlicher Gewalt entsprechend umgeformt – Herrschaft wird nämlich als bürokratische Amtsausübung verstanden. Symbol dafür ist das Infinitesimal der Aktenführung, und was dem Poseidon auch bei Kafka seine mythische Aura erhält, ist das Element der *Unendlichkeit* der bürokratischen „Berechnungen der Meere": An die Stelle der anschaulich figurierten unermeßlichen Kraft des klassischen Poseidon ist in Kafkas Umformung die abstrakte Macht getreten, die in der Verwaltung der Endlosigkeit des quantitierenden Rechenvorgangs liegt. (Kafkas Vorstellung von der Unendlichkeit der Bürokratie zeichnet sich ab . . .[18])

Eine ganz ähnliche „Umstülpung" des klassischen Motivs unter Beibehaltung seiner Qualität des Sagenhaften läßt sich in dem Stück „Der neue Advokat" an der Gestalt des „Bucephalus" feststellen. Der „klassische" Bucephalus ist das sagenumwobene Streitroß Alexanders des Großen, das seinen Herrn auf dem Weg nach Indien getragen hat. Die Figur, die bei Kafka den Namen des Bucephalus trägt, ist der „neue Advokat", der, obgleich Mensch, deutliche äußere Merkmale des Streitrosses übernommen hat: „. . . hoch die Schenkel hebend, mit auf dem Marmor aufklingendem Schritt" tritt er uns entgegen, wobei das Signal „Marmor" die Pracht mitteilt, in der sein Herr in grauer Vorzeit lebte, der kühne Schritt den Mut des Pferde-Advokaten selbst. Allerdings ist unvermeidlich, daß der Bucephalus in Kafkas Welt eine andere Tätigkeit ausüben muß als seinerzeit, denn: „Niemand kann nach Indien führen." Und: „. . . viele halten Schwerter, aber nur, um mit ihnen zu fuchteln, und der Blick, der ihnen folgen will, verwirrt sich." So muß der Tatendrang des Bucephalus sich in einem anderen Medium entfalten: nicht mehr in die räumliche Unbegrenztheit der Weiten Asiens dringt er ein, sondern in den Bereich, der in der Welt Kafkas allein noch die Qualität des Unbegrenzten hat, freilich im Sinne infinitesimaler Zerkleinerung – er versenkt sich in die Gesetzesbücher und das Paragraphenreich. Auch dort ist endlose Weite – nur leider kein Alexander. Und so erscheint der „Dr. Bucephalus" als ein „Roß von einem Advokaten", in seinem Eindringungsvermögen sagenhaft, in seinem Richtungssinn von Gott und seinem Herrn verlassen.

Im Unterschied zur Motivgestaltung in „Das Schweigen der Sirenen" geschieht in den beiden zuletzt genannten Erzählstücken die Deformation nicht in spielerisch absichtsvollem Mißverstehen integraler Bestandteile der Motivstruktur, sondern unter Beibehaltung der jeweils wesentlichen Charakteristika der Motiv-Gestalt: der mythische Gott „Poseidon" bewahrt seine Herrschaftlichkeit und reizbare Empfindlichkeit wie das sagenumwobene Schlachtroß Alexanders des Großen sein Draufgängertum; ein rational fixierbares tertium comparationis bleibt erhalten. Die groteske Verbildung, „Verfremdung", kommt vielmehr dadurch

[18] Man denke an die Darstellung der Bürokratien im „Prozeß" und im „Schloß" (z. B. P 188 ff., S. 86 ff.).

zustande, daß die klassischen Motiv-Figuren in eine ihnen fremde Umwelt bzw. in eine ihrem ursprünglichen Hintergrund weit entrückte Arbeitswelt versetzt werden. Der prallen Anschaulichkeit der Welt, aus der sie stammen (man denke nur an die Schilderung, die Vergil vom Auftreten des Neptun in der berühmten Seesturm-Szene seiner Äneis gibt![19]) beraubt, müssen sie sich mit dem Lebens- und Tätigkeitsbereich begnügen, der in Kafkas Welt die Qualität mythischer Unendlichkeit bewahrt: der abstrakten mathematisch-juristischen Verwaltung der Welt der Bürokratie. Sie sind Mythenfiguren der Antike im neuzeitlich-bürokratischen Exil. Und gerade dadurch, daß der Leser, der bei Kafka von ihnen liest, sie von der Welt, aus der sie stammen, nicht trennen kann, durch die vom Erzähler listigerweise beibehaltenen Charakteristika an diese Welt der Ursprünglichkeit erinnert wird, das Fehlende ständig vermißt, bekommen die Gestalten des Poseidon und des Bucephalus ihre komisch-groteske Verlorenheit, ihre Inkommensurabilität in bezug auf ihre Umwelt. Auch ein klassisches Mythen-Motiv hat seinen (kultur-) geschichtlichen Ort. Kafka deformiert es, indem er es entwurzelt und deportiert[20].

„Prometheus“ (*H 100*)

Am bedeutungsvollsten unter den hier ins Auge gefaßten Erzählskizzen ist die Bearbeitung des Mythos von Prometheus, da sich aus ihr Kafkas Verhältnis zum klassischen Mythos überhaupt erhellt[21].

Die Skizze geht nur auf einen Teil des Mythos von Prometheus ein, den, der die Strafe und das Ende der Strafenqual behandelt[22]; dafür werden nacheinander vier Varianten geboten. Kafka zitiert den klassischen Mythos insofern noch motivkonform, als Prometheus zur Strafe für seine Verfehlungen gegen Zeus an einen Felsen angeschmiedet wird; dort sucht ihn täglich ein Adler auf, der an seiner Leber frißt; diese wächst über Nacht neu nach. Von der Befreiung des Prometheus gibt es auch in der antiken Tradition des Stoffes Varianten[23], aber sie haben nichts mit

---

[19] Aeneis I, 142 ff.

[20] Zur Frage der geschichtlichen Verwurzelung der „klassischen Figuren“, der Kulturgeschichte (hier speziell: Literaturgeschichte) vgl. Lukács, S. 16.

[21] Was Kafkas Verhältnis zur Tradition insgesamt angeht, siehe die aufschlußreiche Analyse Binders (S. 26 ff.).

[22] Der gesamte Mythos findet sich: Hesiod, Theogonie; Hauptquelle für die Sage ist allerdings Apollodor (I, 45; II, 85; III, 169); wichtig ist außerdem der „Prometheus“ des Äschylos. – Zu dem ganzen Komplex vgl. Rose, S. 51 ff.

[23] Die eine besagt, daß Prometheus ein Geheimnis wußte, an dessen Kenntnis Zeus gelegen sein mußte, so daß Prometheus sich mit der Preisgabe des Geheimnisses freikaufen konnte; die andere besagt, daß Prometheus von Herakles befreit wurde, als dieser auf der Suche nach den Äpfeln der Hesperiden

denen zu tun, die Kafka bietet. Allenfalls ließe sich die erste der Varianten Kafkas mit allerfrühesten Berichten der Prometheus-Sage in Verbindung bringen, denen nach die Strafe „unendlich“ gewesen sein soll; und auf Unendlichkeit deutet in der ersten der von Kafka berichteten „Sagen“ das Zeitadverb hin: „. . . Adler, die an seiner *immer* wachsenden Leber fraßen.“ In den danach gegebenen Varianten löst das Prometheus-Motiv sich schrittweise aus seinen historisch-klassischen Bezügen heraus, ja Prometheus als Sagengestalt selbst löst sich auf. So ist bereits die Vorstellung ungriechisch, Prometheus könne sich, indem er sich immer tiefer in den Felsen hineindrückte, in einem allmählich fortschreitenden Prozeß zu Stein gemacht haben. Die griechische Sage kennt zwar den Vorgang der Versteinerung, aber diese geschieht immer plötzlich und durch Eingreifen der Götter[24]. In den beiden letzten Varianten verliert sich der Mythos als Inhalt – in Vergessen und Müdigkeit, wobei Müdigkeit für Kafka offenbar einen Endzustand in einem umfassenderen Sinne darstellt als der an das Bewußtsein gebundene Vorgang des Vergessens. Müdigkeit senkt sich über den ganzen Kosmos: die Götter, der Adler, ja die Wunde des Prometheus gehen ein in die alles erlösende Müdigkeit. Übrig bleibt die Proklamation des Erzählers von der Unerklärlichkeit des Wahrheitsgrundes. Die Sage kommt aus ihm und sie kehrt in ihn zurück: Unerklärlicher Wahrheitsgrund des Felsengebirges, der alle Ausformungen von Mythen und Mythenabwandlungen überdauert . . . Der Mythos vergeht – aber nicht, indem er von einer Geschichtsepoche des Nachmythischen überholt wird, sondern in einem Kreislauf ontologischer Spekulation: Sage ist vorübergehende Figuration von Wahrheit, als solche vorübergehend anschaulich deutbar, erkennbar (vielleicht), aber doch letztlich dazu bestimmt, sich wieder in das Unerklärliche aufzulösen, das sie zu erklären suchte. Indem der Mythos als tradierte Veranschaulichung von Wahrheit sich auflöst, die Naivität seiner Bilderwelt sich verliert, geschieht die Herstellung des Weltzustands im Wahrheitsgrund, der ein Zustand der Unerklärbarkeit ist[25].

Dieser Unerklärbarkeit der Welt, der Uneinsichtigkeit des Wahrheitsgrundes, dem Inhalt also einer philosophisch-religiösen Überzeugung, entspricht das formale Element der Auflösung der Anschaulichkeit des klassischen Mythenmotivs. So repräsentiert diese kleine Skizze zweierlei: die stofflich-aussagehafte Begründung und die funktionale Demon-

---

durch den Kaukasus kam, wo Prometheus schmachtete. Beide Varianten lassen sich vereinen in der Annahme, Herakles sei auf Weisung des Zeus zur Befreiung gekommen. (Vgl. Rose, S. 53 ff.)

[24] Z. B. Odyssee XIII, 149 ff. (die Versteinerung des Phäakenschiffs durch Poseidon).

[25] Vgl. Emrich, S. 45 ff.; Hasselblatt (S. 114) definiert Kafkas Wahrheitsbegriff als einen „nicht-cartesianischen“, d. h. als einen, der sich außerhalb des cartesianischen Wahrheitskriteriums stellt: omne illud verum est, quod clare et distincte percipitur.

stration der Entkonturierung des von der Kulturgeschichte anschaulich Überlieferten. *Das klassische Motiv als Anschaulichkeit vermittelndes Element, als kulturgeschichtlich eingeführter Informationsträger, als in diesem Sinne „eindeutiges" Kommunikationspotential übernimmt in der Welt Kafkas die Funktion der Verundeutlichung, Entkonturierung, Desorientierung.*

Die Folgen, die sich aus einer solchen Verwendung „klassischer" Motive für die kommunikativen Bedingungen der Erzählwelt Kafkas ergeben, sollen an dem Erzählgebilde aufgezeigt werden, das mehrere Motive als kulturgeschichtlich eingeführte andeutet und zugleich einen Erzählrahmen bietet, der ein Kommunikationsrahmen ist.

3.1.1.2 Die kommunikativen Bedingungen in „Der Jäger Gracchus"

Dieser Text scheint innerhalb des Gesamtwerks von Kafka in mehrerlei Hinsicht eine besondere Rolle zu spielen. Der Autor selbst hat offenbar an diesem zwischen Januar und Mai 1917 entstandenen Erzählstück besonders lange und mühselig gearbeitet. Trotzdem ist es fragmentarisch geblieben. (Zu dem Fragment gibt es noch zwei Paralipomena.) So ist es nicht erstaunlich, daß sich die Kafka-Literatur besonders eingehend damit beschäftigt hat, und zwar vor allem der Teil der Forschung, der dem biographischen Hintergrund des Werkes nachspürt. Besonders zwei neuere Arbeiten haben von der Motiv-Bündelung in diesem Text gehandelt: Während Binder[26] aufzeigt, in welch verschiedenen (Reise-)Erfahrungen Kafka die Anschaulichkeit seiner Motive gewonnen haben könnte, will Pasley[27] in der Erzählskizze „Die Sorge des Hausvaters" eine mystifizierende Beschreibung der Schwierigkeiten der Entstehung bzw. der Heterogenität der stofflich-motivischen Bestandteile des „Jägers Gracchus" durch Kafka selbst erkennen können. Für die folgende Analyse soll der Text des Erzählfragments (ohne die Paralipomena) zugrundegelegt sein, wie ihn die erweiterte Brod-Ausgabe der Erzählungen aus dem Nachlaß (B 99–105) bietet.

Schon der Name der Hauptfigur – von Brod in den Titel genommen – wirkt desorientierend: keinerlei Beziehung ergibt sich zu den aus der antiken Geschichtsschreibung bekannten Trägern dieses Namens, den römischen Sozialreformern Tiberius und Gaius Gracchus. Die wahrscheinlichste Deutung der Funktion des Namens „Gracchus" in dem Kontext dieser Erzählung ist, daß er Kafka als eine Chiffre für seinen eigenen Namen dient[28]. Mit dieser gut belegbaren Deutung des Namens

---

[26] Binder, S. 117 ff. Die Darstellung beruht weitgehend auf: Wagenbach, Franz Kafka in Selbstzeugnissen und Bilddokumenten.

[27] Pasley, Drei literarische Mystifikationen Kafkas, S. 21 ff.

[28] Siehe Wagenbach, Franz Kafka, Eine Biographie seiner Jugend, S. 19; Janouch, S. 18. Vgl. auch den Teil 2.2 („Der Name") dieser Arbeit.

der Hauptfigur als eines Bezugs auf die Individualität des Autors sind die Eindeutigkeiten der Welt dieser Erzählung bereits erschöpft.

Die weitere Betrachtung des Textes soll in drei Schritten geschehen: (1) einer Analyse der Handlungsstruktur unter dem Gesichtspunkt der Interaktion der Figuren, (2) einer Erörterung der Motive, die als „klassische" deutbar erscheinen, (3) einer Deutung der Funktion dieser Motive (bzw. ihrer Deformation) im Rahmen dieser Erzählung als eines Kommunikationsrahmens.

(1) Die Eingangsszene führt – ganz ungewöhnlich für Kafkas Erzählwelt – in eine mittelmeerische Szenerie mit einem Denkmal eines „säbelschwingenden Helden", einem Obstverkäufer und zwei Männern beim Wein. Eine Barke schwebt, „als werde sie über dem Wasser getragen", in den kleinen Hafen. Ein Toter wird auf einer Bahre an Land getragen und in ein Gebäude am Hafen gebracht. Vom Glockenturm her stellt sich ein Taubenschwarm ein und läßt sich vor dem Gebäude nieder. Zu dem Toten kommt ein Herr im Frack, der sich als Bürgermeister des Hafenstädtchens, Riva, erweist. Der Bürgermeister legt dem Toten die Hand auf die Stirn, der wacht auf, fragt seinen Erwecker, wer er sei. Diese Frage ist der Einsatz der Kommunikation zwischen den beiden Figuren, denen in dieser Erzählung Sprache gegeben ist, des Toten-und-doch-nicht-Toten und seines Erweckers, des Bürgermeisters von Riva. Der Auferweckte, so stellt sich heraus, kannte seinen Erwecker längst und er nimmt auch zu Recht an, daß dieser längst wußte, wer er sei: der Jäger Gracchus. Aber während so zwischen den beiden Vordergrundsfiguren wechselseitig kein Zweifel über die Identität besteht, bleibt alles andere hinüber-herüber im Ungewissen. Diese Ungewißheit, die sich im Text in einer Folge von Fragen realisiert, ist zentriert um das weitere Schicksal des Jägers Gracchus und die Ursache für sein Umherirren zwischen Leben und Tod: „‚Glauben Sie aber, Herr Bürgermeister, daß ich in Riva bleiben soll?' ‚Das kann ich nicht sagen', antwortete der Bürgermeister." (B 102) Und weiter: „‚Ein schlimmes Schicksal', sagte der Bürgermeister mit abwehrend erhobener Hand, ‚und Sie tragen gar keine Schuld daran?'" (B 104) Die Frage wird verneint. Wer sonst daran schuld sein könnte, läßt sich nicht klären. (Nur flüchtig taucht die Erwägung auf, der Bootsmann könne Schuld haben.) So endet das Zusammentreffen zwischen dem Bürgermeister von Riva und dem Jäger Gracchus, der Versuch mitmenschlicher Interaktion, das Ereignis, auf das hin der Landgang des umgetriebenen Jägers erzählt ist, mit der Bekundung gegenseitiger Unzuständigkeit:

„Außerordentlich", sagte der Bürgermeister, „außerordentlich. – Und nun gedenken Sie bei uns in Riva zu bleiben?"
„Ich gedenke nicht", sagte der Jäger lächelnd und legte, um den Spott gutzumachen, die Hand auf das Knie des Bürgermeisters. „Ich bin hier, mehr weiß ich nicht, mehr kann ich nicht tun. Mein Kahn ist ohne Steuer, er fährt mit dem Wind, der in den untersten Regionen des Todes bläst." (B 105)

(2) Während der Text so mit der Konstatierung des Abbruchs der Interaktion zwischen den beiden Vordergrundsfiguren endet, eröffnen die letzten Worte dem Leser noch einmal die Möglichkeit, die Motivik des Erzählstücks als eine „klassische" zu probieren.

Wichtigster Bestandteil darin ist die Fahrt mit dem Totenschiff, das im Text mit „Barke", „Todeskahn" und „Kahn" bezeichnet wird[29]. Klassisch-antiker Vorstellung nach[30] werden die Seelen der Abgeschiedenen in einem „Kahn" oder „Nachen" über das Gewässer geführt, das die Welten der Toten und Lebendigen voneinander scheidet. So liegt es für den Leser nahe, den „Bootsmann" Kafkas mit dem Fährmann Charon des antiken Mythos in Verbindung zu bringen; dessen Funktion war es, wie es hier die Aufgabe des „Bootsmanns" wäre, einen Toten in das Reich des Jenseits zu bringen. Folgen wir dieser Assoziationsreihe, dann sind wir versucht, uns den Bootsführer vorzustellen als böse und grob, als einen Kerl, der durch den Obolus im Munde des Toten besänftigt werden muß, als ein Wesen, dessen Unmenschlichkeit sich schon ergibt aus der „Unmenschlichkeit" seiner Funktion. Wenigstens in einem Merkmal läßt sich eine gewisse Übereinstimmung zwischen Kafkas Bootsführer und dem antiken Charon konstatieren: wie Charon immer als ungepflegt, unsauber vorgestellt wurde, so haftet dem Kahn des Bootsführers bei Kafka etwas Verkommenes an, der Passagier auf der Irrfahrt zwischen Diesseits und Jenseits wird schlecht gehalten darin, sein Totenhemd ist „schmutzig", und die Frau des Bootsmannes wird „mit aufgelösten Haaren" gezeigt; vom Bootsmann selbst wird freilich nur gesagt, daß er einen „blauen Kittel" trägt.

Neben dem Motiv der Bootsfahrt aus der Welt des Lebens in die andere Welt ist es noch ein weiterer Motivbereich, der dem Leser klassisch-antik entgegenkommt: der des „wilden Jägers", der nicht zur Ruhe kommt nach seinem Tod. Wohl die bekannteste Personifizierung des der Jagd verfallenen Menschen ist Orion, der so leidenschaftlich jagte, wie er

---

[29] Binder (S. 175) deutet das Motiv des über die Meere geisternden Boots anders. Ohne auf die Bedeutungsnuance von „Barke" und „Todeskahn" (nicht „Schiff"!) einzugehen, sieht er hier das Motiv des „fliegenden Holländers" gegeben, und zwar in der Version der Sage, wie Heine sie bietet; da erwiesen ist, daß Max Brod in seiner elterlichen Bibliothek Heines Werke stehen hatte, nimmt Binder an, auch Kafka habe diese extensiv gelesen. – Vgl. zu diesem Sagenmotiv: Aus den Memoiren des Herrn von Schnabelewopsky, Heines Werke in zehn Bänden, hrsg. v. O. Walzel, Bd. VI, Leipzig 1912, S. 348. Dieser Version der Sage nach ist es dem „fliegenden Holländer" erlaubt, alle sieben Jahre einmal an Land zu gehen und seine Erlösung zu betreiben. – Außerdem weist Binder auf die Nähe zu dem Kafka vertrauten Motiv des „ewigen Juden" hin.

[30] Früheste Erwähnung des Charon in dem „Minyas"-Zitat bei Pausanias X, 28, 2. – Die für die Etablierung des Motivs in der abendländischen Kulturgeschichte wichtigste Stelle dürfte sein: Vergil, Aeneis VI. (Vgl. im übrigen Rose, S. 85 ff.)

liebte – so verfolgte er die Pleijaden, und Jäger und Gejagte wurden von den Göttern unsterblich gemacht, indem sie als Sternbilder an den Himmel geheftet wurden, so daß die Jagd verewigt ist. Auch der Judaismus kennt den „wilden Jäger" – unter dem Namen Nimrod – und ebenso die christlich-germanische Legendentradition[31]. Bei all diesen Verkörperungen des „wilden Jägers" ist aber das Nicht-zur-Ruhe-Kommen nach dem irdischen Leben jeweils die Strafe für ein übermäßiges, schuldhaftes Jagen; die Ursache für das Umherirren zwischen den Welten ist somit eine menschliche und menschlich nachempfindbare Schuld, aus der sich die Strafe unmittelbar einleuchtend ergibt.

Der dritte Motivkreis, den wir wiederzuerkennen glauben, ist der um den „Bürgermeister von Riva" zentrierte, den Mann, der eben noch als „Mann mit Zylinderhut" apostrophiert (B 100), an die Bahre des Jägers Gracchus tritt und auf einmal „der Herr" ist, der „Salvatore" („Erlöser") heißt und dem eine Taube Nachricht bringt[32]. Aber mehr noch als seine Benennungen kennzeichnen ihn seine Bewegungen bei der Erweckung des Jägers: „Er legte seine Hand dem Daliegenden auf die Stirn, kniete dann nieder und betete." Alle Anwesenden haben, damit die Erweckung stattfinden kann, den Raum verlassen müssen. Das alles legt dem Leser nahe, in dem Geschehen in dem Haus am Hafen von Riva Elemente neutestamentlichen Christushandelns wiederzuerkennen[33].

Aber gerade indem wir einige Motive der Kafka-Erzählung als europäisch-kulturgeschichtlich etablierte Motive wiederzuerkennen glauben, sehen wir, bei dem Versuch, sie genauer zu identifizieren, ihre Deformation; und statt der Erstellung irgendeiner relativen Eindeutigkeit irgendeiner etwa von der Erzählung gemeinten stofflichen Aussage (philosophischer oder religiöser Art) hat das „Wiedererkennen" der Motiv-Rudimente die umgekehrte Folge: wir sehen, was alles die Motive in ihrem Anklingen bei Kafka *nicht* signalisieren: die Funktion kommt in den Blick, die die Deformation der angeklungenen Motive für die Erzählung als einen Verständigungsrahmen hat.

(3) Eine erste Problematisierung des die ganze Erzählung umgreifenden Motivs des Todeskahns geschieht schon mit dem Sichtbarwerden des Bootes. Nach einer realistischen Beschreibung mittelmeerischer Szenerie tritt eine plötzliche Verundeutlichung ein: „Eine Barke schwebte leise, *als werde sie über dem Wasser getragen*, in den kleinen Hafen." Um die

---

[31] Eine Quelle, die (nach Binder, S. 174, Anm. 464) Kafka möglicherweise für das Motiv des „wilden Jägers" vorlag, ist: „Der Helljäger und das Hellhaus", in: „Von Nixen und Kobolden und anderen Geistern, Zweites Bändchen der Natursagen", von Paul Zaunert (dreiundfünfzigstes der Blauen Bändchen, hrsg. v. J. v. Harten und K. Henninger, Köln 1914), Nr. 23, S. 40 f. – Vgl. dazu: Wagenbach, Franz Kafka, Eine Biographie seiner Jugend, S. 262.

[32] M.-L. Harder deutet die Taube als „Noahs Taube" und weist auf Verbindungen zum „Aschenputtel" hin (S. 44 ff.).

[33] Z. B.: Lukas 8, 54; Matthäus 8, 13.

Wendung „als werde sie *über* dem Wasser getragen" in ihren Implikationen deuten zu können, wäre es wichtig zu wissen, wer bei diesen Worten als Subjekt der Wahrnehmung anzunehmen ist. Unmittelbar davor war von einem „Obstverkäufer" die Rede, der neben seiner Ware lag und auf den See hinaus blickte. Man ist daher versucht anzunehmen, dieser sei die Aspektfigur, also eine der im Erzählrahmen anwesenden Figuren wie die „zwei Knaben", der „Wirt", das „Mädchen am Brunnen" und die anderen. Wenig später wird dann freilich endgültig deutlich, daß der Erzählerstandort dieses Textes außerhalb des Erzählrahmens liegt[34]; aber selbst wenn wir für diese erste Wahrnehmung der Barke den „Obstverkäufer" (oder eine Position in seiner Nähe) als perspektivierend annehmen, wird nicht klar, wie einem Beobachter am Hafenkai von Riva die Barke erscheint, ob der Eindruck, „als werde sie *über* dem Wasser getragen", ihm befremdlich erscheinen muß oder nicht, mit anderen Worten: ob die Welt von Riva bereits zum mythischen Kontext des „Todeskahns" gehört oder nicht, bzw. inwieweit der Bereich Rivas und die mythische Qualität des „Todeskahns" einander entsprechen. Damit bleibt unter anderem auch die Frage unbeantwortbar, ob der anschließend beschriebene Landgang des toten-lebendigen Jägers Gracchus im Verlauf seiner Irrfahrt etwas relativ Besonderes, also im Hinblick auf eine mögliche Änderung seines Schicksals als dem eines Unerlöst-Irrenden etwas relativ Chancenreiches oder Belanglos-Übliches ist. Das zu wissen aber wäre von Wichtigkeit für den Versuch, das Zusammentreffen des Jägers Gracchus mit dem „Herrn" und „Erlöser" in seiner Bedeutung für das Schicksal des Jägers zu klären.

Der Führer des Todeskahns, der grimme Charon des antiken Mythos, ist in der Deformation des Motivs bei Kafka nicht nur verheiratet, sondern seine Frau trägt auch noch, Familienglück demonstrierend, einen Säugling an der Brust. Und der Bootsführer weiß sich zu benehmen: er begrüßt den „Herrn", feinfühlig schickt er die „Knaben" aus dem Zimmer, in dem der Dialog zwischen den beiden Vordergrundsfiguren stattfinden soll, geht schließlich selbst hinaus. Nichts von der Unmenschlichkeit des klassischen „Fährmanns ins Reich der Toten" – wie ja der Tod selbst in diesem Text gar nichts Furchtbares hat, sondern das Zur-Ruhe-Kommen in ihm das eigentlich Erstrebte ist. Schlimm ist das Umherirren, das Verfehlen des Ziels, und dafür, so möchte man annehmen, müßte doch der Bootsmann verantwortlich zu machen sein. Um so verwirrender ist es festzustellen, daß der Bootsmann und dessen Frau, die den Toten-Lebendigen leiblich versorgt, diesem gegenüber in einer eindeutig dienenden Position bleiben – so vergißt die Frau nicht anzuklopfen, wenn sie dem Toten-Lebendigen „das Morgengetränk des Landes" bringt, dessen Küsten gerade befahren werden. Indem aber der Bootsmann und seine Frau dem Jäger Gracchus gegenüber in einer seinem Schicksal nur dienenden Stellung sind, bleibt alle Verantwortung für die Irrfahrt zwi-

[34] Vgl. Teil 2.1.1 dieser Arbeit.

schen den Welten bei dem Jäger selbst, auch wenn er einmal versucht, die Schuld am Verfehlen des rechten Kurses dem Bootsmann anzulasten. Welche Instanz aber ist es dann, die dem „Führer" des Todeskahnes auferlegt, den Weg ins Reich der Toten zu verfehlen? Wie kann es sein, daß der Bootsmann einerseits dem Jäger Gracchus dient, andererseits aber doch in noch höheren Diensten steht und somit durch seine Schicksalsmächtigkeit dem Jäger überlegen ist[35]?

Der Jäger Gracchus seinerseits ist durch keine ersichtliche Ursache, die in seinem individuellen Leben liegt, auf die Irrfahrt gebracht worden. Das Jagen ist von ihm weder unersättlich maßlos, noch sonst irgendwie frevelhaft (als Versündigung etwa gegen die Schöpfung Gottes wie vom legendären Jäger Hubertus) betrieben worden:

> „Hier liege ich seit damals, als ich, noch lebendiger Jäger Gracchus, zu Hause im Schwarzwald eine Gemse verfolgte und abstürzte... Ich erinnere mich noch, wie fröhlich ich mich hier auf der Pritsche ausstreckte zum erstenmal... Ich hatte gern gelebt und war gern gestorben..." (B 103)

Er klebte nicht an seiner Jäger-Existenz, die Verfehlung allzu unersättlicher Verhaftung an seinem Individualleben ist an ihm nicht auszumachen. Keine Auflehnung gegen das Schicksal hat stattgefunden; ganz unheroisch, einem „großen Jäger", wie er sich selbst bezeichnet, fast unangemessen, stirbt er leicht aus seiner Jagd hinweg: „Glücklich warf ich, ehe ich den Bord betrat, den Lumpenpack der Büchse, der Tasche, des Jagdgewehrs vor mir hinunter..." (B 103 f.) Ganz unvermittelt, akausal tritt dann die Wendung ein, die den glücklich Gestorbenen zu einem zeitlos Irrenden macht: „Dann geschah das Unheil." Vorher schon hatte es geheißen: „Mein Todeskahn verfehlte die Fahrt, eine falsche Drehung des Steuers, ein Augenblick der Unaufmerksamkeit des Führers, eine Ablenkung durch meine wunderschöne Heimat, ich weiß nicht, was es war..." [36]

Es ist unvermeidlich, daß unter solchen Bedingungen der Uneindeutigkeit der Beziehungen der Figuren untereinander, der Akausalität des Handlungsgeschehens, der Unbestimmbarkeit des Handlungsraums (die Begriffe „Diesseits" und „Jenseits" sind auf kein irgend definierbares Weltordnungsgefüge bezogen; nur ganz formalistisch-vage heißt es im Zusammenhang mit dem Tode des Jägers: „Alles ging der Ordnung nach. Ich ... war tot, und diese Barke sollte mich ins Jenseits tragen" [B 103]) der Dialog des Jägers Gracchus mit dem Bürgermeister von Riva zu keinem anderen Ergebnis führen kann als dem Eingeständnis gegenseitiger Unzuständigkeit:

---

[35] Ähnlich gelagert ist das Verhältnis zwischen dem Landvermesser K. und seinen „Gehilfen" im „Schloß".

[36] Vgl. den Schluß von „Ein Landarzt": „... Betrogen! Betrogen! Einmal dem Fehlläuten der Nachtglocke gefolgt – es ist niemals gutzumachen."

Der „Herr“ namens „Salvatore“ wird zwar von einer „Taube“ von der Ankunft des Jägers benachrichtigt, christlich-metaphysische Zusammenhänge scheinen sich anzudeuten („es war wirklich eine Taube“); aber die Taube ist gleichsam ein Zuviel an Taube, sie ist „so groß wie ein Hahn“ – das Symboltier des Heiligen Geistes ist von einem heidnischen Tier gleichsam verschluckt worden. Beide, Jäger wie Bürgermeister, geben anfangs vor, etwas voneinander haben zu können, aufeinander bezogen zu sein; der Jäger fragt, als wäre das wirklich fragbar: „Glauben Sie aber, Herr Bürgermeister, daß ich in Riva bleiben soll?“ (was ja hieße, daß beim Bürgermeister namens „Salvatore“ der Erlösungsort für den Irrenden sein könne), und der Bürgermeister antwortet: „Das kann ich noch nicht sagen“ (B 102). Das „noch“ scheint Hoffnung zu bieten. Aber schon die erste Gegenfrage des „Salvatore“ zeigt seine Rat- und Hilflosigkeit in grotesker Zuspitzung: „Sind Sie tot?“ Und auf die Frage des Jägers, die sich dem Bericht anschließt, daß er einst „der große Jäger vom Schwarzwald“ geheißen habe und daß seine Arbeit „gesegnet“ worden sei: „Ist das Schuld?“ kann er nur antworten: „Ich bin nicht berufen, das zu entscheiden . . . , doch scheint auch mir keine Schuld darin zu liegen. Aber wer trägt denn Schuld?“ (B 104) So bleibt, nachdem der „Salvatore“ sich als unzuständig erklärt hat, als unfähig, seine Funktion, nämlich die Erlösung von Schuld, zu erfüllen, nur das Ausweichen auf den Bootsmann. Unmittelbar darauf geht der Bericht des Jägers in den des anonymen Erzählers über, ja er scheint an dieser Stelle sehr nahe an eine Äußerung des Autors Kafka heranzuführen:

> „Niemand wird lesen, was ich hier schreibe, niemand wird kommen, mir zu helfen; wäre als Aufgabe gesetzt mir zu helfen, so blieben alle Türen aller Häuser geschlossen, alle Fenster geschlossen, alle liegen in den Betten, die Decken über den Kopf geschlagen, eine nächtliche Herberge die ganze Erde. Das hat guten Sinn, denn niemand weiß von mir, und wüßte er von mir, so wüßte er meinen Aufenthalt nicht, und wüßte er meinen Aufenthalt, so wüßte er mich dort nicht festzuhalten, so wüßte er nicht, wie mir zu helfen. Der Gedanke, mir helfen zu wollen, ist eine Krankheit und muß im Bett geheilt werden. Das weiß ich und schreie also nicht, um Hilfe herbeizurufen, selbst wenn ich in Augenblicken – unbeherrscht wie ich bin, zum Beispiel gerade jetzt – sehr stark daran denke. Aber es genügt wohl zum Austreiben solcher Gedanken, wenn ich umherblicke und mir vergegenwärtige, wo ich bin und – das darf ich wohl behaupten – seit Jahrhunderten wohne.“ (B 104 f.)

Grund also der Irrfahrt des Jägers (bzw. des Ausgesetztseins des sich hier äußernden Ichs), Grund dafür, daß ihm nicht geholfen werden kann, ist, daß kein Mensch, auch der „Bürgermeister von Riva“ nicht, sich auf ihn, den der Mitmenschlichkeit Bedürftigen, beziehen kann, ihn „finden“ kann. Und der Raum zwischen „Diesseits“ und „Jenseits“ erscheint, so gesehen, als der Leerraum zwischen dem der Hilfe Bedürftigen und den anderen Menschen. So allgemein ist die zwischenmenschliche Beziehungslosigkeit am Schluß des Erzähltextes konstatiert, so unerbittlich der

Zwischenraum zwischen dem ausgesetzt Irrenden und der von seinem Schicksal unbetroffenen Mitwelt ausgeleuchtet, daß der Text hier („niemand wird lesen, was ich hier *schreibe*") direkte Äußerung des Autors Kafka zu werden scheint. Nur mühsam geschieht die Rückführung des Textes in die Fabel: „‚Außerordentlich', sagte der Bürgermeister . . ."

Die kommunikative Funktion der „klassischen" Motive in dieser Erzählung läßt sich somit wie folgt umreißen:

Die einzelnen Motive werden gerade so weit als kulturgeschichtlich eingeführte Motive erstellt, daß ein Minimum an Identität mit den bekannten Vorbildern erhalten bleibt („Todeskahn" und „Bootsmann des Todeskahns"; der „große Jäger"; der „Herr", der „Salvatore" heißt); eben dieser Identitätskern wird aber zugleich durch konsequente Deformierung des jeweiligen Motivs (der „Todeskahn" als Passagierschiff, der „Führer des Todeskahns" als Mann mit Frau und Kind; der verheiratete und der Frage der Schuld gegenüber hilflose „Salvatore"; der „große Jäger", der seine Jagd freudig aufgibt, dem keine Schuld unmäßiger Jagdgier aus seinem Leben nachfolgt) infrage gestellt, und somit die Bedeutung der Motive innerhalb des Erzählrahmens verundeutlicht. Das wieder hat zur Folge, daß die Beziehungen zwischen den einzelnen Figuren, insbesondere die Beziehungen der beiden miteinander dialogisierenden Vordergrundsfiguren zueinander undefinierbar werden[37]. Kein Weltumriß taucht zugleich mit den Figuren auf, innerhalb dessen sie eine Funktion füreinander übernehmen könnten. *So wird eine Motivgestaltung, die auf eine Separation kulturgeschichtlich tradierter Motive von ihrem (ihnen im Lauf der Geschichte zugewachsenen) Welthintergrund abzielt, dazu benutzt, die Ureinsamkeit menschlicher Existenz zu erweisen, die letzte Unzuständigkeit der Menschen füreinander, ihre Unfähigkeit zu gegenseitiger Hilfeleistung zu veranschaulichen. Anders ausgedrückt: Eine Erzählintention, die auf eine Problematisierung der zwischenmenschlichen Interaktion ausgerichtet ist, realisiert sich bei der Verwendung kulturgeschichtlich tradierter Motive in einer Dekomposition der den Motiven (infolge ihrer Tradition) immanenten Deutungsmöglichkeiten.*

3.1.2 Die Tilgung des zeitgenössisch-historischen Bezugs

Eins der wenigen Erzählstücke Kafkas, die einen eindeutig identifizierbaren zeitgeschichtlichen Bezug haben und diesen (als Anstoß wenigstens zur Entstehung des Textes) auch ausweisen wollen, ist der „Kübelreiter"

[37] Hasselblatt (S. 27 et passim) spricht von „konstitutioneller Vieldeutigkeit" – allerdings nicht in bezug auf die einzelnen Motive und deren kommunikative Funktion, sondern im Hinblick auf die Werke Kafkas als ganze. Sein Aspekt ist kein kommunikationstheoretischer, sondern ein allgemein erkenntnistheoretischer.

(B 120 ff.). Die Skizze entstand im Januar/Februar 1917 und wurde in der Weihnachtsbeilage der „Prager Presse" vom 25. Dezember 1921 veröffentlicht. Als zeitgeschichtlichen Anstoß zu ihrem Entstehen hat schon Brod die Kohlennot der letzten Kriegswinter (Brod spricht, wahrscheinlich unrichtig, vom Winter 1917/18[38]) fixiert, und zu der Zeit und an dem Ort ihrer Erstveröffentlichung dürfte keinem Leser der Bezug zweifelhaft gewesen sein: Hier ist eine Folge des Weltkriegs zum Erzählanlaß genommen. Bezeichnend ist allerdings, wie dieser Realbezug von Kafka überstiegen wird: die Kohlenknappheit wird zur Situation einer „kosmischen Kälte"[39] erweitert. Nicht nur die Figur des Kübelreiters, sondern auch die Entwicklung des Motivs der Kälte lassen das Prag des Jahres 1917 und den ersten Weltkrieg hinter sich zurück, um sich in die „Regionen der Eisgebirge" (B 123) zu verlieren. In einem Paralipomenon zu dem Text, das bei der Erstveröffentlichung weggelassen wurde (H 55), wird das Sich-Verlieren der Kübelreiterfigur in einer Welt, die zugleich von „Schlittschuhläufern" und von „kleinen arktischen Hunden" Spuren zeigt (die Lebewesen selbst sind nicht sichtbar), noch ein Stück weiter ausgemalt. Der Bezug auf die reale Anschaulichkeit des Prager Winters (die „Schlittschuhläufer") und die Akzidentia der davon abstrahierten Welt „urzeitlicher", an Nietzsche erinnernder Eis-Einsamkeit (die Berge, die weißgefrorenen Eisflächen, die „arktischen" Hunde) stehen dabei unvermittelt nebeneinander. Die Tendenz aber der Motiventwicklung gibt eindeutig Aufschluß darüber, wohin Kafkas Kübelreiter sich in dem Prozeß der Wandlung des Bildes der Kälte bewegt hat: aus dem zeitgeschichtlich bedingten Kohlenmangel im kriegsgeplagten Prag („Verbraucht alle Kohle" [B 120]), dem potentiell noch abgeholfen werden kann durch Überredung des Kohlenhändlers zur Milde, in die schicksalhafte Kälte „ontischer Einsamkeit"[40], die durch Kohlenfeuer nicht zu beheben ist. Ob der Kübelreiter die Kohle des Geizes der Frau des Kohlenhändlers wegen[41] oder infolge von grotesken „Mißverständnissen"[42] nicht bekommt, erscheint, vom Ende der sich in diesem Text vollziehenden Motiventwicklung her gesehen, nicht bedeutungsvoll; denn der Kübelreiter nimmt die Abweisung vor dem Hause des Kohlenhändlers, wie auch immer sie zustande kommen mag, als Anlaß, sich aus aller Mitmenschlichkeit und damit zugleich aus jedem zeitgenössischen Zusammenhang zu entfernen (keine Auflehnung etwa gegen gesellschaftliche Verhältnisse, die einen unmenschlichen Geiz wie den der Kohlenhändlersfrau hervorbringen, findet statt). Das Endstadium der Entwicklung

---

[38] B 349; vgl. dagegen die Chronologie von Pasley (Pasley/Wagenbach, Datierung sämtlicher Texte Franz Kafkas, S. 64), der die Entstehung des „Kübelreiters" auf Januar/Februar 1917 festsetzt.

[39] Politzer, S. 140.

[40] Vgl. Lukács, S. 17.

[41] Reimann, S. 609.

[42] Politzer, S. 140.

des in seinem Einsatz zeitgeschichtlich identifizierbaren Motivs entspricht der mythischen Wüsteneinsamkeit, wie sie sich auch am Ende des „Landarztes" (E 151) findet, wie der „Freund" im „Urteil" sie in „Rußland" erlebt (E 53 ff.)[43] und wie sie den Hintergrund zu „In der Strafkolonie" bildet[44].

Wie sich diese Tendenz zur Hinüberspielung eines zeitgenössisch-historischen Bezugs (sei dieser nun gegeben in der Verwendung eines Elements zeitgenössischer Gesellschaftlichkeit, kulturgeschichtlicher Gegenwärtigkeit oder bloßen „österreichischen Lokalkolorits"[45]) in einen Bereich ungeschichtlicher Innerlichkeit, „ontischer Einsamkeit" des Menschen, im Werke Kafkas in charakteristischer Weise darstellt, soll im folgenden unter zwei Leitgedanken untersucht werden: dem der „Privatisierung des Politischen" und dem der Überführung des Gesellschaftlich-Evolutionären in eine Verfassung „geschichtlichen Stillstands".

3.1.2.1 Politisches als Privates

Der einzige Text Kafkas, dessen Schauplatz der Handlung eine geographische Festlegung erfährt und zugleich nicht Kafkas ureigene Prager Welt darstellt, ist das frühe Romanfragment „Amerika"; dieser Text ist auch der einzige, der durch zahlreiche Hinweise (Existenz des Telegraphen, des Telephons, des Automobils etc.)[46] eine Datierung der Ereignisse nahegelegt: Karl Roßmann landet im Amerika der Jahrhundertwende bzw. des ersten Jahrzehnts danach. (Auch im „Schloß"-Roman existiert das Telephon; aber seine Verweiskraft auf eine bestimmte historische Situation ist dort, wie sich zeigen wird, abgeschwächt, ja aufgehoben nicht nur durch andere Motive, sondern durch die Behandlung des Motivs „Telephon" selbst.)

Trotz dieser geschichtlichen Fixierbarkeit von Zeit und Ort der Handlung des Romanfragments ist das Amerika Kafkas in zweierlei Hinsicht ein „unwirkliches". Eine vom Autor nicht beabsichtigte Unwirklichkeit des Amerikabilds ergibt sich aus der Tatsache, daß Kafka niemals in Amerika war, daß er seine Kenntnis von dem Land einem Sammelsurium von Büchern entnahm[47]. Besonders wichtig scheinen für ihn Franklins „Autobiography" und – sonderbarerweise – Werke von Dickens gewesen zu sein, vor allem „ Martin Chuzzlewit" und „David Copperfield"[48].

---

[43] Vgl. auch T 463.
[44] Zur Wüstensymbolik allgemein siehe Sokel, S. 118 f.
[45] Lukács, S. 46.
[46] Gründung der Ford Motor Company 1903, der General Motors Company 1908.
[47] Vgl. Mark Spilka, America, It's Genesis, S. 95 ff.
[48] Ebenda, S. 97 ff.; dort auch (S. 97) der Hinweis auf Klaus Mann, Introduction to „Amerika", New York 1946, S. VII.

Aus diesen Vorlagen hat Kafka offenbar nicht nur Anschauungsmaterial für die amerikanische Szenerie, nicht nur Anregungen zur Knüpfung des Handlungsgeschehens gewonnen (die Episode mit dem Koffer ist angeregt durch „David Copperfield“[49]), sondern auch die Vorstellung von Amerika als dem verheißungsvollen Land, in dem, Franklin zufolge, Väter und Söhne in wechselseitigem Einverständnis miteinander leben[50].

Von größerer Bedeutung aber als die „Unwirklichkeit“ Amerikas, die durch Kafkas Mangel an authentischer Amerika-Erfahrung bedingt ist, ist in diesem Zusammenhang die andere, die sich aus der Gestaltung der amerikanischen Motivik ergibt, insofern diese eine Erzählintention deutlich werden läßt. Freilich lassen sich diese beiden Formen von „Unwirklichkeit“ des Amerika-Bildes bei Kafka in ihrer Ursächlichkeit nicht immer deutlich voneinander scheiden. So gibt Kafka der Freiheitsstatue von F. A. Bartholdi nicht die ihr gebührende Fackel der Freiheit in die Hand, sondern ein Schwert; nun läßt sich, wie Politzer zeigt[51], vermuten, woher Kafkas Anschauung der Freiheitsstatue stammt, und auf dieser Bildvorlage, der Eingangsvignette von Holitschers Amerika-Buch[52], sieht die Fackel einem Schwert „zum Verwechseln ähnlich“; da man immerhin für möglich halten muß, daß mit Kafka sich auch der Lektor und der Verleger geirrt haben, läßt sich nicht ausmachen, ob hier Unkenntnis oder absichtliche Deformation der amerikanischen Empirie vorliegt. Mit Politzer kann aber als sicher angenommen werden, daß das Schwert, falls Kafka es absichtlich für die Fackel in den Text hereingenommen haben sollte, nicht gegen das soziale Unrecht des kapitalistischen Amerika, sondern gegen „das Gewissen Karl Roßmanns“ selbst gerichtet ist – daß also die Deformation eines Elements der Empirie nicht als zeitgenössisch-kritischer Hinweis auf die Deformation der Gesellschaft Amerikas gemeint ist, sondern auf eine Problematik in der Innerlichkeit des Helden hinweist. Denn wenn auch (wie im Teil 2 dieser Arbeit gezeigt wurde) das Verlangen nach einer Gerechtigkeit für alle und eine Art Solidarität der Entrechteten in dem Romanfragment noch anklingt – zum Eingangsmotiv konnte Kafka eine Sozialkritik Amerikas nicht geraten.

Aufschlußreicher als die Eingangsszene dürfte im Hinblick auf die Motivgestaltung eine andere Partie in diesem zwiespältigsten der Kafka-Romane sein, in dem eine pragmatisch aufgegriffene und historisch bestimmbare Empirie mit einer Tendenz zur Entgeschichtlichung und Verinnerlichung im Widerstreit liegt:

In dem Land, in dem Karl Roßmann so realistisch gemalte Wanderungen unternimmt, daß ohne die Gefahr eines Stilbruchs Ortsbestimmun-

---

[49] Vgl. T 535 f.

[50] Mark Spilka, S. 95.

[51] Politzer, S. 188.

[52] Arthur Holitscher, „Amerika, Heute und Morgen, Reiseerlebnisse“, Berlin 1912.

gen wie „Brooklyn" und „East River" (A 125) auftauchen können, wo es einen „Streik der Bauarbeiter" gibt (A 128), wo Karl Roßmann in so realem Sinne Immigrant ist, daß er sich als „Deutscher" bezeichnen kann, und zwar geographisch ganz exakt als Deutscher aus „Prag in Böhmen" (was der Oberköchin im Hotel Occidental die Gelegenheit gibt, eine „Grete Mitzelbach aus Wien" zu sein), wo landsmännische Erinnerungen an das Gasthaus der „Goldenen Gans auf dem Wenzelsplatz" in Prag ausgetauscht werden können (A 149) – inmitten dieses mit Wolkenkratzern und Straßenschluchten, Automobilen und Hotelfahrstühlen so empiriebezogen gestalteten Amerika wird Karl Roßmann Zeuge eines Vorgangs, der einen besonders tiefen Einblick in die zeitgenössische Wirklichkeit des Landes und seiner Gesellschaft zu bieten scheint: Roßmann erlebt eine Demonstration aus Anlaß einer Richterwahl in New York mit – ein Geschehen, dessen Wiedergabe eine der detailliertesten Erzählpartien und einen der sprachlichen Höhepunkte des Buches bildet (A 277–288). Roßmann (und mit ihm der Leser) sind fasziniert: von dem zeitgeschichtlichen Detail der *Wahl* des Richters in Amerika, von der Showhaftigkeit der Wahlpropaganda dort, dem bandwagon-Rummel, der Verquickung von politischer Werbung und Bestechung der Wähler (das Freibier!); die Trommler, Trompeter, die Lampions – die Elemente Kafkaschen Realwissens von Amerika sind unverkennbar: hier wird motivisches Material eingesetzt, das ein beträchtliches Hinweis-Potential auf die politisch-soziale Wirklichkeit des zeitgenössischen Amerika besitzt. Hier reicht, wie gesagt wurde, „die Schilderung nahe an eine Satire auf die amerikanische Demokratie und die Demokratie im allgemeinen heran"[53]. Zugleich zeigt diese Erzählpartie aber auch, wie weit Kafka von einer Darstellung der politisch-sozialen Realität Amerikas um ihrer selbst willen entfernt ist.

Die Schilderung der Demonstration als eines Ereignisses der Wahlpropaganda für eine bestimmte Richterwahl eines Stadtbezirks von New York ist parallelisiert mit der Darstellung eines Geschehens oben auf dem Balkon, von dem aus Karl Roßmann die Demonstration beobachtet. Während Roßmann zusieht, wie der Richter-Kandidat der Macht der Ereignisse um ihn herum hilflos ausgeliefert ist („. . . der Kandidat redete immerfort, aber es war nicht mehr ganz klar, ob er sein Programm auseinanderlegte oder um Hilfe rief . . ." [A 287]), erfährt er selbst am eigenen Leibe eine Überwältigung durch das Weib Brunelda („. . . Und sie drückte Karl noch fester ans Geländer . . ." [A 285]). Die Gewalttätigkeit des Vorgangs auf dem Balkon untermalt nicht etwa die Brutalität und Unsinnigkeit des Geschehens auf der Straße, sondern umgedreht. Während das Motiv der Vergewaltigung auf der Ebene der individuellen Erfahrung Karls konsequent weitergeführt wird, bleibt es mit seiner Valenz der Verweisung auf die politisch-soziale Wirklichkeit Amerikas

[53] Politzer, S. 228.

nur eine Andeutung, eine Motivspur, wie beiläufig, ja zufällig an die Oberfläche des Erzählens gespült.

Daß Karl Roßmann selbst in dem beobachteten Vorgang auf der Straße nur das Sinnlos-Gewalttätige und nicht das sozialpolitisch Relevante gesehen hat, ergibt sich aus seinem Gespräch mit dem „Studenten", das in der Nacht nach der abendlichen Demonstration stattfindet. Als der Student auf die Demonstration Bezug nimmt, sagt Karl: „Ich verstehe von Politik nichts" (A 301). Und auch der Student, der darauf erwidert: „Das ist ein Fehler", meint damit nicht etwa, daß man von „Politik" etwas verstehen müsse, um darin eingreifen zu können, selbst politisch agieren zu können und so etwas zu ändern, sondern – wie seine Erläuterung der Chancenlosigkeit des „passenden Kandidaten" zeigt (A 301 f.) – daß die Kenntnis der Ungerechtigkeit im politisch-sozialen Leben einen von der Illusion befreien kann, sich im privaten Schicksal Gerechtigkeit zu erhoffen: „‚Sie raten mir also, bei Delamarche zu bleiben?' fragte Karl. ‚Unbedingt', sagte der Student..." (A 302) Mit dieser Konklusion ist die Verweiskraft des Motivs der Gewalttätigkeit auf ein Element der zeitgenössischen amerikanischen Politik endgültig erloschen. Das Geschehen unten auf der Straße hat seine motivische Dynamik abgegeben an die Privat-Welt derer, die es vom Balkon aus beobachtet haben.

Wie zwingend sich die Rückwendung aus den gesellschaftlich-geschichtlichen Empirie-Bezügen für Kafka auch bei diesem Erzählstoff eines Handlungsgeschehens mitten im zeitgenössischen Amerika ergab, zeigt das letzte der vorliegenden Kapitel, das Karl ein Mitglied des Theaters von Oklahoma werden läßt, eines Unternehmens, das auf alle ökonomische Rentabilität verzichtet. Jeder ist darin willkommen (A 305), jeder kann darin sein, was er will, denn dieses „Theater" kann „alle brauchen" (A 317). So sehr hat die gesellschaftliche Realität sich hier verdünnt, daß die „Loge des Präsidenten der Vereinigten Staaten" als eines der „Bilder von Ansichten des Theaters von Oklahoma" erscheint, wobei nicht einmal deutlich wird, ob die Loge nicht zugleich „Bühne" ist (A 327). Das so um seine empirische Substanz gebrachte, gleichsam politisch entkernte Motiv amerikanischer Staatsmacht ist damit geeignet, den endgültigen Eintritt Karl Roßmanns in eine gesellschaftslose Welt (eine Welt der „reinen Kunst"?[54]) zu signalisieren.

3.1.2.2 Gesellschaft als geschichtlicher Stillstand

In den beiden späteren Romanen ist die zeitgeschichtliche Empirie so gut wie ganz aus der Motivik verbannt. Zwar läßt sich der Schauplatz der Handlung des „Prozesses" noch als Prag bestimmen, der „Dom" mit sei-

[54] Als eine solche Welt versteht etwa Emrich das „Naturtheater" von Oklahoma (S. 246 ff.).

ner eigenartigen Kanzel als die St.-Veits-Kirche[55], zwar läßt sich das „Urbild" der Szenerie des „Schloß"-Romans noch, wenn man Wagenbach folgen will[56], als Dorf und Schloß Woßeck erweisen, aber diese „Vorlagen" für Kafkas erzählerische Motivik haben keine den dichterischen Produktionsprozeß transzendierende Bedeutung, sie verweisen nicht auf eine vorherzuwissende und im Auge zu behaltende geschichtliche Realität, die mit der erzählten Wirklichkeit in Beziehung gebracht sein will: Forschungsergebnisse wie die Wagenbachs geben Aufschluß über die Produktionsweise Kafkas, aber sicherlich nicht über eine am Erzähltext selbst kontrollierbare Erzählintention[57].

Das soll nicht heißen, daß es in den späteren Romanen Kafkas keinen Bezug auf die dem Autor gleichzeitige gesellschaftliche Realität gibt. „Ist ein Schriftsteller", schreibt Lukács, „mit so ausgeprägt avantgardistischen Überzeugungen, künstlerisch begabt, so drückt sein Gestaltetes bis zu einem gewissen Grad stets auch ein konkretes hic et nunc aus. So wird ... bei Kafka und Musil die Habsburger Monarchie als Atmosphäre des Geschehens fühlbar."[58] Nur erscheint eben, wie zu zeigen sein wird, die zeitgenössische Realität nicht als eine geschichtliche, d. h. nicht als eine Phase eines Prozesses durchgängiger Veränderung des Menschlichen, sondern als einzig vorstellbare und in alle Zukunft unveränderliche Form des menschlichen Lebens und der menschlichen Gesellschaft.

Die Habsburger Monarchie in der letzten Phase ihres Bestehens wird im „Prozeß" sichtbar in der Gestalt der Gerichtsbürokratie und ihrer Schergen, im Geschäftsleben, wie es sich in der Bank abspielt, die Josef K.s Arbeitsplatz ist, erscheint im „Schloß" in der gleichsam endlos gestaffelten Hierarchie der Schloßbeamten, in den Abhängigkeitsverhältnissen zwischen Schloß und Dorf, und deutet sich in beiden Romanen an, freilich weniger ins Auge springend, in den Spuren einer kleinbürgerlichen Moral – besonders einer kleinbürgerlichen Geschlechtsmoral.

Eine Spiegelung einer spätfeudalistischen bzw. frühkapitalistischen Gesellschaft mit „österreichischem Lokalkolorit" zeigt sich in den Anfangspartien des „Prozesses" in der Anmaßung und Skrupellosigkeit der Gerichtsbeamten. Die „Wächter" verzehren K.s Frühstück (P 14), sie wollen seine Wäsche konfiszieren (P 11) und sind im übrigen von einer auffallenden „geistigen Beschränktheit" (P 17); zwar werden sie für ihr unkorrektes Benehmen, über das K. sich vor dem Untersuchungsrichter beklagt, schließlich auch bestraft; aber sie enthüllen K., als dieser sie in Gegenwart des „Prüglers" wiedersieht, das ganze System ihrer eigenen Abhängigkeit, der Abhängigkeit subalterner Beamter in einem riesigen Bürokratie-Apparat. Dieses System, so erfährt man, macht Korruption

---

[55] Politzer, S. 243.
[56] Wagenbach; Wo liegt Kafkas Schloß?. In: Kafka-Symposion. Berlin 1965. (Zitiert wird nach der Taschenbuchausgabe München 1969.) S. 121 ff.
[57] Zu diesem Begriff vgl. Lukács, S. 15.
[58] Lukács, S. 18.

geradezu unvermeidlich, und die Korruption gewinnt Tradition und damit gleichsam eine relative Rechtmäßigkeit darin (P 104). Die Frau des Gerichtsdieners muß dem Untersuchungsrichter zur sexuellen Ausbeutung zu willen sein, und auch der „Student" der Gerichtswissenschaften kommt dabei noch auf seine Kosten (P 72 ff.)[59]. Ähnliche Abhängigkeits- bzw. Hörigkeitsverhältnisse deuten sich im „Schloß" in den Fällen der Beamtenliebschaften (Amalia, Frieda, die Brückenwirtin) an, wobei Amalia die einzige ist, die sich dem Zwang zur sexuellen Hörigkeit entzieht, so daß sie zur Ausgestoßenen innerhalb der ganzen Dorf-Schloß-Welt wird (S 248 ff.). In der Konkurrenz zwischen Josef K. und dem Direktor-Stellvertreter um die Gunst des Direktors, die Nachfolge in der Herrschaft innerhalb der Bank und – mittels des verwalteten Kapitals – in der Gesellschaft überhaupt (die Untertänigkeit der kreditsuchenden Kunden! [P 155 ff.]) werden Konstellationen sichtbar, die typisch sind für die Beziehungen der Menschen in der Epoche des Kapitalismus, die Kafka erlebt hat. Der feudalistischen Welt des „Schlosses" entsprechende ökonomische Abhängigkeitsverhältnisse bestehen zwischen den Vertretern der Schloß-Autorität und den Dorfbewohnern. Anmaßung auf der einen Seite und Unterwürfigkeit auf der anderen bestimmen das Verhalten der Angehörigen der beiden „Klassen" zueinander. Eine Auflehnung der Dorfbewohner gegen die Schloß-Autorität gibt es – außer in Form des verinnerlichten Protestes der Amalia – nicht. Die Art der „Opposition", wie sie ein Mann wie Brunswick vertritt, richtet sich nicht gegen die Herrschaft des Schlosses, sondern hat nur eine Umverteilung der Besitzverhältnisse im Dorf zugunsten der „Opponierenden" zum Ziel (S 92 ff., 199, 268). Das Zimmermädchen Pepi erwartet von K., er könne so etwas wie ein „Mädchenbefreier" werden (S 381), verspricht sich aber von K. durchaus nicht eine allgemeine Auflösung der Abhängigkeitsverhältnisse in der Dorf-Schloß-Welt, sondern nur einen „Mann als Helfer und Schutz" (S 409). Daß in K.s Rolle als eines Zugereisten und Fremden etwas Aufrührerisches und Umstürzlerisches liegt, zumal er in der mythischen Welt der Umgebung des Schlosses als Rationalist und damit als Aufklärer erscheinen muß, hat schon Anders gesehen[60] und Hannah Arendt hat es überbetont[61]. Emrich deutet das Landvermessen überhaupt als einen „revolutionären Akt"[62]. Allerdings versteht er, ebensowenig wie Kafkas „Held" K. selbst, eine derartige „Revolution" nicht als eine politische. Ausdrücklich distanziert sich K. von den „politischen Gründen", die das Handeln eines Mannes wie Brunswick bestimmen (S 199), und seiner Gesamtkonzeption der Deutung der Werke Kafkas entsprechend deutet Emrich den Kampf K.s gegen das Schloß als einen

---

[59] Vgl. Reimann, S. 613 ff.
[60] Anders, S. 27 ff.
[61] Arendt, S. 1055.
[62] Emrich, S. 300 ff.

„universalen“[63]. Daher ist festzuhalten, daß derlei Umstürzlertum, wenn man dergleichen wirklich in dem Kampf K.s sehen will, nichts mit Revolution im Sinne des Marxismus zu tun hat; und ebensowenig hat die Schilderung der Tyrannei eines ausufernden Beamtentums, dem die Bürokratie des kaiserlichen Österreich der Jahrhundertwende die Anschaulichkeit lieh, etwas mit konkreter, auf politische Veränderung abzielender Kritik am System des Spätfeudalismus bzw. Frühkapitalismus zu tun. Vielmehr werden die der zeitgenössischen gesellschaftlichen Empirie entnommenen Motive, ihrer geschichtlichen Dynamik beraubt, in einen fiktiven Weltzusammenhang eingebaut, in dem das Individuum mit seinem subjektiven Rechtfertigungs- bzw. Erlösungsstreben dominiert.

Wie an den gesellschaftlichen Organisationsformen und Institutionen zeigt sich Zeit- und Lokalkolorit der ausgehenden Donaumonarchie im Werke Kafkas an Elementen kleinbürgerlicher Geschlechtsmoral. Eine verhaltene Lüsternheit und eine quälende Schwüle kennzeichnen in Erzählungen wie Romanen das Verhältnis der Geschlechter zueinander.

Als die Schwester Gregor Samsas in der „Verwandlung“ den Zimmerherrn im Hause Samsa auf der Violine vorspielt, wohnen diese der Darbietung wie einer „Vorführung“ bei: sie haben sich ein „schönes oder unterhaltendes Violinspiel“ erwartet. So stehen sie denn, „die Hände in den Hosentaschen“ da, „viel zu nah hinter dem Notenpult der Schwester“, und es wird bemerkt, daß dies „die Schwester sicherlich stören mußte“ (E 129). Dann ziehen sie sich enttäuscht ans Fenster zurück, als das Erscheinen Gregors ihnen den Genuß an der Darbietung nimmt, die offenbar den Reiz einer Prostitution auf sie ausübt. Die latente sexuelle Spannung, die mit den drei fremden Männern in die Wohnung der Familie Samsa gekommen ist, wird noch dadurch erhöht, daß die Schwester ihnen die Betten macht (E 131). Im „Prozeß“ dringt in das unerhörte Geschehen der Verhaftung Josef K.s durch die Dachbodengerichtsbarkeit unvermittelt die Bigotterie und verquälte Lüsternheit, die das Verhältnis von Zimmerherrn, Zimmerdamen und Vermieterin in einer „Pensionsgemeinschaft“, dieser für Kafkas Zeit so charakteristischen Form des Zusammenlebens, kennzeichnet.

In dem Gespräch, das K. am Abend des Tages seiner Verhaftung mit der Vermieterin führt, kommt das Gespräch auf Fräulein Bürstner, und die Vermieterin macht K. auf das möglicherweise zweifelhafte Leben des Fräuleins aufmerksam: „... aber eines ist wahr, sie sollte stolzer, zurückhaltender sein. Ich habe sie in diesem Monat schon zweimal in entlegenen Straßen und immer mit einem anderen Herrn gesehen.“ K. ist über diese Verdächtigung entrüstet: „... ich kenne das Fräulein sehr gut, es ist nichts davon wahr, was sie sagten.“ (P 33) Zugleich aber ist seine eigene Gier erwacht; das Fräulein, das er bisher so gut wie gar nicht beachtet hat, erregt ihn plötzlich, er verzichtet ihretwegen auf den Besuch bei sei-

[63] Ebenda, S. 301.

ner Regel-Geliebten Elsa (P 34), und es beginnt die Ereigniskette, die zu dem tierartigen Überfall K.s auf Fräulein Bürstner führt. Aber auch diese Entladung hat nichts Befreiendes; vielmehr bekommt die Szene etwas bedrückend Zwiespältiges durch den Umstand, daß der „Hauptmann", nur durch eine Tür getrennt und offenbar im Bilde über die Implikationen der zwischendurch lauten Begegnung zwischen K. und dem Fräulein, Zeuge des Auftritts wird (P 42). (Das latente Voyeurtum bei den erotisch relevanten Szenen Kafkas ist schon mehrfach bemerkt worden[64].)

Läßt sich eine derartige erotisch-sexuelle Schwüle und Lüsternheit in Texten wie „Die Verwandlung" und „Der Prozeß" noch mit dem Zentralgeschehen in Beziehung setzen (in der „Verwandlung" über das Inzestuöse des Verhältnisses von Gregor zu Grete und Gregors Eifersucht, im „Prozeß" über die Bedeutung, die K. den Frauen überhaupt in seinem Kampf gegen das Gericht beimißt), so ist die kleinbürgerlich-bigotte Geschlechts- und Ehemoral, wie sie zuweilen im „Schloß" hervortritt, sowohl dem völlig skrupellosen Kampf K.s um Aufnahme in der Dorf-Schloß-Welt als auch der sonst dort herrschenden Promiskuität kraß heterogen. So sagt die Brückenwirtin zu K., als dieser seine Bereitschaft bekundet, Frieda, die er verführt hat, auch zu ehelichen: „Sie sind ein Ehrenmann" (S 67), aber es bleibt uneinsehbar, warum oder inwiefern die Dorf-Schloß-Welt eines solchen Ehrbegriffs bedürfe oder auch nur Wert darauf lege. Weder ist Frieda, wie sich später zeigt, dadurch geschädigt, daß sie einmal K.s Geliebte war, noch ist die zuweilen angedeutete Promiskuität (S 56, 61) als Ärgernis gezeichnet. Beamtenliebschaften sind für die Mädchen im Dorf ohnehin eine Ehre (die Brückenwirtin selbst war ja die Geliebte Klamms), und auch K. selbst ist seinerseits davon angezogen, daß er Frieda gleichsam aus den Armen Klamms bekommt; von Pepi schließlich wird K. angeboten, in die Mädchenkammer zu ziehen und dort eine Kollektivehe zu führen (S 408).

Wie weit nun derlei Elemente der bürgerlichen Moral zur Zeit Kafkas in die Motivstrukturen der Texte integriert sein mögen – entscheidend ist in diesem Zusammenhang, daß diese Moral niemals in ihrer gesellschaftsgeschichtlichen Bedingheit dargestellt wird, daß sie nicht als Folge und Funktion bestimmter ökonomisch-sozialer Zusammenhänge erscheint, als Ausdruck der Verhältnisse innerhalb einzelner Klassen der Gesellschaft bzw. der Beziehungen verschiedener Klassen zueinander. So kommt es, daß überall da, wo in den Texten Kafkas Formen menschlichen Zusammenlebens als gesellschaftlich präformierte erscheinen, eben diese Präformiertheit als unabänderliche, endgültige qualifiziert ist: die Isolierung des gesellschaftlichen Elements von der Geschichte garantiert seine mumienhafte Konservierung[65]. Als besonders signifikantes

---

[64] Allemann, Der Prozeß, S. 260 ff.; Politzer, S. 225 ff.

[65] Zu dem Phänomen der „Verewigung" konkreter Erscheinungen der zeitgenössischen Klassengesellschaft bei Kafka hat sich ausführlich Richter geäußert (S. 265 f.).

Beispiel der Isolierung eines Elements zeitgenössischer Empirie und dessen Verwendung in der Motivstruktur einer aller geschichtlichen Evolution entrückten Text-Welt Kafkas soll das „Telephon“ im „Schloß“-Roman betrachtet werden.

Die Erfindung von Reis (1861), die Bell zu technischer Brauchbarkeit entwickelte (1876) und die erst zu Kafkas Lebzeiten ihre kommerzielle Nutzung fand[66], könnte in einem Roman der Jahre 1921/22 ein Motiv sein, das die neuen damit gegebenen kommunikativen Möglichkeiten veranschaulicht. Tatsächlich scheint bei dem ersten Telephongespräch, das im „Schloß“-Roman in Gegenwart des Landvermessers K. geführt wird, ein „direkter Draht“ zum Schloß gegeben zu sein, das Schloß scheint in seiner telephonischen Erreichbarkeit nahe, zugänglich, antwortbereit. Freilich ist es für K. ebenso überraschend wie für den Leser, daß es in einem Dorf von solcher Weltabgelegenheit ein Telephon überhaupt gibt, und der Erzähler fängt die Überraschung entsprechend auf: „Wie, auch ein Telephon war in diesem Dorfwirtshaus? Man war vorzüglich eingerichtet.“ (S 11) Die vom Schloß kommende Auskunft scheint nach kurzem Mißverständnis bündig, inhaltsreich, bedeutungsvoll: K. wird als Landvermesser akzeptiert. Aber schon beim nächsten Gespräch mit dem Schloß stellt sich heraus, daß das Telephon eher geeignet ist, „Echos“[67] widerhallen zu lassen als Auskünfte zu übermitteln: Alles was K. von sich behauptet, wird vom Gesprächspartner am anderen Ende des Telephondrahts hingenommen – so etwa die Aussage K.s, er sei sein eigener „alter Gehilfe“ Josef (S 33 f.). Die Gefahr, die K., als er sich des Telephons zu bedienen begann, sogleich gewittert hat, realisiert sich nicht: „K. zögerte, sich zu nennen, dem Telephon gegenüber war er wehrlos, der andere konnte ihn niederdonnern, die Hörmuschel weglegen ...“ (S 33) Eine „Verbindung“, ein „Gespräch“ kommt freilich auch so nicht zustande, da das Schloß nicht von sich aus agiert, sich nicht äußert – es sei denn, die glatte und unbegründete Ablehnung von K.s Bitte, ins Schloß kommen zu dürfen, werde als Aktion interpretiert. K. ist es denn auch, der das Telephonieren wieder beendet, und zwar unter Hinnahme des Unvermeidlichen, der Echohaftigkeit dessen, was aus seinem Telephonhörer kommt, mit einem „Gut“ (S 34). So zeigt sich, daß das Telephon in der Dorf-Schloß-Welt gar nicht dann seine wahre Funktion erfüllt, wenn es artikulierte Stimmen, Kommunikationselemente, Fragen, Antworten übermittelt, sondern daß ihm ein Geräusch eigentümlich ist, das mit Meeresrauschen verglichen wurde[68]: „Aus der Hörmuschel kam ein

---

[66] Folgende Zahlen belegen beispielhaft die Ausbreitung des Telephons: Im Jahre 1890 betrug die Zahl der Vermittlungsstellen für Ortsverkehr in Deutschland 258; sie stieg bis zum Jahre 1910 bis auf 6787 (also etwa um das Sechsundzwanzigfache in zwei Jahrzehnten), bis zum Jahre 1920, dann nur noch bis auf 8044. (Zahlen nach dem „Großen Brockhaus“, Ausgabe von 1954, Bd. 4, S. 40.)

[67] Politzer, S. 349 ff. (besonders S. 351).

[68] Politzer, S. 352.

Summen, wie K. es sonst beim Telephonieren nie gehört hatte. Es war, wie wenn sich aus dem Summen zahlloser kindlicher Stimmen – aber auch dieses Summen war keines, sondern war Gesang fernster, allerfernster Stimmen –, wie wenn sich aus diesem Summen in einer geradezu unmöglichen Weise eine einzige hohe, aber starke Stimme bilde, die an das Ohr schlug, so wie wenn sie fordere, tiefer einzudringen als nur in das armselige Gehör ..." (S 32) Der Dorfvorsteher lehrt denn auch K., das Telephon in der Dorf-Schloß-Welt richtig einzuschätzen: „Und was das Telephon betrifft: Sehen Sie, bei mir, der ich doch wahrlich genug mit den Behörden zu tun habe, gibt es kein Telephon. In Wirtsstuben und dergleichen, da mag es gute Dienste leisten, so etwa wie ein Musikautomat, mehr ist es auch nicht ... Im Schloß funktioniert das Telephon offenbar ausgezeichnet; wie man mir erzählt hat, wird dort ununterbrochen telephoniert, was natürlich das Arbeiten sehr beschleunigt. Dieses ununterbrochene Telephonieren hören wir in den hiesigen Telephonen als Rauschen und Gesang ... Nun ist aber dieses Rauschen und dieser Gesang das einzig Richtige und Vertrauenswerte, was uns die hiesigen Telephone übermitteln, alles andere ist trügerisch ..." (S 99 f.) Gerade also artikulierte Äußerungen, wenn sie einmal aus dem Telephon dringen, eindeutige Elemente der Kommunikation, sind „trügerisch", verläßlich dagegen in der Welt dieser Telephone nur das Unverständliche, Unmenschliche. Wehe, wenn einmal die verständliche Stimme eines Gegenübers sich meldet, das eindeutige, da kompetente Auskunft geben könnte: „... Dagegen kann es allerdings in auserlesener Stunde geschehen, daß, wenn man den kleinen Registrator anruft, Sordini selbst die Antwort gibt. Dann freilich ist es besser, man läuft vom Telephon weg, ehe der erste Laut zu hören ist." (S 100) (Hier wird vom Dorfvorsteher das Verhalten als das einzig richtige beschrieben, als das einzig „sichere", dessen K. sich später in der kritischen Szene mit Bürgel befleißigt, wo er sich in den Schlaf flüchtet aus der sich anbahnenden Kommunikation.) So nimmt das der zeitgenössischen Empirie technischen Fortschritts entnommene Motiv immer deutlicher die mythische Qualität des fiktiven Kontextes an. Von seiner Realfunktion, der Verkürzung der Kommunikationswege, abstrahiert, wird das Telephon zur Zapfstelle für irrationale („tiefer als nur in das armselige Gehör" eindringende) Botschaft.

Eine derartige Motivtechnik ermöglicht es Kafka, alle beliebigen – auch technologischen – Phänomene seiner Gegenwart aufzunehmen in seine Texte und doch eine auf zeitlose Ungeschichtlichkeit gestimmte sphärische Geschlossenheit des Gesamtwerks zu wahren.

Von Kafkas Verhältnis zum Problem der Veränderbarkeit gesellschaftlicher Zustände, insbesondere zum Sozialismus, ist in anderen Arbeiten über Kafka genug gehandelt worden[69]. Außerdem bietet die biographische Literatur eindeutige Äußerungen des Autors Kafka selbst zu dem

[69] Politzer, S. 181 ff.; Adorno, S. 322; Richter, SS. 265 ff. u. 287 ff.

Problemkreis[70]. Insofern Kafkas Gesellschaftsverständnis sein Selbstverständnis als Künstler betrifft, wird auch im Rahmen dieser Arbeit noch davon zu berichten sein (vgl. Teil 4.1). Im Rahmen der Untersuchung, wie Kafka zeitgenössische Motivik in seinen Texten verarbeitet hat, lassen sich immerhin folgende Ergebnisse aus dem bisher Gebotenen ableiten und zusammenfassen:

Kafkas Motivgestaltung (soweit es sich nicht um die Verarbeitung „klassischer Motive" handelt) ist durch zwei Momente bestimmt, die einander auszuschließen scheinen: durch die Aufnahme beträchtlicher Massen zeitgenössischer (gesellschaftlicher, sozialer, kultureller) Empirie einerseits und eine auf Zeitlosigkeit zielende (in den Dimensionen von „Rechtfertigung" und „Erlösung" sich entfaltende) Individualproblematik. Die von Kafka realisierte Synthese der beiden Momente hat Adorno (ohne den Beweis aus der Analyse der Motivgestaltung im einzelnen zu führen) wie folgt fixiert: „Kafka durchschaut den Monopolismus an den Abfallsprodukten der liberalen Ära, die von jenem liquidiert wird. *Dieser geschichtliche Augenblick, nicht ein angeblich durch die Geschichte hindurch scheinendes Überzeitliches ist die Kristallisation seiner Metaphysik* ..."[71] Darüber hinaus läßt sich unter Beiziehung der Ergebnisse früherer Teile dieser Arbeit (2.1.2, 3) die Erzähltendenz bestimmen, die zu einer solchen Motivgestaltung geführt hat: Die Konzentration des Erzählinteresses auf eine reine Individualproblematik bedingt eine Verlagerung der motivischen Schwerpunkte in die Bereiche menschlicher Innerlichkeit und eine Verwandlung der Belange der Mitmenschlichkeit (Intersubjektivität) in Funktionen eben dieser subjektiven Immanenz. Unter dem Druck dieser Erzähltendenz wird das „realistisch" aufgegriffene zeitgenössische Motiv seines zeit-*geschichtlichen* Bezugs und der ihm anhaftenden Dimension der Geschichtlichkeit überhaupt entkleidet und einer sphärischen Geschlossenheit des Werkes eingeschmolzen, die ihr Spezifikum in der „ontischen Einsamkeit" als einer „condition humaine" hat[72].

3.1.3 Das hermetische Prinzip

In der bisherigen Kafka-Deutung ist viel Aufwand getrieben worden um die Beantwortung der Frage, welche Form der metaphorischen („übertragenen", „uneigentlichen") Rede die Grundstruktur für Kafkas Erzählen abgebe. Verschiedene Deutungsvorschläge sind gemacht worden – und die gleichen oft aus verschiedenen Gründen. So haben Heldmann, Heselhaus, W. Muschg, Pongs und Politzer die Erzähltexte Kafkas als *Parabeln* identifiziert; Brod wollte sie als *Symbole* verstanden wissen;

---

70 Vgl. z. B. die von Janouch wiedergegebenen Äußerungen (S. 79 f., S. 90 f.).
71 Adorno, S. 320.
72 Vgl. Lukács, S. 17; Richter, S. 291 f.

Heselhaus glaubt außerdem, Züge eines *Antimärchens* darin erkennen zu können, während Marie-Luise Harder im Gegensatz dazu vom *Märchenhaften* im Werke Kafkas spricht; Norbert Fürst klassifiziert Kafkas Texte als *Allegorien*, und denselben Begriff verwendet auch Georg Lukács.

Nun sieht aber Heldmann das Wesen der Parabel darin, daß „im Parabolischen ... das Verhältnis des Menschen zum Absoluten aktualisiert" wird[73], und er nimmt an, daß es zur Parabel als Gattung des Metaphorischen gehöre, „das Unerklärliche zu erklären"[74]. Von einem thematisch-inhaltlichen Vorverständnis der Parabel ausgehend (er bringt Kafkas Erzählen mit dem alttestamentarischen „Maschad" in Verbindung), legt er mit der Definition dieser Form der übertragenen Rede zugleich auch Kafka auf ein bestimmtes religiös-philosophisches Weltbild fest. Auch Adorno spricht zwar (unter Bezugnahme auf Benjamin) von Allegorie und Parabel bei Kafka, sagt aber ausdrücklich, daß das Wesen Kafkascher Parabolik darin besteht, sich nicht auszudrücken durch den Ausdruck, sondern „durch dessen Verweigerung, durch ein Abbrechen". „Es ist", sagt er, „eine Parabolik, zu der der Schlüssel entwendet ward"[75]. Nichts also hier von einem religions- bzw. philosophiegeschichtlich einordnenden Verständnis der Parabel, kein Versuch, die Thematik von Kafkas Schreiben über die Definition der Parabel in den Griff zu bekommen: „Nirgends verdämmert bei Kafka die Aura der unendlichen Idee, nirgends öffnet sich der Horizont"[76]. Während Norbert Fürst von „Geheimtüren" Kafkas spricht, für deren allegorische Bedeutung man nur die richtigen Schlüssel finden müsse (und er glaubt den jeweiligen Schlüssel gefunden zu haben[77]), versteht Lukács die Allegorie in Kafkas Werk nur als eine Allegorie des „Nichts"[78]. Emrich schließlich hat festgestellt, daß Kafka weder Allegorien oder Parabeln, noch Symbole geschaffen habe: „Seine Dichtung ist weder allegorisch noch symbolisch. Sie besitzt vielmehr einen Gleichnischarakter, für den die seitherige Ästhetik und Poetik noch keinen Namen bereitgestellt hat, weil eine derartige Gleichniswelt vor ihm noch nicht in Erscheinung getreten ist"[79]. (Das bewahrt Emrich allerdings nicht davor, Kafkas Werk mit einer hermeneutischen Technik anzugehen, die, wie Hasselblatt gezeigt hat[80], aus der Interpretation der Werke der deutschen Klassik entwickelt ist.)

Fruchtbar wird die Erörterung der Form der Metaphorik in Kafkas Erzählwerk immer dann, wenn mit dem Formbegriff zugleich analysiert

---

[73] Heldmann, S. 30.
[74] Ebenda, S. 69.
[75] Adorno, S. 304.
[76] Ebenda, S. 303.
[77] Vgl. die Auseinandersetzung Emrichs mit Norbert Fürst (Emrich, S. 425, Anm. 64).
[78] Lukács, S. 46 f.
[79] Emrich, S. 81.
[80] Hasselblatt, S. 28.

wird, was für ein Verhältnis zwischen der fiktiven „Binnenwelt" des Erzählten und der – in bezug darauf – transzendenten „Außenwelt" oder „Mitwelt" besteht, wenn also der Vermittlungscharakter (die Kommunikativ-Struktur) des jeweiligen Textes zur Sprache kommt. Dieses Verhältnis von erzählter Welt und im Erzählvorgang angesprochener „Mitwelt" soll im folgenden betrachtet werden, ohne daß Begriffe wie Allegorie, Parabel, Gleichnis, Märchen, Antimärchen, Symbol etc. gegeneinander ausgespielt werden.

Günter Anders hat, um die Anwendung der Begriffe der Allegorie und des Symbols auf Kafkas Werk abzuwehren (auch er hält, wie Emrich, die Erzählkunst Kafkas für ein „neues Phänomen"), die scharfsinnige Bemerkung gemacht, daß Kafka schon deswegen kein Symboliker genannt werden könne, weil bei ihm das „Sym" fehle, also das selbstverständliche Zugehören zu einem göttlichen oder Weltgrunde. In diesem Zusammenhang nennt Anders Kafka einen „Isolationisten". Nur die Sprache selbst und zwar in ihrer radikalen Wörtlichkeit sei es, fährt er fort, was Kafka mit der Welt verbinde[81].

Zu ganz ähnlichen Ergebnissen kommt Marie-Luise Harder bei ihrer Untersuchung über das Märchenhafte bei Kafka, wenn sie wie beim Märchen so auch bei Kafka eine „einheitliche Welthaftigkeit", eine „in sich einheitliche Welt" des Erzählten feststellt[82]. Sie stützt sich dabei auf die Arbeit von Lüthi über die europäischen Volksmärchen, wo der Begriff der „Isolation" auf die handlungstragende und zugleich herausragende Stellung des Helden im Märchen angewandt wird[83]. Tatsächlich ist ja, wie in Teil 2 dieser Erörterung gezeigt wurde, die Erzählwelt Kafkas ganz um die jeweilige Haupt- und Aspektfigur zentriert, so daß die Isolation der Hauptfigur von den Mitfiguren und die Isolation der von ihr als Aspektfigur geprägten Erzählwelt von der „Außenwelt" gar nicht zu trennen sind. Und gerade die „Einheitlichkeit", die Dichte und Geschlossenheit, die „innere Konsequenz" der Erzählwelt Kafkas ist es ja, was sie dem vermittelnden Deuten gegenüber so resistent macht.

Einen interessanten neuen, auf Kafka anwendbaren Begriff für eine bestimmte Form metaphorischer Rede hat F. Martini eingeführt, den des „Existenzsymbols": „An die Stelle des aufschließenden, transzendierenden Weltsymbols tritt in der neueren Dichtung mehr und mehr das deutende Existenzsymbol des vereinzelten Autors, das seine Verbindlichkeit nur von ihm oder aus seiner funktionalen Geltung innerhalb seines erzählten Zusammenhangs erhält . . ."[84] Hier wird der Charakter der Isoliertheit des Erzählten abgeleitet von der Individualerfahrung des

---

[81] Anders, S. 40.
[82] Harder, S. 123 ff.
[83] Lüthi, M.: Die europäischen Volksmärchen, Bern/München 1960.
[84] Martini, Wagnis der Sprache, S. 322.

Künstlers, der sich als „Vereinzelten“ begreift und keine anderen Symbole mehr findet als solche der eigenen Existenz[85].

Politzer nennt Kafkas Werke „paradoxe Parabeln“, deren jede, um einen Kern, den unlösbaren Widerspruch des Paradoxen kreisend, eine Spannung aufrecht erhalte, „die sich nicht aus den dargestellten Vorgängen ergibt, sondern aus dem nie geklärten Verhältnis dieser Vorgänge zu einem in Wortbildern tausendfach und vieldeutig gebrochenen Hintergrund“[86]. In der Unbeziehbarkeit also der fiktiven Welt auf den „vieldeutig gebrochenen Hintergrund“ zeigt sich für Politzer das strukturelle Hauptmerkmal Kafkascher Metaphorik – das Prinzip einer von ihrem „Hintergrund“ abgespaltenen autonomen Erzählwelt.

Diese Diskontinuität der Bildersprache Kafkas in Richtung auf ein eindeutig „Gemeintes“ hat Adorno als „Abgrund“ bezeichnet, aus dem heraus „der grelle Strahl der Faszination“ blendet[87].

Lukács schließlich nennt Kafka einen Allegoriker und schreibt zur Kategorie der Allegorie: „Gerade die Allegorie ist jene – an sich freilich äußerst problematische – ästhetische Kategorie, in welcher Weltanschauungen künstlerisch zur Geltung gelangen können, die eine Zerspaltenheit der Welt infolge ... des Abgrunds zwischen Mensch und Wirklichkeit konstituieren“[88].

Damit ist – von verschiedenen Standorten her – die hochgradige Abschließung der erzählten Welt Kafkas von der zeitgenössischen Außen- und Mitwelt (der zeitgenössisch kontrollierbaren und verifizierbaren „Wirklichkeit“) als Charakteristikum der Metaphorik Kafkas bezeichnet.

Wie sich dieses „hermetische Prinzip“ im Erzähltext manifestiert, soll an zwei Beispielen untersucht werden: an der „Verwandlung“ und an der „Strafkolonie“.

„Die Verwandlung“

Das Zentralmotiv der Erzählung ist das „Käfersein“ des Gregor Samsa. Die Transformation des Menschen Gregor in den Käfer Gregor geschieht übergangslos: „Als Gregor Samsa eines Morgens aus unruhigen Träumen erwachte, fand er sich in seinem Bett zu einem ungeheueren Ungeziefer verwandelt“ (E 71) – ein für Kafka typischer „absoluter Anfang“ eines Erzählstücks[89]. Damit ist die Unaufhebbarkeit, die Endgültigkeit des Käfertums der Hauptperson bereits bezeichnet. Wege in eine Menschen-

---

[85] Der Gedanke ist von Emrich und vor allem von Sokel weitergeführt worden (vgl. Sokel, S. 26 ff.).

[86] Politzer, S. 44.

[87] Adorno, S. 303.

[88] Lukács, S. 41.

[89] Vgl. die Anfänge von „Ein Landarzt“, „Der Prozeß“, „Das Schloß“.

existenz zurück – und seien es nur Möglichkeiten – ergeben sich nicht: Die Mutter hofft zwar auf Besserung (z. B. E 110), aber niemand teilt diese Hoffnung, und Gregors eigene Erwartung einer Besserung durch Hilfe des Arztes ist schon nach dem ersten Tag vorbei (E 85). Das Kätersein hat nur eine Entwicklungsmöglichkeit, die in den Käfertod.

Die Unbedingtheit des Käfer-Motivs ist von den bisherigen Interpreten immer wieder berannt worden, indem sie versuchten, *Gründe* dafür zu liefern, warum Gregor zu einem Käfer und gerade zu einem Käfer werden mußte, indem sie sein Käfersein als *Folge* von Verhältnissen zu deuten sich bemühten, die außerhalb des Motivs liegen: So versuchten die meisten von ihnen[90], das Käfersein Gregors als Folge der Entfremdung im unmenschlichen Berufsleben zu erklären; diese Annahme bietet zweierlei Möglichkeiten der Fortführung der Interpretation: die eine besteht darin, Gregor als ein Wesen zu zeigen, das zum Tier depraviert ist und einen Tiertod sterben muß, weil ein Menschentod seiner nicht mehr angemessen ist; die andere geht dahin, das Tiersein Gregors eben als einen Ausweg aus einem entwürdigenden Berufsleben zu verstehen, als einen Rezeß in eine neue Freiheit des Geistigen (hierbei spielt Gregors Liebe zur Musik eine Rolle [E 130]). Die letztgenannte Interpretationsrichtung hat vor allem E. Edel[91] eingeschlagen. Emrich[92] stellt, wie Binder bei der Diskussion der bisherigen Deutungen der Erzählung aufweist[93], beide Deutungsmöglichkeiten mehr oder minder unverbunden nebeneinander. Binder selbst versucht in einem Strukturvergleich mit dem „Urteil" nachzuweisen, daß das eigentliche Thema der „Verwandlung" die Vater-Sohn-Problematik sei, die sich in Analogie zu der im „Urteil" gebotenen entfalte, und erklärt – mit Sokel[94] – das Zum-Käfer-Werden Gregors als eine Folge seines Umschlossenseins durch die Familie, seiner Gefangenschaft in der Familienwohnung, welche wiederum die Folge seiner „innerlichen Abhängigkeit" von der Familie sei; und zwar werde Gregor, so führt Binder aus, eben dann zum Käfer, als er versucht habe, sich als Mann zu emanzipieren (erst „neulich" hat er sich ein Frauenbild aus einer Illustrierten ausgeschnitten [E 71]), und bei diesem Versuch gescheitert sei[95].

Die Widersprüchlichkeiten und die Bemühtheit der angeführten Interpretationsversuche zeigen, welch hohes Maß an Resistenzfähigkeit das Motiv des Käfertums Gregors gegenüber allen Versuchen besitzt, es rational, d. h. hier in seiner sozialen oder psychologischen Bedingtheit zu vermitteln. Alle anführbaren *Gründe* für das Käfersein Gregors scheinen aus der Erzählung selbst heraus *widerlegbar*.

---

[90] So Heselhaus, Heldmann, Emrich, Edel, Schneeberger. – Vgl. Binder, S. 350.

[91] E. Edel: Franz Kafka, Die Verwandlung, in: Wirkendes Wort 8, 1957/58, S. 216 ff. (besonders S. 218).

[92] Emrich, SS. 120 u. 124.

[93] Binder, S. 350 f.

[94] Sokel, S. 77.

[95] Binder, S. 357.

Worum es nun in diesem Zusammenhang geht, ist, aufzuzeigen, welche Momente der Gestaltung des Käfermotivs das so hohe Maß seiner Isoliertheit, seiner Unvermittelbarkeit ausmachen. Zwei Gesichtspunkte sollen dabei leitend sein: (1) *die Entwicklung und Dynamik von immanenter „Eigenrealität“, die das Motiv entfaltet*; (2) *die Selbstverständlichkeit („Wörtlichkeit“) der Akzeptierung der Motiv-Realität durch die Mitfiguren des Käfers Gregor.*

(1) Das Käfertum Gregors ist sofort mit aller Wucht des Details der Käferrealität vor den Augen des Lesers: der „gewölbte, braune, von bogenförmigen Versteifungen geteilte Bauch“ (E 71), die zappelnden Beinchen (E 71 ff.), ja sogar die Stelle des Bauchs, die offenbar von Milben besetzt ist und juckt: „... die juckende Stelle, die mit lauter kleinen weißen Pünktchen besetzt war ...“ (E 72). Die physiologischen Details der Käfersekretion und Käferverdauung sind in aller Anschaulichkeit gemalt: als Gregor den Schlüssel im Türschloß zu drehen versucht, fließt „eine braune Flüssigkeit“ ihm aus dem Mund und tropft auf den Boden (E 85 f.); er schleppt „Fäden, Haare, Speisereste“ mit sich herum (E 129), er sondert einen klebrigen Schleim ab und hinterläßt „beim Kriechen hie und da Spuren seines Klebstoffes“ (E 108). Der Gestank, den der Käfer aussondert, ist so unerträglich, daß die Schwester es nur bei offenem Fenster im Käfer-Zimmer aushalten kann (E 105). Verstärkt wird die Wirkung dieser Details auf den Leser noch durch die Zumutung, sich den Käfer in Fast-Menschengröße vorzustellen, so breit, daß er nicht unter das Kanapee paßt (E 96) und daß er nicht durch die Tür kommt (E 93). In bestimmter Hinsicht scheint sich die Käferhaftigkeit Gregors im Verlauf der Erzählung zu steigern: Während am Anfang noch seine Menschengewohnheit weiterwirkt, auf der rechten Seite liegen zu wollen (E 72), während er anfangs noch lesen (E 73) und sogar, wenn auch undeutlich, sprechen kann (E 74), setzen diese „Menschlichkeiten“ allmählich aus; zwar ist, als der Prokurist in der Wohnung wartet, das „Nein“ Gregors noch verständlich (E 81 f.), aber gleich darauf gerät eine längere Rede von ihm für die zuhörenden Menschen nur noch zum Tierlaut („Das war eine Tierstimme“ [E 84]). Gregor selbst kommen seine Worte nach wie vor verständlich vor, eine Gewöhnung seines Ohrs an die Tierstimme scheint stattgefunden zu haben (E 85). Dann nimmt seine Käferhaftigkeit darin zu, daß er immer weniger sieht (E 104 ff.) und daß sich beim Essen – im psychosomatischen Käferdetail beschrieben – die Käferbedürfnisse in ihm völlig durchsetzen (E 94). Mit dem Wachsen der Kafermentalität nimmt seine menschenhafte Rücksicht auf die anderen immer weiter ab („Er wunderte sich kaum darüber, daß er in letzter Zeit so wenig Rücksicht auf die anderen nahm; früher war diese Rücksichtnahme sein Stolz gewesen“ [E 129]). Derart entfesselt, nähert er sich seiner musizierenden Schwester trotz der Anwesenheit der Zimmerherrn immer weiter – bis er entdeckt und zum letztenmal in sein Zimmer eingeschlossen wird (E 136). Als er dann „krepiert“ ist (E 137), ist er mit seinem Körper, der „vollständig flach und trocken“ ist (E 141), nur noch ein

toter Käfer, nur noch das „Zeug von nebenan“ (E 141), das „weggeschafft“ werden muß. All dieses anschauliche Detail hat seine Glaubwürdigkeit, seinen „Realitätscharakter“ nur aus und nur in bezug auf die konsequent (gleichsam mit traumhafter Sicherheit) gestaltete Binnenwelt des Motivs; und gerade dieses motiv-immanente „Realitätsdetail“ ist es, was den Leser so heftig affiziert, daß Adorno sagt, es käme auf einen los „wie Lokomotiven“[96].

(2) Was aber die Lese-Erfahrung mit dem Käfermotiv noch bestürzender macht als alles anschauliche Detail, ist die Selbstverständlichkeit („Wörtlichkeit“), mit der der Käfer von allen Mitfiguren als Käfer akzeptiert wird. So sehr die Mitfiguren den Käfer verabscheuen, hassen, so mühelos verzichten sie auf die Reminiszenzen an sein ehemaliges Menschentum: zuerst der Vater (E 91 ff.), zuletzt die Schwester (E 133). Daß der Sohn und Bruder in einer Familie über Nacht ein Käfer werden kann, ist in diesem Kontext eine böse Überraschung – vergleichbar etwa der, plötzlich einen Bankrotteur als Sohn und Bruder zu haben; aber die Welt dieser Familie (und aller anderen Personen, die in die Familienwohnung kommen und dort Gregor begegnen) wird dadurch nicht aus den Angeln gehoben: daß ein Mensch plötzlich zum Käfer wird, läßt auch nicht *ein* anderes Weltdetail zweifelhaft werden; finanzielle Erwägungen, gesellschaftliche Bedenken bleiben weiterhin so notwendig wie sinnvoll. Insofern also die Käferexistenz Gregors von den Mitfiguren als eine „Menschenmöglichkeit“ akzeptiert wird, insofern man sich mit Menschenworten darüber verständigen kann, daß der Sohn und Bruder zum Käfer geworden ist, insofern man fähig ist, einheitlich, ja mit wachsender Familiensolidarität darauf zu reagieren (E 100) und sich schließlich sogar darüber zu verständigen, daß der Käfer nun wirklich nichts mehr mit dem Sohn und Bruder zu tun habe (als er die Familie gleichsam blamiert hat [E 133 f.]), läßt sich sagen, daß das Käfermotiv den Gesamtrahmen der Erzählung erfüllt, daß die gesamte Welt der „Verwandlung“ eine Käfer-Welt ist – d. h. eine Welt, in der Menschen zu Käfern werden können. So reagieren die Mitfiguren des Käfers Gregor bezeichnenderweise auf die Verwandlung nicht mit der Frage: Wie war das möglich?, sondern der anderen: Wie werden wir das Untier los?, und es geschieht durch direkte Gewalteinwirkung von seiten eines „Mitmenschen“, daß Gregor zu Tode gebracht wird (der Apfelwurf des Vaters [E 117 f.]). Hier sind die Menschen ihres Käfers und der Käfer seiner Menschen wert. So gesehen ist die Welt der Familie Samsa auch nach dem Tode Gregors noch von dem Käfer-Motiv beherrscht: eine Welt, aus der man einen zum Käfer gewordenen Menschen unauffällig beseitigt hat. Und unter dem Schatten dieses Motivs steht es, wenn erzählt wird, daß die Schwester Gregors „ihren jungen Körper dehnte“ (E 142).

Eine Distanz auf eine andere Welt (die Welt des Lesers) wird nicht bezeichnet; die Unmöglichkeit, daß aus Menschen Käfer werden können,

---

[96] Adorno, S. 304.

wird nicht vermißt. So bleibt die Käferwelt (mit allem, was etwa sonst darin noch möglich ist) mit sich allein – abgeschirmt durch eine auf motivische Zentriertheit und Verabsolutierung der erzählten Binnenwelt abzielende Erzähltendenz.

„In der Strafkolonie"

In dieser Erzählung ist die Isolation in das Motiv selbst hineingenommen: die „Strafkolonie" ist eine Insel, von aller Mitwelt, zumal dem „Abendland" des Forschungsreisenden (E 221) durch unabschätzbare Distanzen getrennt.

Dabei scheint diese Geschichte von Kafka selbst als Geschichte eines Epochenwechsels konzipiert worden zu sein – und sogar in ihrer vorliegenden Form ist sie als solche gedeutet worden. Wäre eine Interpretation der Erzählung aber als der Darstellung des Übergangs eines Zeitalters in ein anderes möglich und überzeugend, dann wäre damit ein Fall gegeben, wo die Erzählwelt Kafkas nicht statisch, sondern dynamisch ist, dann wäre mit der Thematik des Zentralmotivs (Anfangsmotivs) auch das Prinzip der Motiv-Isolation darin überwunden; dann wäre diese Erzählung einer Deutung unter den Kategorien geschichtlicher Evolution nicht entrückt, dann träfe für dieses Stück das Dictum Adornos nicht zu, Kafkas Werk verhalte sich „hermetisch . . . auch zur Geschichte"[97].

Zentrum der Eigenart der Strafkolonie ist der „Apparat", von dem der dafür zuständige Offizier selbst sagt, daß er „eigentümlich" sei (E 199). Der „Apparat" ist die Hinrichtungsmaschine, die letzte Konkretisierung eines Rechts- und Gerichtssystems, das von dem „alten Kommandanten", dem Konstrukteur auch des „Apparats", auf den Gipfel seiner Vollendung geführt worden ist.

Das Wesen dieser Hinrichtungsmaschine besteht darin, daß in ihr dem Verurteilten das Urteil „auf den Leib geschrieben" wird[98], daß Verkündigung des Urteils und Hinrichtung also zusammenfallen (E 205). Dieses Gerichts- und Hinrichtungsverfahren hat auf der Insel Tradition gewonnen, war – bis vor kurzem noch – das einzig denkbare. Die Hinrichtungen waren jeweils Volksbelustigungen, an denen auch und ganz besonders die Kinder teilnahmen, damit die Selbstverständlichkeit der Tradition gewahrt bleibe (E 218). Die Gewöhnung der Inselbewohner an den „Apparat" äußert sich im Verhalten des Verurteilten: Er zeigt sich der Maschine gegenüber durchaus gefaßt, ja er zeigt Interesse ihr gegenüber (E 205); er empfindet „fast eine Erleichterung", als er endlich in den „Apparat" hineingelegt wird (E 213) und fängt sofort von dem Reisbrei

---

[97] Ebenda, S. 321.

[98] G. Anders vermutet, daß Kafka aus der Wörtlichkeit dieser Metapher das Stimulans für diese Erzählung gewonnen habe (S. 41).

zu essen an, der für seine Stärkung während des auf zwölf Stunden berechneten Hinrichtungsvorgangs vorgesehen ist (E 218).

Zu dem Zeitpunkt aber nun, an dem der Forschungsreisende die Insel der Strafkolonie betritt, ist nach dem Tode des alten Kommandanten der „neue Kommandant" gerade dabei, „ein neues Verfahren" der Justiz einzuführen (E 204), eine Änderung, die offenbar innerhalb eines allgemeinen Veränderungsprozesses auf der Insel zu sehen ist, zu dem es etwa auch gehört, daß die Insel neue Häfen bekommt (E 224); offenbar signalisieren diese Hafenbauten eine für die Zukunft vorgesehene weitergehende Öffnung der Isolation der Insel gegenüber der Außenwelt.

Die Funktion, die dem Forschungsreisenden nun zufällt, besteht darin, durch seine Stellungnahme zu dem Hinrichtungsverfahren zu entscheiden, ob das alte Rechts- und Hinrichtungsprinzip beibehalten werden soll oder ob die Veränderungen, die der neue Kommandant ins Werk gesetzt hat, beschleunigt und konsequent durchgeführt werden. Diese Alternative baut der Offizier vor dem Forschungsreisenden auf, in der festen Annahme, daß der Forschungsreisende, wie er selbst, von den Vorteilen des bisherigen Verfahrens überzeugt sei und es erhalten wissen wolle: „... Ihrer tiefen Einsicht entsprechend halten Sie es für das menschlichste und menschenwürdigste ..." (E 221). Der Reisende aber ist ganz anderer Meinung, ist ein „Gegner" des Verfahrens (E 226). Damit ist das Ende des alten Verfahrens, damit ist der Tod der Maschine gekommen. Entscheidend aber nun für die Deutung dieses Auflösungsprozesses, der das Ende einer alten und den Beginn einer neuen Zeit bezeichnen könnte, ist, wie im Erzähltext die Vernichtung des „Apparats" vor sich geht:

Der Tod der Maschine und damit des in ihr konkretisierten Rechts- und Gerichtssystems geschieht nicht durch Einwirkung von außen, nicht weil der Offizier, dem die Maschine anvertraut ist, durch den Forschungsreisenden eines Besseren belehrt worden ist; vielmehr frißt der „Apparat" sich gleichsam selbst, indem er sich während der Vollstrekkung des Urteils „Sei gerecht!" am Richter, dem Offizier, in seine Bestandteile auflöst (E 228 ff.). Die Einwände, die der Reisende gegenüber der Maschine zu machen hätte, werden gar nicht erst ausgesprochen. Die Vernichtung des „Apparats" geschieht in dessen eigener Konsequenz, so wie der Tod des Offiziers, des Nachlaßverwalters des „alten Kommandanten", aus eigener Entscheidung erfolgt: als Selbstmord.

Mag sein, daß auf der Insel nach dem Tode des Offiziers eine neue Zeit begonnen hat – der Text legt nicht nahe, an diese neue Epoche zu denken. So sagt zwar Emrich von der Erzählung, sie gestalte ausdrücklich und thematisch das Problem der geschichtlichen Wende zur Neuzeit, die Frage nach der absoluten und der modernen „humanen" Gerichtsordnung[99], – aber die neue Zeit ist motivisch nicht entsprechend präsent. (Die Motive der „Damen des neuen Kommandanten" und ihrer

[99] Emrich, S. 221.

„Taschentücher" – sie gelangen in den Text nur durch ihre Erwähnung durch den Offizier – entwickeln keine anschauliche Eigenmächtigkeit, keine die Erzählung prägende Dynamik, und der Schluß der von Kafka in den Druck gegebenen Fassung der Erzählung weist gleichsam über sie hinweg in eine Zukunft der Insel, die eine Wiedergeburt der Vergangenheit ist. – Vgl. unten!) So bleibt das Motiv des „Apparats" unangefochten und allein[100]. Daß der Offizier sich, als ihm die Zeit gekommen scheint, freiwillig selbst unter die Nadeln der mörderischen Maschine legt, daß diese sich selbst vernichtet, zeigt die Größe und die Konsequenz der darin konkretisierten Ordnung. Ja, in ihrem Untergang geschieht eine Art Apotheose der alten Ordnung: Der „Apparat" beginnt, ohne in Gang gesetzt worden zu sein, zu arbeiten (E 232), er arbeitet, indem er dabei sein eigenes Inneres ausspeit, viel rascher als sonst (E 233), der Tod des Richters kommt in Minutenschnelle, und der Tote hat seine Überzeugung von Gerechtigkeit in den Tod mit hinübergenommen, von keiner „Erlösung" verändert: „. . . das Gesicht der Leiche. Es war, wie es im Leben gewesen war; kein Zeichen der versprochenen Erlösung war zu entdecken; was alle anderen in der Maschine gefunden hatten, der Offizier fand es nicht; die Lippen waren fest zusammengepreßt, die Augen waren offen, hatten den Ausdruck des Lebens, der Blick war ruhig und überzeugt, durch die Stirn ging die Spitze des großen eisernen Stachels." (E 234)

Sokel hat darin, daß dem Offizier die „Erlösung", die im Begreifen des Urteils liegt, nicht zuteil wird, ein Anzeichen von Tragik in diesem Tode gesehen[101] – er übersieht die triumphalen Züge dieses Selbstgerichts: Dem Offizier braucht keine Erlösung zu kommen. Das der Maschine von dem alten Kommandanten eingepflanzte Programm setzt voraus, daß der Richter immer Recht hat („. . . die Schuld ist immer zweifellos . . ." [E 206]). „Sei gerecht!" aber ist ein Urteilsspruch für den Richter; den kann die Maschine nur unter gleichzeitiger Selbstvernichtung vollstrekken, denn es ist ein Spruch gegen das in ihr konkretisierte System. Da aber der Offizier im Sinne des Ganzen, von dem die Maschine ein Teil ist, kein Unrecht getan hat, kann er auch nicht „erlöst" werden; da er von der Berechtigung des Systems auch im Tode noch überzeugt ist, liegt in dem Unbehelligtsein von „Erlösung" Triumph.

Eine längere Tagebuchpartie (T 524 ff. vom 6. und 9. August 1917) zeigt, daß Kafka Schwierigkeiten damit hatte, für die Erzählung einen Schluß zu finden; immer neue Varianten scheint er erwogen zu haben. Von diesen ist die am interessantesten, in der versucht wird, ein Motiv einzuführen, das die Epoche nach der Selbstvernichtung des „Apparats" veranschaulichen soll: das Motiv der „Schlange", der „Madam", der man einen „Weg bereiten" soll (T 525 f.) wie dem christlichen Erlöser zum Advent. Der Versuch ist gescheitert – ebenso alle anderen Gestaltungs-

---

[100] Zu ähnlichen Ergebnissen kommt auf anderen Wegen Politzer (S. 177 f.).
[101] Sokel, S. 109.

versuche, die eine Relativierung, eine „Überwindung" des zentralen Motivs des Hinrichtungsapparats bedeutet hätten. Offenbar war es Kafka in dieser Periode seines Schaffens, in der seine Erzählprinzipien bereits voll entwickelt waren (1917), nicht möglich, innerhalb eines und desselben Erzähltextes eine bipolare Motivstruktur aufzubauen, und es ist bezeichnend, daß der Text für den Autor selbst genau an der Stelle problematisch wird, wo die Konkretisierung des Wesens der Strafkolonie, der „Apparat" als Zentralmotiv sich selbst vernichtet hat. So mußte Kafka, wie sehr er sich auch in diesem Fall um die Andeutung einer „neuen Zeit" bemühte, den Rückzug antreten in die Welt des alten und einzig tragfähigen Motivs: mit dem Besuch des Reisenden am Grab des alten Kommandanten wird eine bevorstehende Rückkehr von dessen Geist in die Kolonie angedeutet; denn auf der Grabplatte ist für den Reisenden zu lesen: „... Es besteht eine Prophezeiung, daß der Kommandant nach einer bestimmten Anzahl von Jahren auferstehen und aus diesem Hause seine Anhänger zur Wiedereroberung der Kolonie führen wird. Glaubet und wartet!" (E 236) Diese Wendung läßt es dann auch als einzig folgerichtige Lösung für den Schlußgestus der Handlung erscheinen, wenn der Reisende die Bewohner der Kolonie, die ihm folgen wollen (den Soldaten und den Verurteilten), zurückweist (E 237): die Kolonie, die Welt des „Apparats", muß isoliert bleiben.

Setzt man die Ergebnisse, die sich aus der Betrachtung der Motivstruktur der beiden Erzählungen ergeben, zusammen, dann lassen sich folgende Schlußfolgerungen ziehen:

Zu der jeweiligen motivischen Binnenwelt, die sich in Zentriertheit um das Hauptmotiv entfaltet, gibt es kein Jenseits: kein zeitlich-räumliches Außerhalb[102] und vor allem: kein geschichtliches Danach. In bezug auf den jeweiligen „Helden" eines Erzählstücks mag es eine Gegenwelt oder Gegenordnung geben (das ist ein Merkmal der Handlungsstruktur); was aber die Kafkasche Motivtechnik angeht, gibt es keine Doppelheit der Welt, keine Antithetik, keine Dialektik. Das Zentralmotiv beherrscht die Anschaulichkeit des Erzählten ganz, ist durch kein Gegenmotiv kontrastiert oder relativiert. Kafkas Motivwelt ist monozentristisch und statisch.

So erklärt sich auch das sonderbar ambivalente Verhältnis, das in den beiden späteren Romanen zwischen dem „Helden" und seiner „Gegenwelt" besteht: einerseits kämpft Josef K. gegen die Dachbodengerichtsbarkeit und der Landvermesser K. gegen die Schloßbehörden, andererseits sind beide von dem „Motivmilieu" dieser Gegenwelt ganz und gar umgeben, ja sie tragen selbst zu dessen Verdichtung noch ständig bei –

---

[102] Vgl. dazu Adorno (S. 319): „Alles, was er erzählt, gehört der gleichen Ordnung an. Alle seine Geschichten spielen in demselben raumlosen Raum, und so gründlich sind dessen Fugen verstopft, daß man zusammenzuckt, wenn einmal etwas erwähnt wird, was nicht in ihm seinen Ort hat, wie Spanien und Südfrankreich an einer Stelle des ‚Schlosses'..."

sind es womöglich selbst, die diese Gegenwelt durch ihre Projektion erst konstituieren[103]. (Hierzu wären all die Hinweise beizuziehen, die das „Echohafte" der Aktionen der jeweiligen Gegenwelt bezeichnen, das „Warten" des Gerichts auf Josef K. und das wiederholte „Einlenken" der Schloßbehörden dem Landvermesser K. gegenüber.) Was die Motivstruktur angeht, sind die jeweiligen Gegenwelten und die „Helden" selbst keine Gegensätze, sondern eins: die „Helden" stiften keine eigene Welt, sind in dieser Hinsicht nur „Hohlformen", zugleich freilich Katalysatoren, deren Agieren die einheitliche, zentrierte Erzählwelt erst in Aktion und damit in Anschaulichkeit versetzt.

Diese magisch anmutende, in all ihrer Unglaublichkeit und Empirieferne mit letzter Akribie beschriebene Geschlossenheit der isolierten Binnenwelt des Motivs macht die hermetische Dichte[104] *aus, mit der das Erzählte Kafkas sich abschirmt gegen die Versuche, es mit der zeitgenössischen (geschichtlich-gesellschaftlichen) Wirklichkeit zu vermitteln.*

3.2 DIE SPEKULATIVEN DEUTUNGSANSÄTZE

Die hermetische Abschließung der Immanenz Kafkascher Motivik, ihre Diskontinuität auf alles unter den Bedingungen einer geschichtsbezogenen Zeitgenossenschaft Verifizierbare macht im Bereich der Kafka-Deutung als einem Kommunikationsbereich eigener Art ihre „Vieldeutigkeit" aus. „Kafkas Gleichnisse", schreibt Politzer, „sind so vielschichtig wie die Parabeln der Bibel. Ungleich den biblischen Parabeln jedoch sind Kafkas Gleichnisse auch noch *vieldeutig*. Im Grunde werden sie ebenso viele Deutungen wie Leser finden. ... Diese Parabeln sind ‚Rorschach tests' der Literatur und ihre Deutung sagt mehr über den Charakter ihrer Deuter als über das Wesen ihres Schöpfers"[105].

Diese Charakteristika der Motivgestaltung haben die Kafka-Deutung ebenso geprägt wie die Charakteristika der in Teil 2 dieser Arbeit beschriebenen Erzählformen.

Ob man nun die Texte Kafkas als Parabeln, Allegorien, Gleichnisse, Märchen, Symbole oder als eine neue, noch nicht erforschte Form der metaphorischen Rede versteht, in jedem Fall sieht sich der Interpret vor die Frage gestellt nach der „Bedeutung" der als solche von ihm diagnostizierten Metapher, nach dem darin „Gemeinten", „Signalisierten", „Repräsentierten" oder sonst in Analogie[106] zur Wirklichkeit Mitgeteil-

---

[103] Vgl. den Teil 2.1.2.2 dieser Arbeit.

[104] Weinberg (S. 93) spricht von „hermetischen Mythen", einer „Art literarischen Kabbala".

[105] Politzer, S. 43.

[106] In einem sehr abstrakten Wortgebrauch kann man von der poetischen Meta-

ten. Da sich bei einer Motivgestaltung, die auf hermetische Dichte abzielt, Merkmale kommunikativer Verbindlichkeit, tertia comparationis für die motivische Binnenwelt und die vom Interpreten danebengehaltene Wirklichkeit, nur schwer finden lassen, hat diese Eigenart Kafkaschen Erzählens eine Vielzahl von Deutungen stimuliert, in denen sich ein hohes Maß spekulativer Deutungsenergie entlädt, Deutungen, in denen das von dem jeweiligen Text Dargestellte – ausgesprochenermaßen oder stillschweigend – auf ein von dem einzelnen Interpreten „vorausgesetztes" („zugrundegelegtes") Bezugssystem hin gebrochen wird: eine Weltanschauung, ein Geschichtsbild, ein Menschenbild. Folgende Deutungsansätze lassen sich dabei unterscheiden: (1) der *religiöse* (religionsphilosophische) Ansatz, (2) der *ontologische* Ansatz, (3) der *literatursoziologische Ansatz als gesellschaftstheoretischer.*

Während alle diese Ansätze im Hinblick auf den Begriff des „Spekulativen" Gemeinsamkeiten des methodischen Vorgehens aufweisen, zeigen die einzelnen Deutungsunternehmen in anderer Hinsicht beträchtliche Unterschiede: Erstens läßt sich, wie schon bei den „reduktiven Deutungen", eine große Varianz darin beobachten, inwieweit den Erzählformen Aufmerksamkeit geschenkt wird, den Bedingungen also, unter denen der Text als fiktiver überhaupt erscheint; wichtiger aber noch ist der zweite Unterschied: das jeweils vorausgesetzte Bezugssystem der Deutung, der interpretatorische Parameter, wird mit einem stark verschiedenen Grad an Deutlichkeit, Selbstreflexion und Selbstbegrenzung dargestellt; während das eine Deutungsunternehmen sich mit dem interpretierten Text selbst zur Diskussion stellt und somit auf ein dialektisch-dialogisches Verständnis von Dichtungswissenschaft hinweist, setzen sich andere Deutungen gleichsam selbst absolut, indem sie ihr weltanschauliches Bezugssystem als das einzig mögliche bieten, dessen Bedingtheiten und Grenzen gar nicht erst zur Diskussion stellen und dem Leser suggerieren, es gelte „unbeschränkt".

Insofern läßt sich der Satz Politzers, die einzelnen Kafka-Deutungen sagten etwas über den „Charakter" des jeweiligen Interpreten aus, dahingehend modifizieren, daß die wissenschaftliche Kafka-Literatur – sei die jeweilige Arbeit nun dem reduktiven Deutungsansatz zuzuordnen oder dem spekulativen – in exemplarischer Weise Aufschluß gibt über das Methodenbewußtsein der einzelnen Autoren[107].

---

pher als einer Form „analoger Kommunikation" sprechen. (Vgl. Watzlawick [u. a.], S. 61 ff.)

[107] Der Begriff des „Spekulativen" wird in diesem Zusammenhang der Systematisierung der Kafka-Literatur nicht abwertend gebraucht. (Es soll nicht etwa der Eindruck erweckt werden, der Autor sei der Ansicht, dichtungswissenschaftliche Textdeutung sei ohne Einnahme einer weltanschaulichen [erkenntnistheoretischen und gesellschaftstheoretischen] Position möglich.) Wo gegen Deutungsunternehmen mit spekulativem Akzent Einwände erhoben werden, ist von „exzessiv spekulativem" Deuten die Rede.

3.2.1 *Der religiöse (religionsphilosophische) Ansatz*

Diesem Deutungsansatz können dem Schwerpunkt ihres Deutungsinteresses nach vor allem die Arbeiten folgender Autoren zugeordnet werden: Max Brod[108], Felix Weltsch, Hans Joachim Schoeps, Hermann Pongs, Werner Kraft, Kurt Weinberg, Robert Rochefort[109].

Während in den Arbeiten einzelner dieser Autoren, etwa in den Arbeiten Brods und dort besonders in der „Biographie", eine Überlagerung von reduktivem und spekulativem Deuten sichtbar wird, setzen sich andere, etwa die monumentale Arbeit von Weinberg, ausdrücklich von dem reduktiven Deutungsansatz ab. Darin heißt es: „Es wäre ... falsch, die ‚Wirklichkeits'-Fiktionen, welche dichterische Erfindung sind, den intimen Erlebnissen, die ihnen zugrunde liegen, gleichzusetzen, oder etwa den Dichter und sein Innenleben von seinen *personae dramatis* – und auf diese verteilt – abzulesen." Ebenso deutlich wird die Interpretationsrichtung auf das Religiöse hin bezeichnet: „Die tiefere religiöse Bedeutung der im Dämonischen endenden ‚Pflichterfüllungen' aller Kafkaschen Helden ist der eigentliche Vorwurf unserer Studie"[110]. Daher soll die Arbeit Weinbergs als Modellfall des religiösen Deutungsansatzes dienen.

Das erste Kapitel, der Anfang des „synthetischen Teils" der Arbeit, verfolgt die in die Überschrift erhobene Absicht, „Kafkas dichterische Aufgabe" zu ermitteln. Dieser Aufriß des – im Sinne einer „Aufgabe" – Wesentlichen im Werke Kafkas geschieht durch Beiziehung von Stellen aus den Tagebüchern, den Briefen und den sogenannten Oktavheften. Weinberg rechtfertigt die Verwendung der autobiographischen oder autobiographisch geprägten Äußerungen des Erzählers Kafka mit dem Hinweis, daß sich das Skizzenhaft-Gleichnishafte vom Autobiographischen im Werke Kafkas gar nicht trennen lasse[111]. Das könnte man so verstehen, daß auch in diesen Schriften Kafkas das Reflektive, theoretisierend Räsonierende und das Fiktive ineinandergingen und keins dieser Elemente isoliert werden solle. Verfolgt man dann aber im einzelnen, in welcher Weise und in welcher Absicht Weinberg die Tagebücher, Briefe und Oktavhefte bei der Fixierung der „dichterischen Aufgabe Kafkas" verwendet, dann ergibt sich, daß er darin ausschließlich das Gedanklich-Stoffliche, das begrifflich „Objektivierte" sucht, um es als theoretische Erläuterung zum Erzählwerk zu werten. Bezeichnend ist, wie Weinberg seinen für die ganze weitere Arbeit bedeutungsvollen Begriff der „Archetypen" bei Kafka gewinnt. Nach dem Zitat bzw. der Paraphrase einiger

---

[108] Hierher gehört nicht in erster Linie die Kafka-Biographie Brods, sondern dessen andere, Kafkas „Lehre" deutenden Schriften.

[109] Was die anderen, dieser in etwa entsprechenden Klassifizierungen angeht, siehe Anm. 164 zu Teil 2.

[110] Weinberg, S. 23.

[111] Ebenda, S. 13.

Kafka-Äußerungen zur Literaturtheorie, besonders zum Märchen (T 534, H 355, Janouch, S. 55), kommt es zu folgender Anwendung dieser Äußerungen auf das Erzählwerk:

> Worauf weisen diese Aussagen hin? Eben darauf, daß fast alle Nebenfiguren der Kafkaschen Fiktionen als Archetypen im Sinne der allegorischen Personen mittelalterlicher Romanepen (wie z. B. des *Romant de la rose*) aufzufassen sind; sie sind Verkörperungen von Ängsten, Dämonien, Erleuchtungen, Eigenschaften, Entwicklungsmöglichkeiten: mit anderen Worten, verkörperte *Vorstellungen* im Geiste des Helden, seine Begleiterscheinungen. Sie mögen als groteske Versuchungen, ähnlich wie die ketzerischen Gesichte des Heiligen Antonius Flauberts, oder als quälende Gegenspieler der Hauptperson auftreten, und zwar in einem Zwielicht, das im Zweifel läßt, ob es sich hier um göttliche oder teuflische Mächte handelt. Es will so scheinen, als eigne der Hauptperson wie auch ihren Widersachern von beiden Naturen etwas an ...[112]

Die Stringenz dieser Ausführungen als Deutungen des Erzählwerks Kafkas mag dahingestellt bleiben; aufschlußreich für diesen Zusammenhang ist lediglich, *wie* diese „Ergebnisse" gewonnen werden: Das für die Interpretation jeden Textes von Kafka bedeutungsvolle Verhältnis der Hauptfigur zu den Nebenfiguren wird nicht aus der Analyse eines oder mehrerer Erzählstücke heraus definiert, nicht aus einer Analyse der Erzählformen, der Bedingungen also, unter denen die Interaktion bzw. die Konfrontation der Hauptfigur und der Nebenfiguren überhaupt erscheint, sondern unter Zugrundelegung eines Vorauswissens über das Werk Kafkas, das seinem Anspruch nach zugleich ein Endwissen, ein Totalwissen davon ist. Gewonnen wird dieses Wissen angeblich aus dichtungstheoretischen Äußerungen des Autors Kafka selbst. (In Wirklichkeit liegt, wie sich zeigen wird, eine recht willkürliche Setzung eines „Bedeutungsrahmens" durch den Interpreten Weinberg vor.)

Einem Dichtungsverständnis, dem zufolge ein solches methodisches Vorgehen gerechtfertigt ist, muß der Einwand entgegengestellt werden, den Adorno wie folgt formuliert hat: „Der Künstler ist nicht gehalten, das eigene Werk zu verstehen, und man hat besonderen Grund zum Zweifel, ob Kafka es vermochte. Jedenfalls reichen seine Aphorismen kaum an die enigmatischsten Stücke und Episoden heran, wie die ‚Sorge des Hausvaters' oder den ‚Kübelreiter'. Kafkas Gebilde hüten sich vor dem mörderischen Künstlerirrtum, die Philosophie, die der Autor ins Gebilde pumpt, sei dessen metaphysischer Gehalt. Wäre sie es, das Werk wäre totgeboren: es erschöpfte sich in dem, was es sagt, und entfaltete sich nicht in der Zeit"[113]. Zu dem Unterfangen überhaupt, Dichtungstheorem und Dichtungsgestalt auf der gleichen Ebene interpretatorischer Abstraktion zu diskutieren, soll Wolfgang Iser zitiert sein: „Wäre ein literarischer Text wirklich auf eine bestimmte Bedeutung reduzierbar,

---

[112] Ebenda, S. 32 f.
[113] Adorno, S. 305.

dann wäre er der Ausdruck von etwas anderem – von eben dieser Bedeutung, deren Status dadurch bestimmt ist, daß sie auch unabhängig vom Text existiert. Radikal gesprochen heißt dies: Der literarische Text wäre die Illustration einer ihm vorgegebenen Bedeutung“ [114].

In welchen vorgegebenen Bedeutungsrahmen die Texte Kafkas im Fall der Interpretationen Weinbergs gezwungen werden, soll folgendes Zitat veranschaulichen, worin es um die Erzählskizze „Auf der Galerie“ geht:

> Hier wird im ersten Paragraphen kurz die Möglichkeit eines messianischen Eingreifens erwogen, das dem monatelang ununterbrochenen Ritt der hinfälligen Kunstreiterin ein Ende bereiten könnte ... (Es folgt das Zitat des Schlusses des ersten Paragraphen. – D. K.) Die mirakulöse Rettung erscheint hier als eine alle Einwände überwältigende, mit triumphierendem Fanfarenklang angekündigte Hoffnung; diese wird jedoch sofort durch das einschränkende „vielleicht“, unmittelbar an den Anfang des Satzes gestellt, abgedämpft. Der Erlösung versprechende „Galeriebesucher“ ist offensichtlich eine Christusfigur. Hierauf weist schon der Begriff *Galerie* hin ... (Es folgen Etymologien von „Paradies“ und von „Galerie“, wobei „Galerie“ einer laut Weinberg selbst „fragwürdigen“ Herleitung zufolge als „aus Galiläa“ gedeutet wird. – D. K.) Der „junge Galeriebesucher“ – der jüngst aus Galiläa gekommene Besucher – entpuppt sich somit nicht als rechtmäßiger Einwohner der Galerie, des Paradieses, sondern als bloßer Zuschauer, der auch nur vorübergehend und anonym, als zahlender Gast auf der Galerie, im Paradies geduldet wird. Er möchte gern „die lange Treppe durch alle Ränge hinab“ laufen, tut es aber nicht: ein Hinweis auf die mögliche, aber wohl nie verwirklichte Menschwerdung des Göttlichen, auch auf das Heruntereilen vom Berge Sinai, womöglich mit den Tafeln des neuen Gesetzes. Die schwindsüchtige, von ihrem Chef (Gott) erbarmungslos durch die Manege (von italienisch *maneggio, maneggiare* = „Handhabung, handhaben“) getriebene Kunstreiterin steht mit ausgebreiteten Armen (Kreuzsymbol) auf dem (apokalyptischen) Apfelschimmel ... (usf.) [115]

Der Bezugsrahmen, auf den hin der Text gedeutet wird, ist ein religionsphilosophisches Welterlösungsschema; der Befragung des Textes geht also die Annahme voraus, daß es sich dabei um nichts anderes als eine Allegorie religiösen Inhalts handele. Den Einstieg in den deutenden Gleichsetzungsmechanismus bietet dabei offenbar die Hypothese, der Galeriebesucher erwecke eine „Hoffnung“ (die Erzählform, in der die ganze Skizze geboten ist, bleibt unbeachtet), sei also ein „Messias“, plane eine „mirakulöse Rettung“. Diese Gleichsetzung: Galeriebesucher = Messias = Christus zieht dann alle übrigen Gleichsetzungen (Galerie = Paradies, Chef = Gott, Apfelschimmel = apokalyptisches Roß usf.) gleichsam unvermeidlich nach sich, das Geschäft der Bedeutungserstellung, einmal in dieser Weise begonnen, treibt sich selbst fort; es bedient sich vornehmlich der Mittel des Motivvergleichs und der Suche passender Etymologien. (Das exzessive Etymologisieren rechtfertigt Weinberg mit

---

[114] Iser, S. 7.
[115] Weinberg, S. 46.

dem Hinweis auf Kafkas heimliche, unglückliche Liebe zur Germanistik, seinen „philologischen Dilettantismus“[116].) Methodisch bedeutsam ist dabei, daß jedes einzelne am Text beobachtete Detail seine sinnhafte Funktion nicht in bezug auf das Textganze, sondern auf den unabhängig vom Text existierenden Bezugsrahmen des Welterlösungsschemas gewinnt. Das Beispiel zeigt, wie die motivtechnisch „hermetisch“ gebauten Gebilde Kafkas in ihrer „Vieldeutigkeit“ ausgebeutet werden können für jedwede Deutung, wenn der Interpret entschlossen ist, die Erzählformen (hier etwa: die syntaktische Modalität, die Spaltung der Subjektivität der Aspektfigur, das Verhältnis der Schlußklausel zu den beiden vorausgegangenen Satzperioden, die Wertigkeit der Sprach- und Bildbereiche der beiden Perioden innerhalb des Gesamttextes) konsequent außer acht zu lassen.

Zwischen einer Deutung wie dieser und den anderen, die von Beobachtungen an der Erzählstruktur ausgehen (vgl. Teil 2.1.1 und Anm. 28), ist ein Konsensus nicht mehr herstellbar; die methodische Kluft ist zu groß.

3.2.2 *Der ontologische Ansatz*

Kafka-Deutungen, die sich eines ontologischen Bezugssystems bedienen, finden sich so gut wie ausschließlich in den Arbeiten deutscher Wissenschaftler. Zu nennen sind vor allem die Arbeiten von: Martini, Emrich, Ide und Bense. Während Max Bense in seiner „Theorie Kafkas“ ganz eigene Wege geht, Erkenntnistheorie, Ästhetik und Ontologie kombiniert, um dem Phänomen Kafka beizukommen, sind die Arbeiten der anderen genannten Autoren miteinander in Beziehung zu setzen, ja sie beziehen sich selbst ausdrücklich aufeinander: Emrich[117] bezieht sich (zustimmend) auf Ide, Martini[118] (zustimmend) auf Emrich und Ide[119] (zustimmend) auf Martini und Emrich. Bei näherem Hinsehen ergeben sich allerdings Unterschiede zwischen den Standpunkten, die, so fein sie auch scheinen mögen, in diesem Zusammenhang der Methodenanalyse zu grundsätzlichen werden.

Martini geht von einer gesicherten Basis aus: der Untersuchung der für Kafka spezifischen Form der metaphorischen Rede, und er gewinnt dabei einen aufschlußreichen Begriff, den des „Existenzsymbols“ (vgl. Teil 3.1.3). Dieser Begriff wirkt deshalb so einleuchtend, weil das Auftreten des damit Bezeichneten (und zugleich der Niedergang des „Weltsymbols“) mit einer bestimmten geschichtlichen Entwicklung in Verbindung gebracht wird; so bietet sich auch die Möglichkeit, den Autor Kafka in

---

[116] Ebenda, S. 8.
[117] Emrich, S. 423, Anm. 46.
[118] Martini, Wagnis der Sprache, S. 525 f.
[119] Ide, S. 67.

seiner radikalen „Vereinzelung" einem bestimmten literaturgeschichtlichen und letztlich auch gesellschaftsgeschichtlichen Ort zuzuordnen:

> Das Symbol setzt den geglaubten, gefühlten oder erkannten Zusammenfall eines in sich erfüllt und selbständig Wirklichen mit einem über ihm Wahren voraus, die Öffnung des Ewig-Gleichen im Wechsel und Wandel der aus sich selbst lebenden Dinge, den Ausdruck eines Allgemeinen und Ganzen durch ein Eigentümlich-Individuelles, damit also das innere Bewußtsein der Einheit von Ding und Welt, Ich und Welt. Es ist eine Form der im aufschließenden Bild verwirklichten Erfahrung des Wesenhaften; es verlangt, um verstanden und nacherlebt zu werden, daß es allen, zu denen es sprechen soll, zugänglich, bedeutend und eine wirksame Sprache ist.
> Die Geschichte der deutschen Erzählprosa seit Stifter erweist einen zunehmenden Symbolzerfall durch den Schwund dieser gemeinsamen, objektiven Symbolsprache. Sie wird zunehmend auf das persönliche Erlebnisfeld des einzelnen Dichters eingeengt.[120]

Die in diesem Ansatz liegenden Möglichkeiten, die Bildersprache Kafkas unter erkenntniskritischen Gesichtspunkten zu deuten und damit die Grenzen ihrer Deutbarkeit abzustecken, hat am konsequentesten Sokel ausgebaut, der Kafkas Werk als „Kampf eines Ichs" mit sich selbst und mit einer „überwältigenden Macht"[121] deutet und Aufschlüsse über die Problematik eines Künstlertums erhält, das seine Kunst in radikaler und zugespitzter Subjektivität auslebt als einen Kampf um Selbstbehauptung und Partizipation an der Wirklichkeit. Emrich hat den Ansatz Martinis in seinem für die weitere Kafka-Literatur ungemein folgenreichen Buch nach einer anderen Seite hin ausgebaut: Er hat nachgewiesen, daß bei Kafka eigentlich kein einzelnes Bild, auch kein einzelnes Werk für sich gedeutet werden können, sondern daß sich erst aus der Gesamtschau des Werkes die Funktionalität der Einzelteile (der Bildräume, Motive, Gleichnisse) ergibt:

> Jedes Wort und jedes Bild meint in der Tat sich selbst, freilich in einem Sinne, der sich erst in der Synthesis aller Teile des Werkes erschließt.... Das Verhältnis zwischen uneigentlicher und eigentlicher Aussage und Gestaltung ist vielmehr bei Kafka folgendermaßen strukturiert: Kafka hat das Universelle, d. h. die Totalität aller Lebens- und Denkvorgänge ständig im Blick. Aber er kann sie jeweils nur mit den uns gegebenen, alltäglichen Sprachformen, Bildern und Denkmöglichkeiten darstellen, die er jedoch zugleich aus ihren jeweils begrenzten Aspekten herausreißen und durch andere oder gegensätzliche Aspekte im Hinblick aufs Universelle korrigieren muß, so daß ein ständiges „Schweben" (B 294), ja Verschwinden und Zurücknehmen des eben Gesagten und Dargestellten entsteht... Dennoch ist aber jede Aussage und Bildform wörtlich als eine eigentliche, sich selbst bedeutende zu nehmen. Sie kann und darf nicht auf

---

[120] Martini, Wagnis der Sprache, S. 321 f.
[121] Sokel, S. 28.

irgendeinen Sinn oder Begriff, der außerhalb des Werkes steht, im Werk selbst nicht formuliert wird, bezogen und gedeutet werden ...[122]

Über die Annahme einer „zerstörenden Funktion des Bewußtseins“[123], die sich für den Dichter aus der „Herrschaft des quantitativ-mathematischen Denkens der modernen Naturwissenschaft“[124] ergebe, bringt auch Emrich den Autor Kafka mit einer bestimmten „geistesgeschichtlichen Situation“ in Beziehung, und er sagt an der Stelle, wo er Kafka und Heidegger einander gegenüberstellt, daß „geschichtlich“ bei beiden die gleiche Situation zum Ausdruck gelange[125]. Trotzdem kommt Emrich zu Deutungen Kafkas, die in ihrer philosophisch-gedanklichen Stofflichkeit exzessiv erscheinen müssen – und zu einem Allgemeinverständnis Kafkas, das, fernab aller Geschichtlichkeit, besagt, daß dessen Dichtung das „wahrhaft“ Universelle aussage:

Die Darstellung selbst vermittelt als Ganzes Wahrheit, Universalität. Denn gerade indem sie keinen endlichen Sinn verabsolutiert, indem sich Kafka weigert, irgendeiner Einzelbedeutung den Rang der Gesamtbedeutung zuzuerkennen, indem er den unendlichen Prozeß des Lebens und Vorstellens nachzeichnet, spricht er unausgesetzt das Universelle aus.[126]

Bei Ide nun ist keinerlei Versuch gemacht, das Werk Kafkas in seiner zentralen Aussage – wie Ide sie versteht – mit irgendeiner Form von Geschichtlichkeit in Verbindung zu bringen:

Ich meine, es läßt sich nachweisen, daß Kafka nicht ein zeitbedingtes Gestimmtsein, sondern die Grundsituation des Menschen überhaupt erhellt ...[127]

Zwei andere Kafka-Deutungen, die im übrigen von Ide begrüßt werden, werden von ihm in eben dem Punkte zurückgewiesen, wo sie versuchen, das Werk Kafkas als zeitbedingt zu erweisen, Kafka mit seiner Welterfahrung und seinem Werk einer bestimmten geschichtlichen Epoche zuzuordnen:

Zu Motekat und Hahn sei angemerkt, daß sie die Einsichten des Dichters relativieren, insofern sie sie als Ausdruck einer zeitbedingten Verlorenheit des Menschen betrachten ...[128]

---

[122] Emrich, S. 78.
[123] Ebenda, S. 81.
[124] Ebenda, S. 84.
[125] Ebenda, S. 59.
[126] Ebenda, S. 84.
[127] Ide, S. 67 f.
[128] Ebenda, S. 67.

Ide steht nicht an, das philosophische Bezugssystem zu nennen, das den Parameter zu seiner Kafka-Deutung abgibt und demzufolge die zentrale Aussage des Werkes Kafkas – wie Ide sie versteht – eine „überzeitliche" ist:

> Wenn wir von Kafkas Analyse des Daseins sprechen, werden wir das Wort „Dasein" im Heideggerschen Sinne gebrauchen, so daß unter dem Begriff „Dasein" der Einzelne im Blick steht, doch ungeachtet der psychologischen Individualität der Oberfläche, allein hinsichtlich seiner existentiellen Struktur. ... Dazu wird notwendig ein Zweites in den Blick kommen, nämlich das, um dessentwillen Kafka das Dasein analysiert: das Sein, in dem das Dasein als in seinem Ursprung gründet und zu dem es im Existieren in unaufhörlicher Verbindung steht, in einer Verbindung, die sein Wesen ausmacht.[129]

Damit noch nicht genug, kommt Ide sogar zu der Behauptung, daß Kafka unter anderen Begriffen als denen der Fundamental-Ontologie gar nicht adäquat begriffen werden könne:

> Es ist kein Zufall, daß das von Kafka Bezeichnete – ähnlich wie die Aussage des späten Rilke – außerhalb des dichterischen Worts nur erhellt werden kann mit den von der Seinsphilosophie erarbeiteten Begriffen ...[130]

Indem von dem Interpreten ein fundamentalontologisches Begriffssystem übernommen wird, das den Menschen nicht aus seiner Geschichtlichkeit und Gesellschaftlichkeit, sondern aus seiner „Existenz" heraus als „je Einzelnen", ins Dasein „Geworfenen" deutet, kommt es bei der Kafka-Deutung zu Ergebnissen, die ihrerseits wieder den „Einsichten des Dichters" fundamentalontologische Qualitäten (Unabhängigkeit von „zeitbedingtem Gestimmtsein", Erhellung der „Grundsituation des Menschen") zusprechen. Da der methodische Zirkelschluß nicht eingesehen wird, fällt es leicht, die einzigartige Angemessenheit der Heideggerschen Begriffe für die Kafka-Deutung zu behaupten. (Damit soll gar nicht bestritten sein, daß Kafka und Heidegger miteinander in Beziehung zu bringen sind; nur müßten die Werke *beider* – als durch die gleiche geschichtliche Situation bedingt – aus einer methodisch-begrifflichen Distanz heraus betrachtet werden.)

Auch Emrich stellt eine Verbindung zwischen Kafka und Heidegger her, allerdings tut er es vorsichtiger als Ide:

> Wenn bei Kafka vom „Sein" gesprochen wird, ... so erinnert das bis ins Detail an die moderne Fundamentalontologie Martin Heideggers und legt es nahe, Kafka als Vorläufer dieser Philosophie zu sehen und sein Werk im Anschluß an Heidegger zu interpretieren.[131]

---

[129] Ebenda, S. 68.
[130] Ebenda, S. 68.
[131] Emrich, S. 58.

Trotzdem unterläuft auch Emrich zuweilen ein Abgleiten in Tautologien – immer dann, wenn er die Terminologie Heideggers nicht nur als methodisches Hilfsmittel, d. h. mit begrenzter Gültigkeit verwendet, sondern sich mit dem darin implizierten Welt- und Menschenbild ganz identifiziert. Dann wird die Beobachtung, daß Heideggers Philosophie und Kafkas dichterische Wirklichkeit bestimmte Parallelisierungsmöglichkeiten bieten, als Legitimation für ein Deutungsverfahren genommen, das die Aussage Kafkas als Erfassen des „Universellen" schlechthin, des „Wahrheitsgrundes" überhaupt erweist. (Vgl. die Interpretation des „Prometheus"[132].) „Universalität" und „Wahrheitsgrund" sind dann nicht nur Begriffe einer Terminologie, die geeignet ist, Kafkas Weltbild zu beschreiben, sondern Begriffe, die zugleich Emrichs Weltbild charakterisieren. Daß Emrich darauf verzichtet, Kafka *und* Heidegger aus der geschichtlichen Bedingtheit ihres Werkes heraus zu deuten, erklärt sich also daraus, daß er in der Philosophie, wie er sie bei Heidegger findet und wie er sie bei Kafka zu finden glaubt, seine geistige Heimat hat. Diese als Grundlage seines Forschens selbstkritisch zu analysieren, um ihre Grenzen abzustecken und dem wissenschaftlichen Diskussionspartner die Stellungnahme zu erleichtern, hält er nicht für nötig.

Als Beispiel dafür, zu welch „methodischen Verknotungen" es kommen kann, wenn der Interpret sein eigenes Weltbild *unvermerkt* mit dem des interpretierten Werkes identifiziert, wenn er einen archimedischen Fixpunkt in Gestalt eines ihm und dem Werke Kafkas gemeinsamen Seinsbegriffs *stillschweigend* glaubt voraussetzen zu dürfen, mag folgende Partie aus dem Buch Emrichs dienen, in der die Funktion der Amalia im „Schloß"-Roman expliziert wird:

> Sie durchschaut in der Tat die Wahrheit dieser Welt: die dauernde, unentwirrbare, geheime Verknotung von Geist und Trieb, die unlösbare Verkettung des Erkennenden mit seinen vitalen Interessen. Der Absturz des Beamten Sortini in die Triebsphäre beruht nicht nur auf Verwirrung, sondern ist im Kern menschlichen Geistes selbst angelegt, dessen Höhenlage immer wieder in Tiefenlagen umschlagen muß, da reiner Geist nie auf Erden existent werden kann. . . . Keine geistige Auseinandersetzung kann retten. Denn der Geist hat hier ja gerade versagt. Jedes Paktieren, jedes Verhandeln ist für Amalia sinnlos geworden. Schweigend, ganz ohne Hoffnung, bleibt sie nur auf sich selber gestellt. Sie versteinert. Sie wird zu einer jener versteinerten Frauen, die immer wieder in den wahren Mythen der Menschheit auftreten. Frauen sind wissender als Männer. Aber sie sind auch ohnmächtiger. Denn sie können ihr Wissen nicht aussprechen.[133]

Indem Kafka-Deutung und „Weltdeutung" sich vermengen, wird die Interpretation stofflich exzessiv; während die methodisch-begriffliche

---

[132] Emrich, S. 113 f.
[133] Ebenda, S. 366.

Distanz zum interpretierten Text verlorengeht, beginnt ein Zwang zur spekulativen Komplettierung des Weltbilds des Interpreten zu wirken:

Nicht nur die Romanfigur Amalia wird in ihrer Funktionalität innerhalb der Romanwelt Kafkas gedeutet, sondern eine Funktion aller „wahren Frauen" bzw. eine „wahre Funktion" der Frauen in dieser Welt (beide Auflösungsmöglichkeiten bietet die Formel von den „Frauen ... in den wahren Mythen der Menschheit"). Derlei Gleichsetzungen von Elementen der Kafkaschen Romanwelt und der „Welt an sich" sind nur möglich vor dem Hintergrund eines Glaubens an einen ungeschichtlichen (mythischen) Begriff von „Universalität", der geeignet sein soll, die Welterfahrung von Romanfiguren Kafkas ebenso abzudecken wie die des Interpreten im Jahre 1958 – und die seiner Leser![134]

So ergibt sich als Hauptmerkmal des seinsphilosophischen Deutungsansatzes, daß die Voraussetzung eines ungeschichtlichen (von dem Fortgang geschichtlicher Entwicklung nicht veränderlichen) Seinsbegriffs („Universalität") eine „komplette" Deutung des Werkes Kafkas ermöglicht, zugleich aber den Interpreten daran hindert, den eigenen Ansatz in seiner methodischen Bedingtheit zu reflektieren und die Grenze der darin beschlossenen Möglichkeiten abzustecken[135].

3.2.3 Der literatursoziologische Ansatz als gesellschaftstheoretischer

Die sicherste methodische Grundlage, d. h. die grundsätzlichste selbstbegrenzende Definition des eigenen Forschungsinteresses, haben unter den spekulativen Deutungsansätzen bei Kafka die Arbeiten des literatursoziologischen Ansatzes in seiner Variante des gesellschaftstheoretischen – allerdings sind die Ergebnisse solcher Arbeiten dann auch oft in ihrer Spezifik besonders „einseitig", besonders „exponiert", der Kritik besonders offen.

Bahnbrechend für ein geschichts- und damit gesellschaftsbezogenes Deuten des Werkes von Kafka waren die Arbeiten von Benjamin, Adorno, Lukács. Bei all diesen drei Autoren geschieht freilich die Beschäftigung mit Kafka unsystematisch, wie beiläufig; Kafka dient als Demonstrationsobjekt in einem allgemeinen kunst- bzw. literaturkritischen Engagement, er wird als Extremfall der Literatur verstanden, und die Betrachtung seiner Texte geschieht so exemplarisch wie sprunghaft. Auch Hans Mayer beschränkt sich in seinem Artikel „Kafka und kein Ende?" auf Anmerkungen und Hinweise, wie sie sich aus seiner Ausein-

---

[134] Vgl. dazu H. R. Jauß, Literaturgeschichte als Provokation, S. 153 f.; noch schärfer ist die Kritik Benjamins an solchem Umgang mit Literatur (Ausgewählte Schriften 2, S. 450 ff.). (Der Hinweis auf Benjamin findet sich auch bei Jauß.)

[135] Zum Undialogischen und Apodiktischen solcher Interpretationen vgl. Teil 4.2 dieser Arbeit.

andersetzung mit der bisherigen Kafka-Literatur ergeben. Umfassendere Arbeiten, die ein gesellschaftlich-geschichtliches Interesse erkennen lassen wie die von Anders, Politzer und P. Heller, zeigen den literatursoziologischen Ansatz nicht in seiner ausgeprägt gesellschaftstheoretischen Form, sondern bieten andere Aspekte zugleich mit: den soziologischen als empirisch-positivistischen (Anders), den ontologischen (Politzer) oder den religionswissenschaftlichen (Anders). Bei einigen in der DDR erschienenen Arbeiten steht die Detailarbeit der Auseinandersetzung mit den Werken Kafkas als fiktionalen Texten und deren formalen Bedingungen in keinem Verhältnis zu dem Aufwand, der um Erstellung, Erläuterung, „Nachweis" des eigenen gesellschaftskritischen Standorts getrieben wird; zu diesen „gesellschaftstheoretisch redundanten" Arbeiten sind etwa die von Reimann und Hermsdorf zu rechnen.
Besonders klar formuliert ist das Programm der Arbeit von Helmut Richter: „Franz Kafka, Werk und Entwurf". In dem mit „Aufgabenstellung und Methode" überschriebenen Kapitel wird das Anliegen der Arbeit als ein „literaturkritisches" spezifiziert und begrenzt. Eine besonders aufschlußreiche Stelle darin heißt:

> Das Werk Kafkas soll in seiner Gesamtheit interpretiert, analysiert und gewürdigt werden, und zwar in programmatischem Sinne als K u n s t w e r k, das heißt als künstlerische Widerspiegelung von Wirklichkeit in ihren Wechselbeziehungen zum erkennenden und gestaltenden Subjekt. Es soll untersucht werden, welche Stoffe und Probleme der gesellschaftlichen Wirklichkeit und des Lebens der Menschen seiner Zeit Kafka zur dichterischen Gestaltung angeregt haben und wie er sie ideell und künstlerisch bewältigt hat.[136]

Es spricht für Richters gesichertes Methodenbewußtsein, daß er sich mit anderen interpretatorischen Fragestellungen nicht nur kritisch auseinandersetzt (das Kapitel „Bemerkungen zum Stand der Kafka-Forschung" ist die bisher kompetenteste und grundsätzlichste Darstellung der Problematik der Kafka-Forschung – vgl. Teil 1), sondern die Möglichkeit einräumt, daß auch ganz andere Ansätze als der seine zu aufschlußreichen Ergebnissen führen können:

> ... Damit wird nicht prinzipiell die Berechtigung von Interpretationen bestritten, die allgemeine Fragestellungen, auch philosophischer und theologischer Art, in Kafkas Werken widergespiegelt sehen.[137]

Da Richter sich der Konsequenzen seines eigenen – rückhaltlos klargelegten – Standorts bewußt ist, kann er auch das spekulative Element in anders gerichteten Deutungen exakt definieren und den Leistungen anderer Interpreten, etwa der Emrichs, gerecht werden:

---

[136] Richter, S. 31 f.
[137] Ebenda, S. 32 f.

Es wäre falsch, wegen dieser Begrenztheit des Blickpunktes und der Methode die positiven Ergebnisse der Untersuchungen Emrichs zu ignorieren. Da er vom Widerspiegelungscharakter der Dichtung ausgeht – beschränkt auf seine Konzeption –, gelingen ihm überzeugend fundierte Einzelinterpretationen immer da, wo er den Text nicht philosophisch überfordert. Um so mehr ist zu bedauern, daß seine erkenntnistheoretische und weltanschauliche Grundposition ihn daran hindert, den besonderen historischen und sozialen Standort Kafkas in der Welt des 20. Jahrhunderts zu bestimmen.[138]

Der marxistisch-gesellschaftstheoretischen Interessenlage und Fragestellung Richters entsprechend, beziehen sich dessen wichtigste eigene Beiträge zur Kafka-Deutung auf die Beziehungen zwischen dem Prinzip menschlicher Individualität (repräsentiert durch den isolierten „Helden", die jeweilige Aspektfigur in den meisten Werken Kafkas, zumal den größeren) und der menschlichen Gemeinschaft, wobei diese Beziehungen als durch ökonomische Abhängigkeiten und Machtverhältnisse strukturiert angenommen werden. Entsprechend deutet Richter die inhaltlich „vieldeutige" Motivik Kafkas. Bezeichnend erscheint seine Deutung des „Dorfs" und des „Schlosses" in Kafkas letztem Romanfragment:

Der Charakter der Behörden, mit denen K. um seine Anerkennung kämpfen will, und das Ziel seines Kampfes, das Ordnen seiner Angelegenheiten, sind damit interpretierbar geworden. K. sucht im Dorf eine auf sicheren Grundlagen aufgebaute vollwertige Existenz, eine ungebrochene Einheit von amtlichem und außeramtlichem, das heißt von beruflich-gesellschaftlichem und privatem Leben. Deshalb genügt ihm das „Arbeitersein" nicht; es birgt ... die Gefahr einer verfehlten menschlichen Lebensführung in sich, weil der Alltag alle Aufmerksamkeit in Anspruch nimmt und die Unterordnung der menschlichen Bedürfnisse und Verpflichtungen fordert. Das Schloß bedeutet demnach in Kafkas Konzeption eine universelle Verwaltungsorganisation des Lebens, die nicht nur die Formen der beruflichen Existenz, sondern auch das Privatleben des Menschen regelt und überwacht.[139]

Ob man einer Deutung zustimmen will, die den Kampf K.s gegen und um das Schloß damit motiviert, daß K. dem bloßen „Arbeitersein" im Dorf entgehen will (Richter verweist in diesem Zusammenhang auf die Reflexionen K.s über den ersten Brief, den er aus dem Schloß erhält (S 38))[140], mag fraglich erscheinen; aber solche Interpretationsergebnisse stehen in ihrer Exponiertheit in der Konsequenz des vom Interpreten selbst vorgetragenen Deutungsinteresses und sind so geeignet, zu einem Stimulans und Provokans im wissenschaftlichen Kafka-Dialog zu werden: sie markieren das Interpretationsrisiko, das auch der wissenschaftliche Kafka-Deuter seinen Zeitgenossen gegenüber zu tragen hat.

---

[138] Ebenda, S. 21.
[139] Ebenda, S. 261 f.
[140] Ebenda, S. 260 f.

Kritisch muß dagegen zu dem Versuch Richters Stellung bezogen werden, *Kafkas darstellerische Tendenz* bei der Ausformung der radikalen Isolierung des „Helden“ im „Schloß“-Roman (der „Künstler“-Problematik dem Verständnis Richters nach) nicht auf den Kunstbegriff Kafkas und seiner Zeit zu beziehen und sie damit als ihrerseits auch wieder geschichtlich-gesellschaftlich bedingte zu erfassen, sondern in direkter (außerzeitlicher) Konfrontation mit seinem (Richters) eigenem Kunstbegriff zu werten; so qualifiziert er den „Schloß“-Roman als Kunstwerk wie folgt:

> Kafka wollte, soweit sich das erkennen läßt, den Kampf eines Menschen um ein in sich geschlossenes Leben in der modernen bürgerlichen Gesellschaft zeigen. Das ist ihm nicht gelungen. Der Wirklichkeitsbezug und das Anliegen des Entwurfs werden zwar im Rahmen einer Analyse von Kafkas Gesamtwerk verständlich, doch die vorliegenden zwanzig Kapitel für sich allein sagen nichts aus: Sie erschöpfen sich in der Beschreibung elender Zustände, deren reale Bedingungen nicht erkennbar werden. ... So entsteht eine Kunst ohne den Menschen, die sich selbst aufheben muß, so stark sie auch durch die ihr innewohnende Verzweiflung den Leser im Moment der unmittelbaren Aneignung beeindrucken kann. Interpretation und Analyse des Werkes werden das Beklemmende und in seiner Art großartig Dokumentarische erklären können ...; sie müssen aber gleichzeitig feststellen, daß diese Situation, in so einseitiger Sicht nur noch Dokument, keine Kunst mehr hervorbringen kann.[141]

Richter bemüht sich, eine derartige „Abwertung“ zu begrenzen, indem er das „Schloß“ (ebenso wie den „Bau“ und die „Forschungen eines Hundes“) dem „Entwurf“-Teil innerhalb des Gesamtwerkes zuordnet, Kafkas geglückte, „endgültige“ Stellungnahme zur Künstlerproblematik in anderen Werken der letzten Schaffensperiode ausgedrückt sehen will, vor allem in „Josefine“:

> Das ist Kafkas endgültige Stellungnahme zu der Frage, wie die Existenz des Künstlers sinnvoll werden kann: Er muß das Leben des Volkes leben und seine Arbeit tun, seine Kunst, an sich schon schwer und unzeitgemäß geworden, kann nur insofern noch eine gewisse Bedeutung erlangen, als in ihr das Volk eine Stimme erhält; alles andere, was er im Kunstwerk zu leisten glaubt, ist nur individualistische Spielerei ohne jegliche Funktion.[142]

Allzu schwer lastet hier die Hand des Interpreten auf dem gedeuteten Werk. Ein Kunstverständnis wird aus einem der späten Texte herausgelesen, das dazu dient, andere Texte der gleichen Schaffensperiode als künstlerisch mißglückt zu erweisen; ja Richter glaubt, eine Tendenz zur „Selbstkritik“ bei Kafka erkennen zu können, deren letzte Konsequenz er in der testamentarischen Verfügung der Vernichtung des literarischen Nachlasses verwirklicht sieht:

---

[141] Ebenda, S. 271.
[142] Ebenda, S. 249.

> In seiner letzten Schaffensperiode gestaltet Kafka die Problematik eines vom Leben entfernten Künstlertums. Er zeigt, wie unbefriedigend und moralisch unhaltbar eine Lebensweise ist, die den Menschen von seiner gesellschaftlichen Umwelt isoliert. Eine Kunst, die auf solcher Grundlage entsteht, kann keine wesentlichen, dem Leben dienenden Inhalte vermitteln und hat keine Existenzberechtigung. Ihre Fragwürdigkeit wird vor allem dann offenbar, wenn die Lebensbedingungen des Volkes so schwer geworden sind, daß der Künstler sich nur dann noch verständlich machen und vor ihm bestehen kann, wenn er sich zum Sprecher der Gemeinschaft macht und ihr Leben teilt. Kommt ein Künstler dieser Verpflichtung nicht nach, verurteilt er sich selbst zur Bedeutungslosigkeit. Diese Erkenntnis schließt eine Selbstkritik Kafkas ein, die seine testamentarischen Verfügungen, in denen er die Vernichtung seines Nachlasses anordnete, in bezeichnender Weise kommentiert.[143]

Hier kommt die Methodik Richters, einen „Werk"-Teil und einen „Entwurf"-Teil im Werke Kafkas zu unterscheiden, an ihre Grenze; hier wird die forciert zustimmende Deutung einzelner Texte zuungunsten anderer problematisch; hier tritt an die Stelle eines angeblich aus Kafkas letztem Werk gewonnenen Kunstbegriffs immer unverhüllter der Kunstbegriff des Interpreten.

Daß die Erzählung „Josefine" thematisch eine kritische Auseinandersetzung mit der Kunst biete, hat schon Emrich festgestellt, wobei er allerdings zu dem Ergebnis kommt, daß die Kritik Kafkas sich nicht so sehr gegen die eigene Kunst, sondern die Kunst vor ihm, die „titanische", die „Genie-Kunst" richte[144]; Sokel dagegen hat mit ebenso einleuchtenden Argumenten den thematischen Schwerpunkt der Erzählung in dem tragischen Kampf des Ichs um sich selbst identifiziert[145]. Auch hier bestimmt der Blickpunkt des Interpreten die Deutung. Einwände muß man jedenfalls gegen die – wenn auch nur vage formulierte – These Richters erheben, Kafkas erst in „Josefine" entwickeltes Bewußtsein seiner Kunst stehe mit der Verfügung in Verbindung, seinen Nachlaß zu verbrennen. Dem Bericht Brods zufolge (P 316 ff.) geschah die erste Fixierung dieser Verfügung schon lange vor „Josefine" (vor? 1921?). Wollte man auf den Gedanken Richters eingehen, ergäbe sich, daß die gleiche Einschätzung seiner Kunst, die Kafka veranlaßt haben soll, einen Teil seiner Produktion der Verbrennung zu überantworten, ihn nicht daran hindern konnte, weiterhin Texte zu produzieren, die dieser kraß zuwiderlaufen.

Der Kunstbegriff, wie Richter ihn aus „Josefine" herauslesen will, um ihn gegen andere Texte der gleichen Schaffensperiode Kafkas kritisch ins Feld zu führen, hat mehr mit dem Kunstbegriff des marxistischen Literaturtheoretikers Richter als mit dem des Autors Kafka zu tun. So ist gegen Richter anzumerken, daß er die Chance seines marxistisch-gesellschaftstheoretischen Ansatzes nicht konsequent nutzt, die darin liegt, den

---

143 Ebenda, S. 285.
144 Emrich, S. 167 ff.
145 Sokel, S. 523 ff.

Kunstbegriff Kafkas in seiner geschichtlich-gesellschaftlichen Bedingtheit mit dem eigenen, durch eine andere geschichtliche Situation bedingten, dialektisch in Beziehung zu setzen – zur Bezeichnung der dazwischenliegenden historischen Distanz. Statt in solcher Weise die Reflexion über die Möglichkeiten und Grenzen wissenschaftlicher Interpretation fiktionaler Texte über eine historische Distanz hinweg noch ein Stück weiter voranzutreiben, zirkelt Richter am Schluß seiner Untersuchung zurück auf einen Standort undialektischer Außerzeitlichkeit: einen Begriff von Kunst, der die Distanz zwischen dem interpretierten Werk und dem Interpreten sich verflüchtigen läßt.

Zusammenfassend läßt sich sagen:

Das spekulative Deuten der Werke Kafkas, d. h. das Interpretieren auf das von der Motivik seiner Texte „Bedeutete" hin, wird immer dann problematisch, wenn die methodisch-begriffliche Distanz zwischen dem Standort des Interpreten und dem interpretierten Text zu gering wird, wenn die Begriffe, mit denen der interpretatorische Bezugsrahmen (das Weltbild, Menschenbild, Geschichts- bzw. Gesellschaftsbild – letztlich: das Forschungsinteresse des Interpreten) reflektiert, und die Begriffe, in denen das von dem interpretierten Werk „Bedeutete" umschrieben wird, sich so weit aneinander annähern, daß sie ineinander übergehen: wenn, formelhaft gesagt, das Weltbild des Interpreten und die fiktionale Wirklichkeit des Textes, wie sie dem Interpreten erscheint, sein „Textbild", zusammenfallen. Diese Verquickung der Bezugsebenen ergibt sich unvermeidlich immer dann, wenn die interpretatorische Ausgangsposition nicht oder nicht genügend deutlich bezeichnet wird – wenn beim Interpreten womöglich gar kein Bewußtsein der Bedingtheit seines Ansatzes vorliegt. So deckt Emrichs Begriff des „Universellen" zugleich das (in Emrichs Sicht) von den Texten Kafkas letztlich „Gemeinte" und das vom Interpreten als letzter „Wahrheitsgrund" menschlichen Seins Geglaubte und als einzige noch lohnende Aussage höchster Kunst Begriffene; so schrumpft bei Richter der Unterschied zwischen Kafkas Kunstbegriff (wie Richter ihn aus einem einzelnen Text des Spätwerks herausliest) und Richters eigenen Überzeugungen von den Möglichkeiten und Verpflichtungen der Kunst immer weiter zusammen, bis ein aus der Dialektik geschichtlicher Veränderung entflochtener, als nicht mehr überholbar formulierter Kunstbegriff übrigbleibt; so verliert der religionsphilosophisch spekulierende Interpret Weinberg die Begrenztheit seiner Forschungsinteressen und Erkenntniskategorien aus dem Auge und meint, zu endgültigen Ergebnissen über Kafka zu kommen, wobei der Glaube an die Letztinstanzlichkeit der „religionsphilosophischen Interpretationsebene" ihm den Verzicht auf Skepsis gegenüber den stofflich allzu vielfältigen Ergebnissen seiner Deutung leicht macht.

Diese Tendenz der Annäherung des „Textbildes" des Interpreten an sein Weltbild hat immer die gleiche methodische Begleiterscheinung: die Vernachlässigung oder gar Nichtbeachtung der Bedingungen, unter denen der Text als fiktionaler überhaupt erscheint – in unserem Fall denen eines epischen Werkes: die Nichtbeachtung der Formen des Erzählens. Schon die bloße Wahrnehmung der Erzählformen würde auf den – im Falle Kafkas ungewöhnlich hohen – Unbestimmtheitskoeffizienten (Uneindeutigkeitskoeffizienten) hinweisen und so eine methodische Distanz erzwingen; daher muß ihre Beachtung im Drange exzessiven spekulativen Deutens unterdrückt werden.

Deutungsunternehmen aber, in deren Verlauf sich „Textbild" und Weltbild des Interpreten gegenseitig bestätigen, in denen sich zwischen dem Standort des Interpreten und dem (angeblich) vom Text „Bedeuteten" eine außerhalb der Kategorien geschichtlichen Wandels geratene begriffliche Kongruenz ergibt, sind unvermeidlich *dogmatisch*, im Vortrag ihrer Ergebnisse *monologisch*. Dieses kommunikative Merkmal der Dialogfeindlichkeit, der apodiktischen Behauptung der Endgültigkeit, Unüberholbarkeit der Ergebnisse, die Entgrenzung der eigenen interpretatorischen Position hat das spekulative Deuten, wo es – in der eben exemplifizierten Weise – exzessiv wird, mit dem reduktiven Deuten gemeinsam, wo jenes die Kausalstruktur der Texte mit deren Wesen als Texte identifiziert.

Solche Beobachtungen legen es nahe, nach der literaturtheoretischen Gemeinsamkeit dieser so verschieden erscheinenden Deutungsunternehmen innerhalb der Kafka-Literatur zu fragen: Offenbar liegen den exzessiv reduktiven wie den exzessiv spekulativen Interpretationen die gleichen erkenntnistheoretischen Prämissen zugrunde.

Es ist in der Konsequenz der Anlage dieser Arbeit, daß dabei von der Künstlerproblematik ausgegangen wird, wie der Autor Kafka sie realisiert hat, um dann zu untersuchen, inwieweit das Künstlertum Kafkas die Kunsttheorie seiner Interpreten induziert und auf eine außerzeitliche Endgültigkeit fixiert hat.

4.1 KAFKAS SOZIALFUNKTION ALS KÜNSTLER

Existentielle Bedingung der Produktion von Kunst war für Kafka seine menschliche Isolation. Da er Mitmenschlichkeit vor allem in Form von Planung und projizierender Vorwegnahme von Ehe und Zeugung von Nachkommenschaft realisierte, war seine künstlerische Produktivität an die Bewahrung seines Junggesellentums geknüpft. Jede intimere Beziehung, die eine Bindung entstehen ließ, war ihm – so sehr er auch immer wieder nach solcher Bindung verlangte – eine unüberwindliche Irritation: Kafka, der Künstler konnte „keine Geliebte ertragen" (T 229). In Reflexion dieser Erfahrung schreibt er von sich selbst in der dritten Person: „Ist er mit jemandem zu zweit, greift dieser zweite nach ihm und er ist ihm hilflos ausgeliefert. Ist er allein, greift zwar die ganze Menschheit nach ihm, aber die unzähligen ausgestreckten Arme verfangen sich ineinander und niemand erreicht ihn" (T 581). Das Entstehen des Bedürfnisses nach Einsamkeit beschreibt er wie folgt: „Als es in meinem Organismus klar geworden war, daß das Schreiben die ergiebigste Richtung meines Wesens sei, drängte sich alles hin und ließ alle Fähigkeiten leer stehn, die sich auf die Freuden des Geschlechts, des Essens, des Trinkens, des philosophischen Nachdenkens, der Musik zuallererst, richteten. Ich magerte nach allen diesen Richtungen ab" (T 229). Und: „Von der Literatur aus gesehen ist mein Schicksal sehr einfach. Der Sinn für die Darstellung meines traumhaften innern Lebens hat alles andere ins Nebensächliche gerückt und es ist in einer schrecklichen Weise verkümmert und hört nicht auf zu verkümmern. Nichts anderes kann mich jemals zufriedenstellen" (T 420). In ihren positiven Folgen beschreibt er – nach einem Abschied von seiner Braut Felice – die Einsamkeit so: „In mir selbst gibt es ohne menschliche Beziehung keine sichtbaren Lügen. Der begrenzte Kreis ist rein" (T 320). Zahlreiche analoge Stellen aus den Tagebüchern und Briefen lassen sich als Beleg für diese radikale Form des Künstlertums bei Kafka anführen[1].

Die Verknüpfung von Künstlertum und Abbau der mitmenschlichen Interaktion ist daher von der Kafka-Literatur immer wieder festgestellt und analysiert worden[2]. Erst kürzlich hat Wagenbach in seiner Studie über Kafkas „zweite Verlobte" nachgewiesen, daß Kafkas literarische Produktion immer dann versiegte, wenn er in engere zwischenmensch-

---

[1] Vgl. Hillmann, SS. 18 ff., 22 ff., 26 ff., 34 ff.

[2] So von Walser (S. 11 f.), Beißner (Kafka, der Dichter, S. 12 ff.), Hillmann (S. 22 ff.); vgl. auch Teil 2.2 dieser Arbeit.

liche Beziehungen geriet, vor allem wenn eine Ehe sich abzeichnete, und daß die Produktion wieder einsetzte, wenn der „Bruch" gegenüber dem jeweiligen „Nächsten" (der Geliebten oder Braut) vollzogen war: Wie das erste Felice-Jahr (1913) und der Milena-Sommer (1920) so blieb auch das Julie-Jahr (1919) literarisch unfruchtbar; das Schreiben begann wieder nach vollzogener Distanzierung im Jahre 1914 mit dem „Prozeß", im Winter 1919/20 mit „Er", im Spätherbst 1920 mit dem „Stadtwappen" und mit „Poseidon"[3].

Insofern sich in dieser Grundbedingung des Künstlertums Kafkas eine *Individualproblematik* auslebt, die sich in den Kategorien der *Tiefenpsychologie* einerseits und einer *idealistischen Kunsttheorie*[4] andererseits erfassen läßt, soll hier nicht weiter darauf eingegangen werden. Zu erörtern ist hier auch nicht, wie Kafka sein Schreiben vor sich selbst im Hinblick auf die Frage nach dem Sinn bzw. der Sinnleere seiner eigenen Existenz rechtfertigt[5]. Zur Diskussion steht vielmehr das Problem, *wie Kafka seine Kunst mit der menschlichen Mitwelt jenseits des Bereichs privaten Umgangs, mit der Gesellschaft, in Beziehung bringt.* Wie sich zeigen wird, bestehen beträchtliche Diskrepanzen zwischen Kafkas theoretisierender Einschätzung der mitmenschlichen Funktion seines Künstlertums und der Realisierung dieser Funktion in den Texten. Diese Diskrepanzen, ja Antinomien lassen sich, wie zu zeigen sein wird, mit der Widersprüchlichkeit und Inkonsistenz in Beziehung setzen, die Kafka in der Frage der Veröffentlichung der Texte, zumal in den Verfügungen über den Nachlaß, an den Tag gelegt hat.

4.1.1. *Selbstverständnis – Der Dichter als Verwalter mythischer Wahrheit*

Kafka hat seine schriftstellerische Tätigkeit von seiner Berufsarbeit stets scharf getrennt. Es entsprach seiner Welterfahrung, daß die „Nähe des Erwerbslebens" ihn an seiner eigentlichen Verpflichtung, dem Schreiben, hindere (T 456), ja er klagt, daß er seinen Körper, indem er „äußerlich" der Pflicht Genüge leiste, „um ein Stück seines Fleisches beraube" (T 58, T 77). Er hofft, einmal ganz als freier Schriftsteller leben zu können (Br 158), geht aber zugleich davon aus, daß es nun einmal Menschenlos sei, „im Schweiße des Angesichts" zu arbeiten; diese Notwendigkeit der Arbeit ums tägliche Brot erfährt er in der mythischen Kategorie eines „Fluches" (Br 312).

So scheinen sich für Kafka die Welt der gesellschaftlich relevanten

---

[3] Vgl. Wagenbach, Julie Wohryzek, die zweite Verlobte Kafkas, S. 31 ff.
[4] Besonders signifikant ist die sich aus Emrichs Kafka-Interpretation ergebende Kunsttheorie dieser Art.
[5] Vgl. dazu: T 558, T 534, Br 431, B 23, H 95.

Berufsarbeit[6] und die Welt der Kunst schroff zu trennen. Doch erfährt er offenbar den Bereich der Kunst keineswegs als einen – zur Welt fluchhaft notwendiger Arbeit im Gegensatz stehenden – Bereich der Freiheit[7]. Vielmehr sieht er auch die künstlerische Produktion als eine aus einem umfassenden Weltgesetz sich ergebende Notwendigkeit: „Alle kämpfen wir einen Kampf ... Ich kann keinen eigenen führen; glaube ich einmal selbständig zu sein, ... so ergibt sich bald, daß ich infolge der mir nicht gleich oder überhaupt nicht zugänglichen allgemeinen Konstellation diesen Posten übernehmen mußte." (H 70) Wie Hillmann aufgezeigt hat, ist für Kafka die Vorstellung von einer seine eigene Existenz und deren Sinnerfüllung transzendierenden Verpflichtung zum Künstlertum mit der Vorstellung einer großen menschlichen „Familie" verknüpft, die den Dichter aufgrund eines „unbekannten Gesetzes" nicht aus seiner Pflicht entlassen kann (B 295)[8]. Diese Allgemeinmenschlichkeit, in der Kafka sich mit allen Menschen verbunden fühlt, wird bezeichnenderweise nur ganz unbestimmt und in dunklen Wendungen erwähnt: von einem „unbekannten Gesetz" ist in diesem Zusammenhang die Rede, demzufolge seine, des Dichters, Existenz eine „formelle Notwendigkeit" bedeute (B 295). Zuweilen klingen bei der Umschreibung der Besonderheit des Dichters, geradezu biblische Wendungen an: „Wer der Welt entsagt, muß alle Menschen lieben, denn er entsagt auch ihrer Welt. Er beginnt daher, das wahre menschliche Wesen zu ahnen ..." (H 46)

Inwiefern aber bedarf nun die Menschheit im Sinne der menschlichen „Familie" des Künstlers Kafka? Hillmann verweist in diesem Zusammenhang auf eine Stelle aus den „Hochzeitsvorbereitungen", die als der Versuch einer Antwort Kafkas auf diese Frage gelten könnte: „Es sind viele, die warten. Eine unübersehbare Menge, die sich im Dunkel verliert. Was will sie? Es sind offenbar bestimmte Forderungen, die sie stellt. Ich werde die Forderungen abhören und dann antworten. Auf den Balkon hinausgehn werde ich aber nicht; ... beim Schreibtisch, das ist mein Platz, den Kopf in meinen Händen, das ist meine Haltung." (H 233 – vgl. auch H 274 f.) Welcher Art die „Antworten" sein könnten, die der Dichter – Kafkas Selbstverständnis nach – durch seine Arbeit „am Schreibtisch", also durch sein Werk, geben kann, wird nicht deutlich; aber aus anderen Notizen Kafkas ergibt sich, daß er dem Künstler dank dessen Distanz zum „äußeren Leben" Einsichten zutraut, die das Wesen der Welt erhellen. (Vgl. T 561 f., T 563, T 545) So sieht man sich, da Kafka seine Sozialfunktion als Künstler nicht konkreter formuliert hat, auf die Frage zurückverwiesen, welche spezifische Leistung es ist, die er seiner Kunst

[6] Vgl. T 41, wo davon die Rede ist, daß sein Arbeitgeber ihm gegenüber die „klarsten und berechtigtsten Forderungen" habe.

[7] Die Bezeichnung, angewandt auf Adler, „ein freier Mensch und Dichter" bezieht sich nur auf Adlers Freisein von der erwerbsmäßigen Arbeit (Janouch, S. 17).

[8] Vgl. Hillmann, S. 43.

als einer Art der Welt*erhellung* und Welt*erkennung* zutraut. An einer von der Kafka-Literatur besonders beachteten Stelle der Tagebücher zeigt sich die Abhängigkeit der Kunsttheorie Kafkas von der klassisch-idealistischen, letztlich der Platonischen Philosophie: „Zeitweilige Befriedigung kann ich von Arbeiten wie „Landarzt“ noch haben ... Glück aber nur, falls ich *die Welt ins Reine, Wahre, Unveränderliche heben* kann“ (T 534 – Hervorhebung durch mich, D. K.). Offenbar kommt Kafkas Vorstellungen nach die Welt dann in ihrer Wesenhaftigkeit zum Erscheinen, wenn alles Akzidentielle, alles Veränderliche und Vergängliche abfällt und die Ideen-Struktur sichtbar wird. Fragt man freilich, welche Erfahrung dem Künstler diese Leistung der Verwesentlichung der Welt ermöglicht, dann ergibt sich in der Konsequenz Kafkascher Theorie, daß es vor allem die eigene Selbsterfahrung, zumal die gesteigerte Erfahrung der eigenen Innerlichkeit ist: Als Menschen sind wir, so meint Kafka, „nicht weniger tief mit der Menschheit verbunden als mit uns selbst“ (H 117, vgl. auch T 337 f. und H 47). *Die besondere Intensität des Selbstseins des Dichters ist es also gerade, was ihn dazu befähigt, das Allgemeinmenschliche zu realisieren.*

Bereits hier beginnt sich eine Problematik abzuzeichnen, die sich im weiteren als die besondere Problematik des Autors Kafka erweisen wird, der um ein Künstlertum ringt, wie gerade er es in seiner Zeit nicht mehr rein verwirklichen kann; denn das Dilemma tut sich auf: Wie läßt sich zugespitzte Subjektivität (ein „traumhaftes inneres Leben“) in der Gesellschaft, die Kafka vorfand, so vermitteln, daß das Allgemeinmenschliche daran sichtbar wird? Wie verdeutlicht der Künstler Kafka seiner zeitgenössischen Mitwelt, daß er von und mit sich selbst redend, von und mit seinen Mitmenschen spricht?

In der Theorie seines Künstlertums – soweit man angesichts der vage gehaltenen Äußerungen Kafkas dazu von Theorie sprechen kann – umgeht Kafka die eigentliche Problematik, indem er bei der Bestimmung der Organisationsform der ihn umgebenden menschlichen Mitwelt auf den Begriff der „Familie“ rekurriert. Damit vollzieht er einen Rückzug aus der konkreten zeitgenössischen Gesellschaft auf eine archaische Form menschlichen Zusammenlebens. Er versucht eine Re-Mythisierung seiner geschichtlich gewachsenen Gegenwart. In der Berufung auf das „unbekannte Gesetz“, das ihn zum Künstlertum verpflichte, auf die „allgemeine Konstellation“, innerhalb derer sich diese Notwendigkeit ergebe, flüchtet er sich aus dem Prag des ersten Drittels dieses Jahrhunderts, aus dem Staat der untergehenden Donaumonarchie, aus der Gesellschaft des sich auflösenden Liberalismus in ein mythisches Nirgends-und-Überall. An diesem Fluchtversuch wird deutlich, daß der Künstler Kafka eigentlich auf eine andere Gesellschaft angewiesen war als die, die ihn tatsächlich umgab. Er war ein „Priester-Künstler“ [9] ohne Gemeinde – und noch

[9] Muschg, S. 343.

dazu einer, der wußte, daß es keine Gemeinde mehr gab. Muschg schreibt dazu: „Das Selbstbewußtsein des Dichters schrumpfte in ihm zum Bewußtsein der Ohnmacht zusammen“ [10], und die Interpretationen der letzten von Kafka veröffentlichten Erzählung, von „Josefine“, konstatieren fast einhellig, daß Kafkas künstlerisches Selbstverständnis hier von der Kritik solchen Künstlertums eingeholt und überholt worden ist [11].

In einer 1920 geschriebenen Reflexion beklagt Kafka ausdrücklich das Nichtmehrvorhandensein jener archaischen Gesellschaft, auf die ein Künstler wie er eigentlich angewiesen wäre: „Er war früher Teil einer monumentalen Gruppe ... Nun ist die Gruppe längst aufgelöst oder wenigstens hat er sie verlassen und bringt sich allein durchs Leben. Nicht einmal seinen alten Beruf hat er mehr, ja er hat sogar vergessen, was er damals darstellte. Wohl gerade durch dieses Vergessen ergibt sich eine gewisse Traurigkeit, Unsicherheit, Unruhe, ein gewisses die Gegenwart trübendes Verlangen nach vergangenen Zeiten. Und doch ist dieses Verlangen ein wichtiges Element der Lebenskraft oder vielleicht sie selbst.“ (B 295)

4.1.2 Realisierung – Die Unvermittelbarkeit des Ich

Auch wenn Kafka aus dem „Verlangen nach vergangenen Zeiten“ „Lebenskraft“ schöpfte und dabei, dieser Vergangenheit nachhängend, „Traurigkeit, Unsicherheit, Unruhe“ empfand, war seine Affizierung durch die besondere geschichtliche Gegenwart, seine Perzeption der konkreten gesellschaftlich-sozialen Bedingungen seines Lebens und Schreibens doch viel zu intensiv, als daß sein Werk nicht entscheidend dadurch geprägt worden wäre. Kafka war viel zu sehr „betroffen“ von seiner Zeit, als daß er sie nicht – auf seine Weise – im künstlerischen Werk hätte anschaulich werden lassen. Kafka war Zeitgenosse – jenseits aller kunsttheoretischen Reflexionen. So sensibel registrierte Kafka die gesellschaftlich-soziale Wirklichkeit seiner Tage, daß seine Erzählwelt als Vorwegnahme von Entwicklungen gedeutet wurde, die erst nach seinem Tod zu voller Entfaltung kamen.

Zur Bezeichnung der sozio-ökonomischen Verhältnisse, unter denen Kafka schrieb und die in seinen Texten zur Gestaltung kamen, soll der Soziologe Adorno zitiert sein:

„Kafkas Methode ward verifiziert, als die veraltet liberalen, der Anarchie, der Warenproduktion abgeborgten Züge, die er überhöht, in der politischen Organisationsform der sich überschlagenden Ökonomie wiederkehrten. Nicht bloß Kafkas Prophezeiung von Terror und Folter ward erfüllt. ‚Staat und Partei‘: so tagen sie auf Dachböden, hausen in Wirtshäusern wie Hitler und Goebbels im Kaiserhof, eine als Polizei

---

[10] Ebenda, S. 545.

[11] Vgl. besonders die Interpretationen von Politzer und Sokel.

installierte Verbrecherbande. Ihre Usurpation offenbart das Usurpatorische am Mythos der Macht ... Verhaftung ist Überfall, Gericht, Gewalttat ... Wie im Zeitalter des defekten Kapitalismus wird die Last der Schuld von der Produktionssphäre abgewälzt auf Agenten der Zirkulation oder solche, die Dienste besorgen, auf Reisende, Bankangestellte, Kellner ... Die ökonomischen Tendenzen ... waren Kafka keineswegs so fremd, wie die hermetische Verfahrensweise vermuten läßt."[12] Und: „Kafka durchschaut den Monopolismus an den Abfallprodukten der liberalen Ära, die von jenem liquidiert wird."[13]

Diese seine Zeit, die staatlich-politisch durch das Zuendegehen der Donaumonarchie und ökonomisch-gesellschaftlich durch den zerfallenden Liberalismus, die „Anarchie der Warenproduktion" bestimmt ist, erfährt Kafka mit Ablehnung, ja Entsetzen. Nirgends affirmiert sein Werk die bestehenden Verhältnisse. Aber so sehr ist das Individuum Kafka der sozial-ökonomischen Wirklichkeit seiner Tage entfremdet, so sehr ist er – als Bürgersohn des späten Liberalismus – in der Fixierung auf die eigene Subjektivität der Basis des gesellschaftlichen Lebens entrückt, daß er die Verhältnisse seiner Zeit als *ebenso ungeheuerlich wie unveränderlich* erfährt. Wohl wird er über seinen Beruf in einer Arbeiterversicherung mit der Ausbeutung der Arbeiter konfrontiert; so sagt er einmal zu Brod: „Wie bescheiden diese Menschen sind. Sie kommen zu uns bitten. Statt die Anstalt zu stürmen und alles kurz und klein zu schlagen, kommen sie bitten"[14]; und in seinem Tagebuch notiert er: „Geschluchzt über dem Prozeßbericht einer dreiundzwanzigjährigen Marie Abraham, die ihr fast dreiviertel Jahre altes Kind Barbara wegen Not und Hunger erwürgte, mit einer Männerkrawatte, die ihr als Strumpfband diente und die sie abband" (T 307 – vgl. auch T 247 f.); aber dieses „Mitleiden" bleibt für die Tendenz des Erzählens folgenlos, Protest kommt nicht auf – Kafkas erzählte Gegenwart bewahrt ihren Ewigkeitscharakter[15].

Fern aller Dialektik eines mit Veränderung rechnenden Geschichtsbegriffs, versagte er sich dem Sozialismus seiner Zeit. So sagt er über die russische Revolution zu Janouch: „Je weiter sich eine Revolution ausbreitet, um so seichter und trüber wird das Wasser. Die Revolution verdampft, und es bleibt nur der Schlamm einer neuen Bürokratie. Die Fesseln der gequälten Menschheit sind aus Kanzleipapier." Und: „Der Krieg, die Revolution in Rußland und das Elend der ganzen Welt erscheinen mir wie ein Fluch des Bösen. Es ist eine Überschwemmung. Der Krieg hat die Schleusen des Chaos geöffnet. Die äußeren Hilfskonstruktionen der menschlichen Existenz brechen zusammen."[16]

---

[12] Adorno, S. 324 f.
[13] Ebenda, S. 320.
[14] Brod, Biographie, S. 102.
[15] Vgl. Benjamin, SS. 257 u. 259; siehe außerdem Teil 3.1 dieser Arbeit.
[16] Janouch, SS. 79 f. u. 81.

Besonders aufschlußreich ist in diesem Zusammenhang ein Text aus den „Hochzeitsvorbereitungen", den Adorno als „die Figur der Revolution in Kafkas Erzählungen" bezeichnet hat[17]. Darin wird zu einem „Kampf" aufgerufen, der, käme er zustande, ein Kampf um geschichtliche Veränderung, ja um Geschichtlichkeit überhaupt inmitten einer mythischen Welt wäre. Der Verfasser des „Aufrufs" besitzt zwar nur unzureichende Waffen, fünf „Kindergewehre"; aber der „Kampf" scheitert nicht an der mangelnden Ausrüstung der potientiellen Weltveränderer, sondern daran, daß sich auf den „Aufruf" hin nicht ein einziger Mitstreiter meldet: „In unserem Haus hat man keine Zeit und keine Lust, Aufrufe zu lesen oder gar zu überdenken. Bald schwammen die kleinen Papiere in dem Schmutzstrom, der, vom Dachboden ausgehend, von allen Korridoren genährt, die Treppe hinabspült und dort mit dem Gegenstrom kämpft, der von unten heraufschwillt." (H 60 ff.) Der „Aufruf" zur Veränderung der Welt wird erstickt im mythischen „Schmutzstrom", der Kafkas Welt durchspült.

Ebensowenig wie Kafkas Werk die Welt seiner Zeit affirmiert, kann es sie transzendieren. Sozialkritik (um ihrer selbst willen) findet nicht statt. Mit der Dimension der Hoffnung entbehrt Kafkas Werk jeder paränetischen Wirkung auf den zeitgenössischen Leser – es sei denn, man versteht die Paränese so idealistisch abstrakt wie Muschg, der von Kafkas Texten als „priesterlicher Erweckungspoesie" spricht[18].

Diese Unfähigkeit, sich in Affirmierung oder Kritik der vorgefundenen Wirklichkeit mitmenschlich zu solidarisieren, war es dann auch, die Kafka unter den Zwang stellte, alles geschichtliche Geschehen in eine Funktion der eigenen Innerlichkeit zu verwandeln und ihm eine bloß subjektive Relevanz abzupressen. In seinem „Kafka-Buch" zitiert Politzer eine Stelle, die für diese gestalterische Tendenz charakteristisch ist: Am 16. August 1914 registriert Kafka in seinem Tagebuch den Ausbruch des Weltkriegs: „Die Artillerie, die über den Graben zog. Blumen, Heil- und Nazdarrufe. Das krampfhaft stille, erstaunte, aufmerksame schwarze und schwarzäugige Gesicht (offenbar der Menge, D. K.)"; aber unmittelbar aus der Wahrnehmung eines welthistorisch bedeutsamen Ereignisses heraus wendet sich der Gedanke des Schreibers der eigenen reinen Innerlichkeit zu: „Ich bin zerrüttet statt erholt. Ein leeres Gefäß, noch ganz und schon unter Scherben oder schon Scherbe und noch unter den Ganzen. Voll Lüge, Haß und Neid. Voll Unfähigkeit, Dummheit, Begriffsstutzigkeit. Voll Faulheit, Schwäche und Wehrlosigkeit. Einunddreißig Jahre alt" (T 419)[19].

Mit diesem Rückzug auf Individualproblematik und der Umfunktionierung geschichtlich-gesellschaftlicher Realität in Elemente der Innerlichkeit steht Kafka nicht außerhalb des Bereichs des Expressionsismus.

---

[17] Adorno, S. 323.
[18] Muschg, S. 343.
[19] Vgl. Politzer, Das Kafka-Buch, S. 152.

(Man denke etwa an die Forderung eines Theoretikers, wie Hermann Broch es war, nach einem „neuen Mythos" und seine Behauptung, daß Kafka eine erste Verwirklichung davon geliefert habe[20].) Dessen „Sprachgestus" freilich hat er zu vermeiden versucht; und Sokel differenziert zu Recht, wenn er feststellt, daß Kafka wohl mit der Lyrik Trakls und Heyms und vor allem Strindbergs „Traumspielen" in Beziehung gesetzt werden könne, nicht aber mit dem Subjektivismus der „O-Mensch-Dichtung" und deren subjektivem „Stammeln und Predigen"[21]; Kafka, so formuliert Sokel, habe einen „klassischen Expressionismus" verwirklicht, dessen Hauptmerkmal die konsequente „Verbildlichung des Subjektiven" sei[22].

Insofern schließlich als bei Kafka das Prinzip des „individuellen Strebens", des „Einzelkampfes" alles Menschliche beherrscht, muß er der umfassenden Tradition des deutschen Idealismus eingeordnet werden[23]. Allerdings zeigt gerade der Vergleich mit der Welterfahrung der deutschen Klassik, wie sehr Kafkas Weltbild von den konkreten Umständen seiner Zeit geprägt war: seine „Helden" finden keine Erfüllung mehr in einer metaphysischen Transzendenz. Ihr „Streben" bewegt sich in der irdischen Immanenz gleichsam im Kreise. Das exemplarische Ich-Sein, das von Faust noch als Möglichkeit höchster Erfüllung der menschlichen Existenz erfahren wird, bedeutet den „Helden" Kafkas, denen sich keine metaphysische Erfüllungsmöglichkeit eröffnet, Fluch und Verhängnis. „And hence", schreibt Peter Heller, „Kafka's work is an attempt to contradict, to terminate, to reverse the tradition. He reveals only the impossibility of transcendence within the temporal sphere, and thus the futility of striving. And the only positive nexus between Kafka and the tradition to which he is yet confined and on which he is negatively dependent, lies in the fact that to Kafka the only intimation of the absolute is attained in the realisation of the futility of striving."[24]

Indem aber die Hoffnungslosigkeit des „Strebens" des Individuums zwar begriffen, dieses Streben (so etwa nach individueller Rechtfertigung im „Prozeß", nach individueller „Erlösung" im „Schloß") nicht aufgegeben wird zugunsten einer mitmenschlichen Solidarisierung mit dem Ziel der Veränderung der geschichtlichen Immanenz, realisiert sich bei Kafka die Unvermittelbarkeit des Ichs in besonderer Schärfe. Eingeschworen auf einen Einzelkampf mit Gott und aller Welt, findet er den Himmel, der, wenn nicht für den Sieg, so doch die Unnachgiebigkeit darin versprochen ist, entleert. Der Geschichte aber, die um ihn her geschieht, vermag er sich nicht hinzugeben – er erfährt sie nur als Widerhall in seiner

---

[20] H. Broch, Essays I, S. 262.
[21] Sokel, S. 12.
[22] Ebenda, S. 19.
[23] Siehe die Parallelisierung von Goethes Faust mit dem „Schloß"-Roman, die Peter Heller vornimmt (S. 303 ff.).
[24] Peter Heller, S. 303.

Seele: „Fern, fern geht die Weltgeschichte vor sich, die Weltgeschichte deiner Seele." (H 273) In solcher Formulierung steigert sich ein später deutscher Idealismus zum Solipsismus[25].

4.1.3 Der Konflikt mit dem Kommunikativ-Charakter der Kunst

Kafka produziert unter dem Anspruch der Vermittlung universeller (mythischer) Wahrheit. Aber die Erfahrung, die er auf den Expeditionen in die Tiefen der menschlichen Existenz hinab macht, ist die der Leere. „Am Ende dämmerte ihm der Gedanke auf", schreibt Politzer, „die Botschaft, die er zu überbringen habe, bestehe darin, daß keine Botschaft mehr zu überbringen sei." [26]

Aus dieser Erfahrung mit und in seiner Kunst vermag Kafka keine eindeutige Konsequenz zu ziehen. Die Kunstproduktion (das „Gekritzel", wie er es nennt) ist ihm längst zur einzig möglichen Form der Lebensverwirklichung geworden, und sein gesellschaftliches Bewußtsein andererseits bleibt fixiert auf die Skepsis des bürgerlichen Intellektuellen seiner Zeit. So produziert er weiter Kunst, die in unendlicher Variation zur Kenntnis gibt, daß das Ich allein und die gottverlassene Welt, durch die es rast, so trostlos wie unveränderbar sei.

Diese beiden Elemente, die (vergebliche) Erlösungssuche des Individuums und die Verzweiflung an der Veränderbarkeit der Welt – das eine sich ergebend aus Kafkas Zugehörigkeit zur Tradition des idealistischen Individualismus, das andere aus seinem Verhältnis zur gesellschaftlich-zeitgenössischen Realität – formieren sich innerhalb des Werks in der Darstellungstendenz der Problematisierung der zwischenmenschlichen Interaktion.

Wie in den beiden Hauptteilen (2 und 3) dieser Arbeit gezeigt worden ist, realisiert sich diese Erzähltendenz in zweierlei Weise: In der Kommunikationsstruktur der erzählten Welt ist das jeweils „kämpfende Ich" ganz auf sich gestellt; so prägend ist die „Vereinzelung" des jeweiligen „Helden", daß alle Einzelformen des Erzählens in ihrer spezifischen Anwendung bei Kafka ihre gemeinsame Funktion darin haben, die Unvereinbarkeit der subjektiven Innerlichkeit mit der menschlichen Mitwelt zu erweisen (2.1); im Bereich der Motivgestaltung wird die Welt dem Leser zwar als zeitgenössische vermittelt; aber indem sie aus der Dimension geschichtlicher Entwicklung herausgelöst wird, gewinnt sie vor den Augen des Zeitgenossen die Qualität eines mythischen Immer-und-Überall; dieser „Unbedingtheit" und damit auch Unveränderlichkeit der erzählten Welt Kafkas entspricht formal das hermetische Erzählprinzip (3.1).

---

[25] Vgl. dazu den berühmten Nietzsche-Essay von Karl Barth in dessen „Kirchlicher Dogmatik" (III, 2), abgedruckt auch in: „Mensch und Mitmensch", Göttingen 1962, S. 17 ff.

[26] Politzer, S. 422.

Als Mitmensch und Zeitgenosse gerät Kafka in Konflikt mit dem Kommunikativ-Charakter der Kunst überhaupt.

Er begibt sich in die paradoxe Situation eines Menschen, der sich fortwährend und in höchster Eindringlichkeit, Einprägsamkeit und formaler Verbindlichkeit – unter den Bedingungen nämlich künstlerischer Gestaltung – mitteilt und all seiner Mitteilung die Funktion auferlegt, die Unmöglichkeit aller Mitteilung zu erweisen. Er lökt damit wider den Stachel der einzigen wirklichen *Unmöglichkeit* menschlichen Mitteilungsverhaltens, der nämlich, daß es *unmöglich ist, nicht zu kommunizieren*[27].

Über große Strecken seines Künstlerlebens scheint Kafka sich der Austragung dieses Konfliktes dadurch entzogen zu haben, daß er seine Kunst als private Spielerei, eben als „Gekritzel" abtat – vor sich selbst und anderen. Daß er seine Erzählungen im Freundeskreis gern und gut vorlas, ist bekannt. Dieses Vorlesen bedeutete ihm aber offenbar keine „Veröffentlichung", keine irgend verbindliche Anwendung seiner Texte. Der Drucklegung der einzelnen Erzählbände gegenüber, die zu seinen Lebzeiten zustandekamen, scheint er sich ambivalent, ja absichtlich uneindeutig verhalten zu haben. Einerseits scheint er die bescheidene Kommerzialisierung, die seiner Kunst widerfuhr, nicht ungern gesehen zu haben; dabei spielte eine große Rolle, daß er seinem Vater beweisen wollte, daß er imstande sei, aus seinem Schreiben etwas Brauchbares im Sinne auch eines Geschäftsmanns zu machen; andererseits scheint er alle möglichen Spitzfindigkeiten angewandt zu haben – sich selbst und anderen gegenüber –, die ihn einer Verantwortung für die Veröffentlichung entheben sollten. Zeugnis davon gibt ein von Janouch überliefertes Gepräch, das aus Anlaß der Veröffentlichung von „In der Strafkolonie" stattfand (Kafka hatte eben ein Belegexemplar zugesandt bekommen). Als Janouch anmerkte, Kafka könne mit dem Druck zufrieden sein, antwortete dieser: „Die Veröffentlichung eines Gekritzels von mir beunruhigt mich immer." Und als Janouch fragte, warum er dann überhaupt drucken lasse, lautete die Antwort: „Das ist es eben! ... alle meine Freunde bemächtigen sich immer irgendeiner Sache, die ich geschrieben habe, und überraschen mich dann mit dem fertigen Verlagsvertrag. Ich will ihnen keine Unannehmlichkeiten bereiten, und so kommt es zum Schluß zur Herausgabe von Dingen, die eigentlich nur ganz private Aufzeichnungen oder Spielereien sind. Persönliche Belege meiner menschlichen Schwäche werden gedruckt und sogar verkauft, weil meine Freunde ... es sich in den Kopf gesetzt haben, daraus Literatur zu machen, und ich nicht die Kraft besitze, diese Zeugnisse meiner Einsamkeit zu vernichten." Das klingt noch relativ eindeutig. Aber was nun folgt, ist eine für Kafka so typische Einschränkung, fast Aufhebung des eben Gesagten: „Was ich hier sagte, ist natürlich nur eine Übertreibung und kleine Boshaftigkeit meinen Freunden gegenüber. In Wirklichkeit bin ich schon so verdorben und schamlos, daß ich selbst an der Heraus-

[27] Vgl. Watzlawick (u. a.), S. 50 ff.

gabe dieser Dinge mitarbeite. Um meine Schwäche zu entschuldigen, mache ich die Umwelt stärker, als sie in Wirklichkeit ist. Das ist natürlich Betrug. Ich bin eben Jurist. Darum kann ich vom Bösen nicht loskommen“[28]. So kommunizierte er und redete sich doch ein, er tue es nicht. So nahm er am Literaturbetrieb teil – und schob die Verantwortung dafür, daß er's tat, von sich ab.

Die Erkenntnis der Antinomie zwischen der solipsistischen Erfahrung seines Künstlertums und dem Kommunikativ-Charakter der Kunst scheint Kafka besonders bedrängt zu haben, als er daran ging, sich über die Zukunft seines Werks nach seinem Tode Gedanken zu machen. Der Ausweg, den er wählte, ist faszinierend. Kafka hat zwei „Testamente“ hinterlassen. In dem einen wird Brod, dem Testamentsvollstrecker, aufgetragen, „alles, was sich in meinem Nachlaß findet . . ., restlos und ungelesen zu verbrennen“ (P 316). In dem zweiten, einem mit Bleistift geschriebenen Brief an Brod, geschieht hinsichtlich der Werke eine Differenzierung: „Von allem, was ich geschrieben habe, gelten nur die Bücher: Urteil, Heizer, Verwandlung, Strafkolonie, Landarzt und die Erzählung: Hungerkünstler. (Die paar Exemplare der „Betrachtung“ mögen bleiben, ich will niemandem die Mühe des Einstampfens machen, aber neu gedruckt darf nichts daraus werden.) Wenn ich sage, daß jene fünf Bücher und die Erzählung gelten, so meine ich damit nicht, daß ich den Wunsch habe, sie mögen neu gedruckt und künftigen Zeiten überliefert werden, im Gegenteil, sollten sie ganz verlorengehen, entspricht dieses meinem eigentlichen Wunsch. Nur hindere ich, da sie schon einmal da sind, niemanden daran, sie zu erhalten, wenn er Lust dazu hat.“ (P 317) Brod hat den bleistiftgeschriebenen Zettel für die ältere Willenserklärung gehalten; neuere Untersuchungen weisen darauf hin, daß die Fassung, die eine Differenzierung der Einschätzung der Werke enthält, das spätere Dokument sei[29]. In jedem Fall sind die Maßnahmen, die Kafka hinsichtlich des Fortwirkens seines Werks getroffen hat, inkonsistent. Denn Brod hatte ihm gegenüber schon einmal mündlich geäußert, daß er einem etwaigen testamentarischen Wunsche, das hinterlassene Werk zu verbrennen, nicht nachkommen werde (P 318); trotzdem hat Kafka niemand anderen als Testamentsvollstrecker eingesetzt als Brod. Auch die Fragen, warum denn Kafka seine Arbeiten, wenn er sie schon für bloße private „Spielereien“, für Gebilde ohne jede zwischenmenschliche Relevanz hielt, nicht selbst verbrannt habe, oder warum er nicht alles durch Dora Dymant habe verbrennen lassen, die doch einiges auf seinen Befehl hin verbrannt zu haben scheint[30], sind niemals befriedigend beantwortet worden. (Das Spekulieren über die Art und das Ausmaß künstlerisch-ästhetischer Selbstkritik, die Kafka den eigenen Texten gegenüber wal-

---

[28] Janouch, S. 23 f.

[29] Vgl. Meno Spann, „Die beiden Zettel Kafkas“, Monatshefte XLVII, 1955, S. 322; vgl. auch die Diskussion der Problematik von Politzer (S. 418 ff.).

[30] Vgl. J. P. Hodin, Erinnerungen an Franz Kafka, Der Monat 1, 1949, S. 92.

ten ließ – mußte ihm etwa das Fragmentarische seiner größeren Werke unbedingt als Nachteil erscheinen? –, führt, wie Politzer kürzlich gezeigt hat, ins Leere[31].) Was also wollte Kafka mit seinem Werk?

Zwei einander widersprechende Möglichkeiten der Einschätzung seiner Produkte scheinen sich Kafka am Ende seines Lebens angeboten zu haben: Orientierte er sich an dem Anspruch, daß Kunst eine „Botschaft" zu sein habe, etwas, dem man nachleben könne auch jenseits der besonderen Bedingungen, unter denen der Autor die Welt erlebte – orientierte er sich also an dem Kunstbegriff, den er aus einer klassisch-idealistischen Tradition übernommen hatte, dann mußte sein Entschluß lauten: verbrennen! Ging er aber davon aus, daß er, Franz Kafka, eben keine andere Welt als die seine, eine konsequent subjektive, eine Welt traumhafter Innerlichkeit erfahren habe und daher auch keine andere Welt als eben die der radikalen Vereinzelung des Menschen, der Hoffnungslosigkeit habe darstellen können – betrachtete er also sein Werk als Dokument einer exemplarischen Existenz, d. h. vor allem einer exemplarischen, bis an ein absolutes Ende geführten Hoffnungslosigkeit[32], dann mag es ihm als erhaltenswert erschienen sein.

Offenbar konnte sich Kafka für keine der beiden Einschätzungsmöglichkeiten entscheiden. Er konnte oder wollte die Entscheidung hinsichtlich der kommunikativen Relevanz seines Werks nicht treffen, er wollte oder konnte keine mitmenschlich-zeitgenössische Garantie dafür übernehmen. Der Ausweg, den er wählte, entspricht formal der erzähltechnischen Maßnahme, mit der er die sphärische Geschlossenheit seiner erzählten Welt zu wahren wußte: der Vereinnahmung der dem Ich kontroversen mitmenschlichen Transzendenz als einer bloßen Funktion der subjektiven Innerlichkeit des „Helden": Indem er ausgerechnet Max Brod als Testamentsvollstrecker eines (gerade für und von Brod nicht vollstreckbaren) Testaments einsetzte, machte er diesen zu einer Komponente des Kampfes der eigenen Innerlichkeit. Ja, er stülpte gleichsam den von ihm selbst nicht gelösten Konflikt allen künftigen Lesern seiner Werke über. Die Wendung im Testament: „Nur hindere ich, da sie (die beim Tode des Autors gedruckt vorliegenden Texte, D. K.) schon einmal da sind, niemanden daran, sie zu erhalten, wenn er dazu Lust hat", erinnert an den Brief, den der Landvermesser K. im „Schloß" von Klamm erhält und in dem es heißt: „Sie sind, wie Sie wissen, in die herrschaftlichen Dienste aufgenommen" (S 36); über diese Stelle belehrt der Dorfvorsteher den Landvermesser mit dem Hinweis, daß er nur „wie er wisse" in die herrschaftlichen Dienste aufgenommen sei, daß also die „Beweislast", daß er es sei, ihm auferlegt sei (S 98). Ebenso hat es Kafka in seinem sonderbaren Testament offenbar mit seinen Lesern gemeint: Wenn sie etwas mit seinen Texten anfangen wollten, dann könnten sie es ruhig tun, nur sollten sie sich bewußt sein, daß dies alles ihrer eigenen

---

[31] Politzer, S. 421 f.

[32] Ebenda, S. 422.

„Lust" nach geschehe – außerhalb der Verantwortung des Autors. So werden auch alle künftigen Leser noch zu Komponenten des inneren Kampfes des Autors. Die Beweislast dafür, ob das Werk Franz Kafkas uns anspricht, ist uns auferlegt.

Was den Autor angeht, bleibt der Konflikt mit dem Kommunikativ-Charakter der Kunst ungelöst. Der Autor Kafka rettet sich – nur sich selbst treu bleibend – in ein Paradox. Es bleibt bei der Klage des „Jägers Gracchus", daß ihm nicht geholfen werden kann, und der Schrei, den wir hören, ist, daß niemand ihn hört. Aber wir hören ihn.

Es würde an Kafka und seinem Werk als einem Gegenstand der Dichtungswissenschaft vorbeiführen, wollte man das Paradoxe dieses Verhaltens den kommunikativen Bedingungen der Kunst gegenüber individualpsychologisch erklären, sozusagen als persönlichen Defekt.

Vielmehr ist festzuhalten, daß Kafka seinem Kunstverständnis und seinem gesellschaftlichen Bewußtsein nach gar nicht anders konnte, als die Unmöglichkeit des ihm einzig Möglichen zu erfahren und auszusprechen. Das Paradoxe ergibt sich aus dem Versuch, *solche* Kunst zu machen in *solcher* Zeit, aus dem Versuch nämlich, unter Aufrechterhaltung eines idealistischen Kunstanspruchs der Wahrheitsförderung aus den Tiefen der Existenz heraus eine gesellschaftliche Realität zu verarbeiten, in der sich der einzelne (der Künstler) von jedem sozialen Kontext entfremdet und damit der Möglichkeit, Ich und Welt zu vermitteln, beraubt sieht. Kafka reagierte subjektiv angemessen auf eine paradoxe Situation[33]. Nicht nur Kafkas Werke, sondern auch die Geschichte seiner Künstlerexistenz demonstrieren die „soziale Genese der Schizophrenie" [34].

Die Größe und Einmaligkeit des Werkes Kafkas beruht gerade auf der Konsequenz und Unerbittlichkeit, mit der er die Paradoxien ausschritt, die sich aus den zeitgeschichtlichen und traditionsvermittelten Bedingungen ergaben, unter denen sein Werk entstand. Auch (und gerade) die wissenschaftliche Wirkungsgeschichte seines Werkes zeigt, daß die paradoxen Antinomien, die aus der Perpetuierung eines individualistisch-idealistischen Kunstbegriffs in eine damit nicht mehr zu vermittelnde gesellschaftliche Wirklichkeit hinein erwachsen, auch heute noch bewältigt werden wollen.

4.2 DAS KUNSTWERK UND SEINE VERMITTLUNG IN DER KAFKA-LITERATUR

4.2.1 Der kontemplative Erkenntnisbegriff

Die wissenschaftliche Literatur zu Kafka ist in den Teilen 2.2 und 3.2 dieser Arbeit in ihrer Bedingtheit durch das Werk Kafkas selbst erörtert

[33] Vgl. Watzlawick (u. a.), S. 178 ff.

[34] Vgl. Adorno, S. 318; die Formulierung bezieht sich dort auf die Inhalte der Texte Kafkas.

worden. Dabei haben sowohl das reduktive als auch das spekulative Deutungselement als solches ihre Berechtigung innerhalb der Dichtungswissenschaft erwiesen. Aber es hat sich gezeigt, daß ein exzessives, d. h. die eigenen Deutungsinteressen nicht hinreichend reflektierendes und damit die eigenen Ergebnisse nicht hinreichend begrenzendes Interpretieren zu methodischen Brüchen und Kurzschlüssen führen muß. Wie es ein positivistisches Mißverständnis ist, daß fiktionale Texte sich „vollkommen mit den realen Gegenständen der ‚Lebenswelt' verrechnen"[35] ließen, so isoliert ein idealistischer Literaturbegriff die Kunst von ihrer gesellschaftlichen Basis in der Annahme, „daß im literarischen Text Dichtung zeitlos gegenwärtig und ihr objektiver, ein für allemal geprägter Sinn dem Interpreten jederzeit unmittelbar zugänglich sei" – eine Annahme, die nichts anderes ist als ein „platonisierendes Dogma der philologischen Metaphysik"[36].

In beiden Fällen wird das Kunstwerk als etwas in Eindeutigkeit Gegebenes verstanden, das der Interpret nur in seiner Wesenheit zu erhellen habe. Die Fähigkeit dazu wird dem Interpreten aufgrund seiner Partizipation an dem gleichen allgemeinen Humanum (sei es als Seinsstruktur verstanden, als Erkenntnisstruktur oder als der eine kontinuierliche Lebens- bzw. Traditionszusammenhang der Menschheitsentwicklung) zugeschrieben, das auch das jeweilige Werk konstitutiv bedinge. (Vgl. die in den letzten Jahren aufs neue heftig geführte Diskussion um das „hermeneutische Vorverständnis" und den „hermeneutischen Zirkel"[37].) Hier wie dort wird das Verhältnis zwischen dem Kunstwerk und seinem Rezipienten (Interpreten) verstanden wie das zwischen einem Gegenstand (Objekt) und dem Betrachter (Subjekt); dabei werde, so nimmt man an, die interesselos „reine" Anteilnahme des Interpreten mit einem vollkommenen („wahren") Erscheinen des Kunstwerks belohnt. Freilich verlangt ein derart beschriebenes Idealergebnis hermeneutischen Verstehens, daß es dem Interpreten gelingt, der „objektivierenden Methode seiner Wissenschaft" voll Genüge zu leisten, d. h. alle die Erkenntnis trübenden Einflüsse zu eliminieren. Die Ausschaltung aller lebenspraktischen Interessen des Interpreten ist die Voraussetzung und „reine Objektivität der Erkenntnis" das Ziel einer so verstandenen Hermeneutik.

Diesem „kontemplativen Erkenntnisbegriff" stellt Jürgen Habermas in seiner Auseinandersetzung mit Dilthey ein anderes hermeneutisches Modell gegenüber, das für diese Arbeit schon deshalb von Bedeutung ist, weil es die Auseinandersetzung mit Werken der Kulturgeschichte als einen Akt dialogischer Interaktion versteht:

---

[35] Iser, S. 12.

[36] Jauß, S. 183.

[37] Vgl. vor allem: Gadamer, Wahrheit und Methode, [2]Tübingen 1965; Hermeneutik und Ideologiekritik, Frankfurt a. M. 1971 (Gadamer, Habermas u. a.); Habermas, Erkenntnis und Interesse, Frankfurt a. M. 1968.

Das hermeneutische Verstehen bindet den Interpreten an die Rolle eines Dialogpartners. Allein dieses *Modell der Teilnahme an einer eingelebten Kommunikation* kann die spezifische Leistung der Hermeneutik erläutern.[38]

Denn in einer Interaktion, die mindestens zwei Subjekte im Rahmen der umgangssprachlich hergestellten Intersubjektivität der Verständigung über konstante Bedeutungen verbindet, ist der Interpret ebenso Beteiligter wie das Interpretandum. An die Stelle des Verhältnisses von beobachtendem Subjekt und Gegen*stand* tritt hier das Verhältnis von teilnehmendem Subjekt und Gegen*spieler*. Erfahrung ist durch die Interaktion beider vermittelt – Verstehen ist kommunikative Erfahrung. Deren Objektivität ist mithin von beiden Seiten bedroht: durch den Einfluß des Interpreten, dessen beteiligte Subjektivität die Antworten verzerrt, nicht weniger als durch die Reaktionen des Gegenüber, der einen partizipierenden Beobachter befangen macht. Freilich – wenn wir die Gefährdung der Objektivität *so* beschreiben, haben wir schon die Perspektive der Abbildtheorie der Wahrheit eingenommen, die uns der Positivismus mit Hinweis auf das Muster kontrollierter Beobachtung suggerieren möchte.[39]

Voraussetzung aber dafür, daß der Interpret in einem solchen Kommunikativ-Modell der Hermeneutik mitspielen kann, ist, daß er sich der Bedingtheit seiner Erkenntniskategorien bewußt wird, daß er sich „in seinem eigenen Bildungsprozeß durchschauen lernt“:

Der Interpret kann sich, gleichviel ob er es mit zeitgenössischen Objektivationen oder geschichtlichen Überlieferungen zu tun hat, von seiner hermeneutischen Ausgangslage nicht abstrakt lösen. Er kann den offenen Horizont der eigenen Lebenspraxis nicht einfach überspringen und den Traditionszusammenhang, durch den seine Subjektivität gebildet ist, nicht schlicht suspendieren, um in den subhistorischen Lebensstrom einzutauchen, der die genießende Identifikation aller mit allen erlaubt. Gleichwohl ist Sachlichkeit des hermeneutischen Verstehens in dem Maße zu erreichen, als das verstehende Subjekt über die kommunikative Aneignung der fremden Objektivationen sich selbst in seinem eigenen Bildungsprozeß durchschauen lernt. Eine Interpretation kann die Sache nur in dem Verhältnis treffen und durchdringen, in dem der Interpret diese Sache *und zugleich* sich selbst als Momente des beide gleichermaßen umfassenden und ermöglichenden objektiven Zusammenhangs reflektiert.[40]

An die Stelle einer „selbstlosen Universalität der Einfühlung“ – durch welche Art eines allgemeinen Humanums diese auch immer ermöglicht werden soll – tritt bei Habermas die Annahme eines „praktischen erkenntnisleitenden Interesses“. Das heißt, daß der interpretierende Wissenschaftler seine Arbeit zu sehen hat im Zusammenhang der ihn umgebenden gesellschaftlichen Verhältnisse, daß er sich der Frage zu konfrontieren hat nach der gesellschaftlich-sozialen Relevanz seines Tuns. *Ja, es ist festzuhalten, daß die Akzeptierung eines solchen prakti-*

[38] Habermas, Erkenntnis und Interesse, S. 226.
[39] Ebenda, S. 224.
[40] Ebenda, S. 227.

schen Erkenntnisinteresses als „die Grundlage möglicher hermeneutischer Erkenntnis, und nicht als deren Korruption" zu verstehen ist[41].

4.2.2 *Dichtungswissenschaft als Veranstaltung für menschliche Innerlichkeit*

Vor dem Hintergrund solch dialogisch-kritischer Erkenntnistheorie wird deutlich, wie es dazu kommt, daß der Kunstbegriff Kafkas von vielen seiner Interpreten perpetuiert wird.

Wie die vorausgegangenen Teile dieser Untersuchung gezeigt haben, ist die Grundbedingung Kafkascher Kunst der Rezeß in die Innerlichkeit des Individuums. Da Kafka an jeder Möglichkeit der Vermittlung der Innerlichkeit mit der in der Dimension der Geschichte sich entfaltenden Gesellschaftsentwicklung verzweifelte, wurde ihm das eigene Werk zum „Mythos seiner inneren Existenz". Allerdings war es sein Schicksal, daß sich ein derartiger Rückzug auf das Prinzip der Individuation in seiner Zeit nicht mehr als Existenzerfüllung erfahren ließ. Die metaphysische Transzendenz hatte ihre Anziehungskraft verloren; der Himmel, den das Individuum im „Einzelkampf" zu erstürmen suchte, war kein Himmel mehr. Das „Faustische Streben" führte bei Kafka nur noch zur Selbstdestruktion.

Sei es nun, daß Kafkas Realisierung von Kunst den Kunstbegriff seiner Interpreten induziert hat, oder sei es, daß Kafkas Texte gerade solche Interpreten anziehen, die ihr Wissenschaftlertum und Kunstverständnis daran besonders glücklich glauben entfalten zu können – in großen Teilen der Kafka-Literatur wurde unbedenklich die Verknüpfung von Kunst mit existentieller Vereinsamung, wurde der Rezeß des einsamen Einzelnen aus der Gesellschaft nachvollzogen. Die Gestaltung der „ontischen Einsamkeit" bei Kafka als „condition humaine" wurde nicht auf ihre sozio-ökonomischen Umstände, Kafkas Menschenbild und Kunstbegriff nicht auf ihre Bedingtheit durch einen bestimmten Augenblick der Gesellschaftsgeschichte befragt, sondern als „endgültige Wahrheit", als letzte Möglichkeit dessen, was Kunst noch zu leisten vermag, geglaubt. In solchen Veranstaltungen der Dichtungswissenschaft gehen Kafka-Interpretation und aktueller Nachvollzug des Rezesses Kafkas aus der Gesellschaft unmittelbar ineinander über. Eine solche Reaktion auf Kafka läßt sich vor allem bei den Interpreten beobachten, die in der Tradition eines individualistischen Idealismus stehen. (Vgl. Teil 3.2.) Bei ihnen kann angenommen werden, sie seien von den Texten Kafkas angezogen worden, weil es ihnen bei der Interpretation davon leicht fallen muß, ihre eigene Weltsicht zu entfalten. Als Beispiel aber dafür, daß in der Literatur zu Kafka einzelne kunsttheoretische Äußerungen offenbar durch den Kunstbegriff Kafkas induziert worden sind, können bestimmte Partien in

[41] Ebenda, S. 224 f.

den Arbeiten Friedrich Beißners gelten. Das mag erstaunlich erscheinen; denn Beißner war es ja gerade, der mit seiner exakten Analyse Kafkascher Erzählformen die Grundlage für ein philologisch-kritisches, die Besonderheit der Dichtung Kafkas würdigendes Deuten gelegt hat; aber offenbar hängt die Tendenz zur Regression in eine idealistisch erfahrene „reine Innerlichkeit“ mit der Gefahr des „literarhistorischen Formalismus“ bei Beißner zusammen, die schon Hans Mayer festgestellt hat[42]. Folgendes Zitat aus Beißners Schrift „Kafka, der Dichter“ soll das Gemeinte veranschaulichen: „... Ist es nicht eine ... Selbsttäuschung, wenn dieser tiefpessimistische und ganz zu seinem traumhaften innern Leben abgekehrte, in sein inselhaftes Selbst verbannte Dichter ... es für möglich hält, er könne *die Welt ins Reine, Wahre, Unveränderliche heben*? Nein, es ist keine Selbsttäuschung; denn die dichterische Gestaltung der Not hebt wirklich *die Welt ins Reine, Wahre, Unveränderliche* ...“[43]

Hier ist der Kunstbegriff Kafkas wieder lebendig. Die Zeit steht still.

Deutungsunternehmen dieser Art verfehlen den Autor Kafka und ihre eigene Relevanz als Wissenschaft.

Sie verfehlen Kafka, indem sie übersehen, daß die Bedeutung gerade dieses Autors in der Radikalität der Austragung des Konflikts zwischen einem idealistischen Kunstbegriff und einer diesem nicht mehr kommensurablen gesellschaftlichen Wirklichkeit besteht. Die sprachlich-bildnerische Ausformung der sich aus dem ungelösten Konflikt ergebenden Antinomien bis in schärfste Paradoxien hinein macht den exemplarischen Charakter des Werkes Kafkas aus, gibt ihm die Qualität eines in seiner Demonstrationskraft unübertrefflichen Dokuments eines besonderen Augenblicks europäischer Kulturgeschichte. Die Distanz, die von uns darauf besteht, zu unterlaufen, bedeutet den Verzicht auf die Bestimmung der Einmaligkeit Kafkas.

Deutungsunternehmen dieser Art verlieren ihre zeitgenössische Relevanz als Wissenschaft, indem sie im Rezeß aus der Dimension geschichtlicher Entwicklung Ergebnisse vermitteln, die, angeblich aus Kafka gewonnen, nur in der Innerlichkeit des darin isolierten Individuums zu aktualisieren sind. Kunst wird gedeutet und dargeboten als Anlaß zu individueller – kontemplativer – Erbauung. Genießende Identifikation bzw. die Vorbereitung dazu tritt an die Stelle der Anerkennung eines praktischen erkenntnisleitenden Interesses hermeneutischer Wissenschaft. Welcher Art dieses Interesse sein könnte, soll folgendes Zitat umreißen:

> Die Welt des tradierten Sinnes erschließt sich dem Interpreten nur in dem Maße, als sich dabei zugleich dessen eigene Welt aufklärt. Der Verstehende

[42] Hans Mayer, S. 62.

[43] Beißner, Kafka, der Dichter, S. 25; vgl. auch die Stelle: Der Erzähler Franz Kafka, S. 41 f.

stellt eine Kommunikation zwischen beiden Welten her; er erfaßt den sachlichen Gehalt des Tradierten, indem er die Tradition auf sich und seine Situation *anwendet*.

Wenn aber die methodischen Regeln in dieser Weise *Auslegung mit Applikation vereinigen*, dann liegt die Deutung nahe: *daß die hermeneutische Forschung die Wirklichkeit unter dem leitenden Interesse an der Erhaltung und Erweiterung der Intersubjektivität möglicher handlungsorientierender Verständigung erschließt*. Sinnverstehen richtet sich seiner Struktur nach auf möglichen Konsensus von Handelnden im Rahmen eines tradierten Selbstverständnisses.[44]

Die Annäherung an ein solches Verständnis hermeneutischer Wissenschaft würde allerdings auch das Eingeständnis nach sich ziehen müssen, „daß die lebenspraktische Bindung des Verstehens an die hermeneutische Ausgangslage des Verstehenden zum hypothetischen Vorgriff auf eine Geschichtsphilosophie in praktischer Absicht nötigt“ [45].

Sucht man in der Kafka-Literatur nach Manifestationen des Bemühens, die Entwicklung der eigenen Methode und die Darbietung der damit erarbeiteten Ergebnisse zu begreifen *als die Suche nach möglichen Bedingungen der Kommunikation über Texte*, und nach Manifestationen des Bedürfnisses, die zeitgenössisch-gesellschaftliche Relevanz der eigenen Wissenschaft zu reflektieren, so ist das Ergebnis wahrscheinlich durchaus repräsentativ für weitere Bereiche der Dichtungswissenschaft heute.

Allerdings scheint die Beschäftigung mit Kafka ein besonders gut gewähltes Alibi zu sein für eine Wissenschaft, die sich Dispens erteilen will von Geschichte und Gesellschaft, – und darum auch ein besonders geeigneter Anlaß, die Problematik solcher Wissenschaft heute zu beschreiben.

---

[44] Habermas, Erkenntnis und Interesse, in: Technik und Wissenschaft als „Ideologie“, S. 157 f. (Hervorhebung von mir, D. K.).

[45] Habermas, Zu Gadamers „Wahrheit und Methode“, in: Hermeneutik und Ideologiekritik, S. 55.

5 ERKLÄRUNG DER ABKÜRZUNGEN

Zitiert wird nach der Ausgabe: Franz Kafka, Gesammelte Werke, hrsg. v. Max Brod, Frankfurt a. M.: S. Fischer Verlag, Lizenzausgabe von Schocken Books, New York. Die Belegstellen der Zitate werden nicht in den Anmerkungen gebracht, sondern unmittelbar im darstellenden Text den Zitaten in Klammern beigefügt mit den folgenden Abkürzungen:

A Franz Kafka, AMERIKA, Frankfurt a. M. 1966 (9. bis 11. Ts.)

B Franz Kafka, BESCHREIBUNG EINES KAMPFES, Novellen, Skizzen, Aphorismen aus dem Nachlaß, Frankfurt a. M. 1946

Br Franz Kafka, BRIEFE 1902–1924, Frankfurt a. M. 1958

E Franz Kafka, ERZÄHLUNGEN, Frankfurt a. M. 1946

F Franz Kafka, BRIEFE AN FELICE, Frankfurt a. M. 1967

H Franz Kafka, HOCHZEITSVORBEREITUNGEN AUF DEM LANDE und andere Prosa aus dem Nachlaß, Frankfurt a. M. 1953

M Franz Kafka, BRIEFE AN MILENA, Frankfurt a. M. 1960

P Franz Kafka, DER PROZESS, Frankfurt a. M. 1958 (22. bis 26. Ts.)

S Franz Kafka, DAS SCHLOSS, Frankfurt a. M. 1955 (9. bis 13. Ts.)

T Franz Kafka, TAGEBÜCHER 1910–1923, Frankfurt a. M. 1954 (6. bis 10. Ts.)

Die Zahlen hinter den Buchstaben bedeuten jeweils die Seitenzahl des betreffenden Bandes.

6 LITERATURVERZEICHNIS

Hier nicht verzeichnete Werke sind in den Anmerkungen mit den vollständigen bibliographischen Angaben aufgeführt.

Adorno, Theodor W.: Aufzeichnungen zu Kafka. In: Prismen. Kulturkritik und Gesellschaft. Frankfurt a. M. 1955.

Allemann, Beda: Kafka. Der Prozeß. In: Der deutsche Roman. Vom Barock bis zur Gegenwart. Bd. II. Hrsg. v. B. v. Wiese. Düsseldorf 1963. S. 234 ff.

ders.: Hölderlin und Heidegger. Zürich/Freiburg i. Br. ²1954.

Anders, Günther: Kafka. Pro und contra. München ³1967 (Erstauflage 1951).

Arendt, Hannah: Franz Kafka von neuem gewürdigt. In: Die Wandlung. 12, 1946 (1. Jg.).

Barth, Karl: Mensch und Mitmensch. Die Grundform der Menschlichkeit. Göttingen 1962 (19.–23. Ts.). (Nachdruck aus: Karl Barth: Die kirchliche Dogmatik. Bd. III, 2.)

Beißner, Friedrich: Der Erzähler Franz Kafka. Stuttgart 1952.

ders.: Kafka, der Dichter. Stuttgart 1958.

Benjamin, Walter: Franz Kafka. In: Ausgewählte Schriften 2. Frankfurt a. M. 1966. S. 248 ff.

Bense, Max: Die Theorie Kafkas. Köln/Berlin 1952.

Binder, Hartmut: Motiv und Gestaltung bei Franz Kafka. Bonn 1966.

Bocheński, I. M.: Die zeitgenössischen Denkmethoden. München ⁵1971.

Broch, Hermann: Essays I. Zürich 1955.

Brod, Max: Franz Kafka. Eine Biographie. Frankfurt a. M. ³1954.

ders.: Franz Kafkas Glauben und Lehre. München 1948.

ders.: Franz Kafka als wegweisende Gestalt. St. Gallen 1951.

ders.: Verzweiflung und Erlösung im Werk Franz Kafkas. Frankfurt a. M. 1959.

ders.: Der Dichter Franz Kafka. In: Die neue Rundschau. Berlin/Leipzig. 11, 1921.

Demetz, Petr.: Kafka, Freud, Husserl: Probleme einer Generation. In: Zeitschrift für Religions- und Geistesgeschichte, Jg. 7, 1955. Hft. 1, S. 59 ff.

ders. (Hrsg.): Kafka a Praha. Prag 1947.

Edel, Edmund: Franz Kafka. Die Verwandlung. In: Wirkendes Wort. 8, 1957/58. S. 217 ff.

Eisner, Pavel: Franz Kafka and Prague. New York 1950.

Emrich, Wilhelm: Franz Kafka. Frankfurt a. M. ³1961.

Fietz, Lothar: Möglichkeiten und Grenzen einer Deutung von Kafkas Schloß-Roman. In: DVjs. 1, 1963. S. 71 ff.

Flach, Brigitte: Kafkas Erzählungen. Bonn 1967.

Flores, Kate: The Judgment. In: Kafka Today. Hrsg. v. Angel Flores/Homer Swander. Madison 1964. S. 5 ff.

Frynta Emanuel: Franz Kafka lebte in Prag. Prag 1960.

Fügen, Hans Norbert: Die Hauptrichtungen der Literatursoziologie. Bonn 1964.

ders. (Hrsg.): Wege der Literatursoziologie. Neuwied/Berlin 1968.
Fürst, Norbert: Die offenen Geheimtüren Franz Kafkas. Heidelberg 1956.
Gadamer, Hans-Georg: Wahrheit und Methode. Tübingen ²1965.
Gansberg, Marie Luise / Völker, Paul Gerhard: Methodenkritik der Germanistik. Stuttgart 1970/71.
Goldmann, Lucien: Zur Soziologie des Romans. Neuwied/Berlin 1968.
Habermas, Jürgen: Erkenntnis und Interesse. In: Technik und Wissenschaft als „Ideologie". Frankfurt a. M. 1968.
ders.: Erkenntnis und Interesse. Frankfurt a. M. 1968.
ders.: Zu Gadamers „Wahrheit und Methode". In: Hermeneutik und Ideologiekritik. Hrsg. v. J. Habermas u. a. Frankfurt a. M. 1971. S. 45 ff.
Harder, Marie-Luise: Märchenmotive in der Dichtung Franz Kafkas. Diss. Freiburg 1962 (Masch.).
Hasselblatt, Dieter: Zauber und Logik. Eine Kafka-Studie. Köln 1964.
Heldmann, Werner: Die Parabel und die parabolischen Erzählformen bei Franz Kafka. Diss. Münster 1953 (Masch.).
Heller, Erich: Enterbter Geist. Frankfurt a. M. 1954.
Heller, Peter: Dialectics and Nihilism. University of Massachusetts 1966.
Hermsdorf, Klaus: Kafka. Weltbild und Roman. Berlin 1961.
Heselhaus, Clemens: Kafkas Erzählformen. In: DVjs. 1952 (26. Jg.), Hft. 3. S. 353 ff.
Hillmann, Heinz: Franz Kafka. Dichtungstheorie und Dichtungsgestalt. Bonn 1964.
Ide, Heinz: Existenzerhellung im Werke Kafkas. In: Jahrbuch der Wittheit zu Bremen. Bd. I, 1957. S. 66 ff.
Iser, Wolfgang: Die Appellstruktur der Texte. Konstanz 1970.
Jahn, Wolfgang: Kafkas Roman „Der Verschollene" („Amerika"). Stuttgart 1965.
Janouch, Gustav: Gespräche mit Kafka. Erinnerungen und Aufzeichnungen. Frankfurt a. M. 1951.
Järv, Harry: Die Kafka-Literatur. Eine Bibliographie. Malmö 1961.
Jauß, Hans Robert: Literaturgeschichte als Provokation. Frankfurt a. M. 1970.
Kaiser, Hellmuth: Franz Kafkas Inferno. Wien 1931.
Kraft, Werner: Franz Kafka. Durchdringung und Geheimnis. Frankfurt a. M. 1968.
Lämmert, Eberhard: Bauformen des Erzählens. Stuttgart 1955.
ders.: Das Ende der Germanistik und ihre Zukunft. In: Ansichten einer künftigen Germanistik. Hrsg. v. J. Kolbe. München 1969, S. 79 ff.
Lukács, Georg: Wider den mißverstandenen Realismus. Hamburg 1958.
ders.: Zur Ontologie des gesellschaftlichen Seins. Neuwied/Berlin 1971.
Martini, Fritz: Franz Kafka. Das Schloß. In: Das Wagnis der Sprache. Stuttgart 1954. S. 287 ff.
Mayer, Hans: Kafka und kein Ende?. In: Ansichten zur Literatur der Zeit. Reinbek 1962. S. 54 ff.
Middelhauve, Friedrich: Ich und Welt im Frühwerk Franz Kafkas. Diss. Freiburg i. Br. 1957 (Masch.).
Motekat, Helmut: Interpretation als Erschließung dichterischer Wirklichkeit. Mit einer Interpretation von Franz Kafkas Erzählung „Ein Landarzt". In: Interpretationen moderner Prosa. Hrsg. v. der Fachgruppe Deutsch-Geschichte im Bayerischen Philologenverband. Frankfurt a. M./Berlin/Bonn ³1957, S. 7 ff.
Muschg, Walter: Tragische Literaturgeschichte. Bern 1953.

Neider, Charles: The Frozen Sea. A Study of Franz Kafka. New York 1948.
Pasley, Malcolm: Drei literarische Mystifikationen. In: Kafka-Symposion. Hrsg. v. K. Wagenbach u. a. Berlin 1965. (Zitiert wird nach der Taschenbuchausgabe: München 1969.) S. 17 ff.
ders./Klaus Wagenbach: Datierung sämtlicher Texte Franz Kafkas. In: Kafka-Symposion. Hrsg. v. K. Wagenbach u. a. Berlin 1965. (Zitiert wird nach der Taschenbuchausgabe: München 1969.) S. 43 ff.
Politzer, Heinz: Problematik und Probleme der Kafka-Forschung. In: Monatshefte für deutschen Unterricht, deutsche Sprache und Literatur. Madison (Wisconsin). Jg. 42, 1950. S. 273 ff.
ders.: Prague and the Origins of Rainer Maria Rilke, Franz Kafka and Franz Werfel. In: Modern Language Quarterly. Seattle (Washington). Jg. 16, 1955. Hft. 1, S. 49 ff.
ders.: Franz Kafka, der Künstler. Gütersloh 1965. (Amerikanische Originalausgabe: Franz Kafka, Parable and Paradox. Cornell University 1962.) (Diese Arbeit wird zitiert als „Politzer, S. . . .“)
ders.: Das Kafka-Buch. Frankfurt a. M. 1965.
Pongs, Hermann: Franz Kafka, der Dichter des Labyrinths. Heidelberg 1960.
Pouillon, J.: Temps et Roman. Paris 1946.
Ramm, Klaus: Reduktion als Erzählprinzip bei Kafka. Frankfurt a. M. 1971.
Reimann, Paul: Die gesellschaftliche Problematik in Kafkas Romanen. In: Weimarer Beiträge. Jg. 3, 1957. Hft. 4, S. 598 ff.
Richter Helmut: Franz Kafka. Werk und Entwurf. Berlin 1962.
Rochefort, Robert: Kafka und die unzerstörbare Hoffnung. Wien/München 1955.
Rohner, Wolfgang: Franz Kafkas Werkgestaltung. Diss. Freiburg i. Br. 1950 (Masch.).
Rose, H. J.: Griechische Mythologie. München 1955.
Schneeberger, I.: Das Kunstmärchen in der ersten Hälfte des 20. Jahrhunderts. München 1960.
Schoeps, Hans-Joachim: Gestalten an der Zeitenwende. Frankfurt a. M. 1948.
Seidler, Manfred: Strukturanalysen der Romane „Der Prozeß“ und „Das Schloß“ von Franz Kafka. Diss. Bonn 1953 (Masch.).
Seiffert, Helmut: Einführung in die Wissenschaftstheorie 2. München [2]1971.
Sokel, Walter H.: Franz Kafka. Tragik und Ironie. München/Wien 1964.
Spann, Meno: Die beiden Zettel Kafkas. In: Monatshefte XLVII, 1955. S. 322 ff.
Spilka, Mark: Amerika: It's Genesis. In: Kafka Today. Hrsg. v. Angel Flores/Homer Swander. Madison 1964. S. 95 ff.
Swander, Homer: The Castle: K.'s Village. In: Kafka Today. Hrsg. v. Angel Flores/Homer Swander. Madison 1964. S. 173 ff.
Tauber, Herbert: Franz Kafka. Eine Deutung seiner Werke. Zürich/New York 1941.
Uyttersprot, Herman: Eine neue Ordnung der Werke Kafkas?. Antwerpen 1957.
Wagenbach, Klaus: Franz Kafka. Eine Biographie seiner Jugend. Bern 1958.
ders.: Franz Kafka in Selbstzeugnissen und Bilddokumenten. Reinbek [7]1970. (Erstauflage 1964.)
ders.: Julie Wohryzek. Die zweite Verlobte Kafkas. In: Kafka-Symposion. Hrsg. v. K. Wagenbach u. a. Berlin 1965. (Zitiert wird nach der Taschenbuchausgabe: München 1969.) S. 31 ff.
Walser, Martin: Beschreibung einer Form. Versuch über Franz Kafka. München [3]1968.
Watzlawick, Paul (u. a.): Menschliche Kommunikation. Stuttgart/Wien 1969.

(Amerikanische Originalausgabe: Pragmatics of Human Communication. New York 1967.)
Weinberg, Kurt: Kafkas Dichtungen. Die Travestien des Mythos. Bern/München 1963.
Weiskopf, Franz Carl: Franz Kafka und die Folgen. In: Literarische Streifzüge. Berlin 1956. S. 212 ff.
Weltsch, Felix: Religion und Humor im Leben und Werk Franz Kafkas. Berlin 1957.
Wiese, Benno v.: Der Künstler und die moderne Gesellschaft. In: Akzente 5, 1958. S. 112 ff.
ders.: Franz Kafka. Ein Hungerkünstler. In: Die deutsche Novelle von Goethe bis Kafka. Düsseldorf 1956. S. 325 ff.
Woodring, Carl R.: Josephine the Singer, or the Mouse Folk. In: Kafka Today. Hrsg. v. Angel Flores/Homer Swander. Madison 1964. S. 71 ff.
Zimmermann, Werner: Deutsche Prosadichtungen der Gegenwart. Düsseldorf 1954.

7 WERKREGISTER

8 PERSONENREGISTER

Probleme der Literaturanalyse

Heide Göttner: Logik der Interpretation

Analyse einer literaturwissenschaftlichen Methode unter kritischer Betrachtung der Hermeneutik (MUS 11). Gr. 8°. 191 S. kart. DM 28,–
Dieses Buch stellt den literaturwissenschaftlichen Argumentationsprozeß im Rahmen der Analytischen Methodologie dar; daß Hypothesensystematisierung und -überprüfung auch in der Literaturwissenschaft parallel zu allen anderen empirischen Wissenschaften funktionieren, wird an einem Interpretationsbeispiel anschaulich vor Augen geführt.

Hans Günther: Struktur als Prozeß

Zur Literaturtheorie und Ästhetik des tschechischen Strukturalismus. 100 S. kart. DM 14,80
Der tschechische Strukturalismus gewinnt mit seinem Bemühen um eine Synthese von formaler und gesellschaftlicher Analyse der Kunst Bedeutung für die bei uns gegenwärtig geführte Diskussion um eine materialistische Kunstwissenschaft. Er bietet ein Begriffssystem an, dessen erschließende Kraft bisher bei weitem noch nicht ausgeschöpft ist.

Vladimir Karbusicky: Widerspiegelungstheorie und Strukturalismus

Zur Entstehungsgeschichte und Kritik der marxistisch-leninistischen Ästhetik (Kl 3). 128 S. kart. DM 12,80
Nicht nur die Auseinandersetzung eines Strukturalisten mit der marxistisch-leninistischen Ästhetik, sondern auch die Entstehungsgeschichte ihrer sog. „Widerspiegelungslehre in der Kunst“. Insbesondere die Inhaltsanalyse typischer Texte dieser Schule zeigt plastisch die logische Verwirrung im Rahmen dieses „entgeistigten“ hegelianischen Denksystems, das den ausschließlichen Anspruch auf Wahrheit auch mit politischer Gewalt durchsetzt. – Die erste Auflage des Buches erschien 1969 tschechisch in Prag, wurde jedoch sofort beschlagnahmt und vernichtet.

Erich Köhler: Der literarische Zufall, das Mögliche und die Notwendigkeit

134 S. kart. DM 16,80
Die Einführung des Zufalls in die historische Dialektik ist unabdingbar für eine neue Konzeption der Dialektik von Freiheit und Notwendigkeit, aber auch für eine historisch-soziologische Literaturwissenschaft, die sonst einem ebenso öden wie unglaubwürdigen Determinismus anheimfallen und sich selbst ihres Anspruchs auf eine umfassende methodologische Neuorientierung berauben würde.

Heinz-Dieter Weber: Über eine Theorie der Literaturkritik

Die falsche und die berechtigte Aktualität der Frühromantik. 70 S. kart. DM 9,80
Theoriebildung ist vordringlichste Aufgabe der Literaturwissenschaft. Jede Theorie der Kritik wird sich heute an der konsistentesten Theoriebildung eines Kritikers messen müssen, an der Friedrich Schlegels.

In diesem Buch werden die Texte Kafkas *und* ihre Deutungsgeschicht
unter den Gesichtspunkt der „problematisierten Interaktion“ gestellt. E
wird bezweckt, das Werk dieses „Klassikers der Moderne“ in die histor
schen Bedingungen seines Entstehens und seiner Rezeption einzurücke
— und es so aus der Isolation „reiner Kunst“ zu lösen. Da es bei d
Untersuchung Kafkas vor allem um die kommunikativen Bedingunge
innerhalb der fiktionalen Welt und im weiteren um die *kommunika*
tive Relevanz erzählerischer Gestaltungsformen überhaupt geh
werden die einzelnen Deutungsversuche besonders auf ihre *dialogi*
sche Leistung hin untersucht.

So kann gerade angesichts von Kafkas Werk, das in seiner enthistorisie
renden Hermetik ein Extremfall in der Literatur des 20. Jahrhunderts is
die Notwendigkeit der Selbstreflexion und Offenlegung des jeweilige
hermeneutischen Ansatzes demonstriert werden — die Notwendigkeit als
Dichtungswissenschaft zu betreiben als „systematischen Dialog“.